L'IDÉE FIXE
de Pablo Urbanyi
est le deux cent cinquante-deuxième ouvrage
publié chez
VLB ÉDITEUR
et le quatrième de la
collection «latino-américaine».

D1286814

L'IDÉE FIXE

Pablo Urbanyi

L'idée fixe

roman

Traduit de l'argentin
par Jean Potvin

vlb éditeur

VLB ÉDITEUR
4665, rue Berri
Montréal, Québec
H2J 2R6
Tél.: (514) 524.2019

Maquette de la couverture:
Mario Leclerc

Photocomposition:
Atelier LHR

Distribution:
DIMÉDIA
539, boul. Lebeau
Ville Saint-Laurent, Québec
H4N 1S2
Tél.: 336.3941

Données de catalogage avant publication (Canada)

Urbanyi, Pablo, 1939-
    L'idée fixe
    Traduction de: En ninguna parte.
    ISBN 2-89005-253-2
    I. Titre.

PS8591.R34E514 1987   863'.44   C87-096330-9
PS9591.R34E514 1987
PR9199.3.U72E514 1987

À mon épouse, Catalina
et à mes enfants, Pablo et Mafalda

Quand le mot «idiot» ne signifie rien d'autre qu'une personne capable de former par elle-même ses propres opinions, il est réellement difficile de comprendre en quoi la théorie éréwhonnienne du génie peut différer de la nôtre.

SAMUEL BUTLER
Erewhon

Si la stupidité ne ressemblait pas à s'y méprendre au progrès, ou au talent, ou à l'amélioration, personne ne voudrait être stupide.

ROBERT MUSIL

Une question est une réponse:
— Mulá Nasrudin, pourquoi réponds-tu toujours à une question par une autre question?
— Est-ce vraiment ce que je fais?

Les mots d'esprit de
l'incroyable Mulá Nasrudin

Première partie

CHAPITRE I

Introduction ou prologue[1]

Que les professeurs, les universitaires, les scientifiques et les académiciens en général, surtout quand ils œuvrent dans le même champ du savoir, se haïssent, se

---

1. Digne lecteur: il est superflu que je me présente sur-le-champ; vous me connaîtrez progressivement (peut-être même trop, j'en ai peur) au cours de la lecture de cet ouvrage. Toutefois, en raison de l'infini respect que je porte au lecteur, je vais lui révéler à l'instant un trait de mon caractère. D'ailleurs, ce respect pour le lecteur m'oblige à apporter quelques éclaircissements importants. Ma condition d'académicien humaniste me coince entre deux attitudes (schizophrénie?): l'académisme d'un côté et l'humanisme de l'autre. En tant qu'académicien, face à mes pairs (mais sans que je prétende pour autant être «primus»), je me suis senti dans l'obligation, afin d'être précis et d'éviter les fausses interprétations, d'écrire ce chapitre scientifique, un peu «aride», destiné aux «spécialistes» ou aux «experts». C'est pourquoi j'ai intitulé ce chapitre «Introduction». Comme humaniste, pour dorer un peu la pilule et la rendre plus «digestible», j'ai aussi appelé ce chapitre «Prologue», une licence que je n'oserais qualifier de poétique et à laquelle je ne fais guère confiance pour atteindre mes objectifs (du moins pour le moment). Ces éclaircissements étant donnés, le lecteur «ordinaire» ou «normal» peut, s'il le veut, sauter directement au deuxième chapitre et se plonger dans l'action ou dans l'action proprement dite. La tâche de garder en mémoire la finalité ou l'objectif de ce livre ne doit pas préoccuper le lecteur: cette tâche m'incombe.

décrient les uns les autres, se diffament même, qu'ils s'arracheraient les yeux pour d'infimes détails d'érudition et qu'ils se tueraient volontiers s'ils l'osaient et le pouvaient, voilà des faits et des vérités trop connus pour qu'il vaille la peine de s'y arrêter. C'est là un sujet exhaustivement traité tant par la littérature que par un certain nombre d'essais plus ou moins courageux, parmi lesquels il conviendrait de signaler *L'éloge de la folie* d'Érasme de Rotterdam.

Toutefois, quand la fausse humilité, le masque de la belle éducation et l'apparent respect de l'un pour l'autre (qui pendant des années ont tenu en laisse la jalousie, les rancœurs et l'envie), quand tout cela éclate et que l'agressivité ainsi libérée se manifeste en un acte spontané — on dit d'habitude «se tomber dessus à bras raccourcis» —, personne ne devrait s'étonner que deux respectables universitaires, que deux prestigieux professeurs se prennent aux cheveux et se roulent sur la moquette du corridor d'un département d'une quelconque université.

Cependant, quand une telle chose se produit, comme ce fut récemment le cas, le monde académique s'émeut comme s'il fallait voir là quelque chose d'épouvantable. C'est que la mémoire de l'humanité est fragile et les professeurs, qui font aussi partie de l'humanité, préfèrent s'étonner devant un tel phénomène, non sans une certaine dose de sadisme d'ailleurs, au lieu de faire appel, la tête bien froide et la pensée sereine, à nos riches bibliothèques pour chercher des précédents qui puissent leur permettre de comprendre le phénomène dans toute son ampleur.

Sans chercher bien loin, l'Académie de Platon nous apparaît comme une bonne illustration de nos propos. Descendant du dernier roi d'Athènes, Platon était (permettez à l'auteur de cet ouvrage l'emploi d'une expression académique), Platon était, nous répétons, «un drôle de numéro». Ses ennemis, pour le discréditer, l'accusent d'homosexualité; ses admirateurs au contraire, en particulier ceux qui viennent du monde académique et artistique, le considèrent abusivement comme un modèle, comme une sorte d'archétype, sans prendre conscience que l'homosexualité de Platon était une simple «expérience», un sacrifice nécessaire dans sa quête de connaissance de l'être humain. Ce n'est toutefois pas cet aspect qui intéresse d'abord, sauf ce qui suit: tout le monde oublie qu'il était un athlète consommé, champion olympique et médaillé d'or, que, du haut de ses formidables deux mètres, «sans coups bas», il affrontait dans des combats homériques les fourbes sophistes. Il était si fort et il lutta si vaillamment que, comme chacun le sait, il expulsa d'abord les sophistes de son académie, et ensuite, par ses écrits, il les élimina du champ intellectuel, les balayant de l'histoire.

Si les sophistes, malgré cela, refirent surface comme politiciens, avocats, faux prophètes et membres d'autres professions, on ne peut certes en imputer la faute à Platon; ce n'est pas davantage sa faute si finalement, sacrifiés sur l'autel de l'utilitarisme et du progrès, les idéalistes disparurent également, ne laissant derrière eux que l'idée comme seule survivante. Mais la discussion de la métamorphose des sophistes pourrait faire l'objet d'une autre recherche. Dans cet ouvrage, l'auteur fixera son attention sur l'histoire d'une autre idée. Et comme il tremble au moment de prononcer ce mot qui a causé tant de problèmes! Mais n'anticipons pas.

Parcourant les rayons des bibliothèques de l'université et s'interrogeant sur les enseignements de l'histoire, l'auteur a, à sa grande surprise, trouvé tellement d'exemples de manifestations de violence parmi les universitaires qu'il y aurait là matière à alimenter pendant des années n'importe quelle feuille de chou quotidienne. Ceci dans la mesure, évidemment, où les affrontements spirituels des porte-parole de l'héritage culturel de l'humanité pourraient éventuellement intéresser les lecteurs de ce type bâtard d'information. Pour éviter la renaissance de vieilles rancœurs (nous en avons déjà plus qu'il n'en faut avec les nouvelles), on taira le nom des universités où l'on aura cherché à trouver les antécédents de ces faits, on ne nommera ni l'Université de Salamanque d'Espagne, ni l'Université de la Sorbonne de France, ni aucune université nord-américaine ou canadienne. On se contentera tout simplement de raconter les faits en les illustrant au besoin.

Au Moyen Âge, lors de tournois entre chevaliers, les différends se réglaient à coups de haches et de lances; à la Renaissance, ce fut à coups d'épées et de fleurets; à l'époque romantique, viennent les coups de pistolets; les fusils automatiques munis de mire télescopique à l'ère moderne (et on a même relevé un cas de tentative d'assassinat aux rayons laser à l'ère contemporaine): en somme, les professeurs, les académiciens et les scientifiques réglaient et règlent toujours leurs divergences d'opinions et de points de vue en se crevant les yeux, en se brisant les mains et les jambes, en se causant toutes sortes de perforations et de brûlures, laissant même, à l'occasion, quelques morts sur le terrain.

Il n'est pas dans notre intention d'insister sur ces faits macabres. Il n'est pas non plus question de rabaisser qui que ce soit. En fin de compte, l'auteur lui-même est un universitaire. Une compréhension humaine ouverte et généreuse est la seule attitude qui convienne ici.

Toutefois, l'auteur ne peut résister à la tentation, autant pour son propre plaisir que pour celui du lecteur, de rapporter ici la curieuse origine d'un très vieux tour en usage chez les étudiants et dont jusqu'à maintenant on leur attribuait l'invention: la punaise sur la chaise du professeur.

Le modèle original de cette farce fut cependant emprunté à un universitaire. La semaine où la punaise fut inventée, plus précisément le 12 août 1816, après être entré dans la salle de cours, le titulaire de la chaire du Département de géographie de l'université la plus réputée de Paris commença son cours, alors qu'il s'assoyait, par un «Aïe» historique. Quand fut close l'enquête sur cette affaire, le coupable, le professeur adjoint à la chaire de géographie, invoqua pour sa défense l'«oubli involontaire» et la «méconnaissance des dangers et conséquences de l'utilisation de la nouvelle invention[2]».

Enfin, profitant d'un moment de relâche dans son travail, l'auteur de cet ouvrage (on pourrait aussi l'appeler chroniqueur puisque son intention est d'être objectif) se rend compte qu'une sorte de pudeur bien naturelle l'empêche d'entrer de plein fouet dans son sujet, dans la narration et l'analyse des événements eux-mêmes. Le lecteur doit l'excuser; c'est un universitaire prudent qui, ayant vécu les événements de près, se risque sans fausse humilité mais craintivement, comme «marchant sur des œufs» sous les menaces des «oui» et des «non», à déposer son

---

2. Voir pour plus d'information: «Nouveaux apports aux recherches sur la punaise; aspects jusqu'à maintenant inconnus de son évolution à travers son usage social». André Simard, *Revue internationale de recherches sociologiques*, Paris, 1976, pp. 48 à 92. (Rem.: L'article constitue une intéressante amplification et un approfondissement de la thèse doctorale du sociologue bien connu.) Ceci même si, quant à moi, je suis en total désaccord avec la conclusion que le docteur Simard tire de cet épisode et d'épisodes similaires. Cette conclusion m'apparaît un peu hâtive et trop générale. Il oublie, de plus, qu'il est lui-même un universitaire. Il dit textuellement: «Par suite de cette toute dernière mise à jour quant à l'usage de la punaise, en raison, d'une part, de la découverte de témoignages dignes de foi, et considérant, d'autre part, l'usage généralisé de la punaise comme moyen d'agression dans les cercles académiques, scientifiques et universitaires, nous pouvons théoriquement conclure que la haine des soi-disant «lumières» est une haine qui apparaît comme un manque de dignité face à l'oppression. En effet, quel universitaire ou quel scientifique pourrait résister à la tentation d'agresser un collègue quand les professeurs, sur le marché nord-américain du crédit, méritent la palme d'or pour leur fidélité à rembourser les crédits et les prêts qu'on leur consent? Devant une honnêteté tellement problématique, tellement essoufflante, devant un «surmoi» aussi cristallisé, il ne leur reste plus comme exutoire à la rébellion que de mettre une punaise sur la chaise ou dans le lit de ceux qu'ils détestent. Toute autre explication n'est que légende ou pure fiction poétique.» Les faits que je vais raconter dans les pages qui suivent prouveront le contraire.

petit grain de sable pour que ces faits soient mieux compris et que cette histoire puisse servir de leçon aux générations futures et contribuer de la sorte à un progrès plus harmonieux de l'humanité.

Ce qui vient d'être dit pourrait être considéré comme le but de cet ouvrage. Mais pour qu'aucune ambiguïté ne subsiste pendant la lecture (Qu'est-ce au juste que le progrès harmonieux de l'humanité? Que doit-on entendre par un grain de sable?), l'auteur ajoute que, fidèle à l'esprit du dicton «Rien de ce qui est humain ne m'est étranger», il vise, à travers le récit de cet incident au sujet duquel le lecteur sera pris à partie, à traquer et à découvrir le réel qui se cache sous le masque des apparences, c'est-à-dire à découvrir les valeurs humaines éternelles[3].

Et ceci nous amène aux questions de méthodologie. En ce qui a trait au modèle d'analyse ou à la méthodologie que l'on peut adopter dans tout travail ou dans toute recherche, aussi bien en littérature que dans tout autre domaine du savoir, on pourrait écrire là-dessus de nombreux traités et cela ne suffirait pas encore. Dans ce cas-ci, l'auteur se limitera à quelques lignes. Comme il a constaté que les méthodologies visant à étudier quelque chose (n'importe quoi, comme toujours) «castrent» la réalité de sa richesse (on laisse de côté ceci ou cela parce que ça ne cadre pas dans la méthodologie qui ne cadre pas à son tour avec les objectifs du travail ou de la recherche, etc.), l'auteur a voulu adopter dans cette chronique-essai une

---

3. Ici, les «inconditionnels du message» vont sursauter. Cet ouvrage renferme-t-il un message? Oui et non. Non, parce qu'aujourd'hui, les messages se sont transformés en «messagers» animico-mentaux, en paroles de faux prophètes. Oui, mais seulement si nous nous en tenons à l'époque et au territoire où nous vivons, et plus particulièrement à l'hémisphère nord de l'Amérique, lieu où règne une authentique démocratie. De sorte que le message est démocratique: «Tu le prends s'il fait ton affaire, et s'il ne te plaît pas, tu le laisses. Tes problèmes ne m'intéressent pas.»

méthodologie totalisante ou, pour le dire autrement, une sorte de non-méthodologie.

Une telle conception se justifie aisément si on lâche un tant soit peu la bride à l'imagination ou à la tentation. C'est là, d'autre part, une attitude tout à fait légitime dans la mesure où, évidemment, on demeure fidèle à ce principe: «La liberté de l'un finit où commence la liberté de l'autre». Mais qui régit ce principe et comment? C'est un mystère; *mutatis mutandis*, le dollar pourrait probablement être considéré comme un excellent étalon.

Malheureusement, l'être humain envie toujours celui qu'il croit être dans une situation plus avantageuse. S'il ne peut prendre sa place, il recourt à l'illusion ou au processus de l'identification. Le processus intérieur du professeur de littérature par rapport à l'écrivain est le même que celui de n'importe quelle secrétaire par rapport aux stars d'Hollywood. Ainsi, comme derrière chaque secrétaire se cache la star, derrière chaque professeur s'occulte l'écrivain. Ce processus, évidemment, se produit aussi à l'inverse: derrière chaque écrivain, avec son intolérable et toute-puissante vocation pédagogique, se cache le professeur universitaire.

Aussi, une fois lâchées les rênes de l'imagination et de la tentation, le chroniqueur n'hésitera pas, si cela s'avère nécessaire, à utiliser des procédés littéraires, mais il tentera d'éviter l'ambiguïté qui les caractérise[4].

---

4. Parlant de méthodologies-méthodes-notes en bas de page, les soi-disant notes en bas de page sont embarrassantes et fastidieuses: elles brisent la continuité de la lecture et distraient l'attention du lecteur. Les auteurs qui en abusent s'imaginent qu'un renvoi ou qu'une note en bas de page, en plus d'impressionner le lecteur par la manifestation d'une prétendue érudition, vont aussi éliminer les déficiences ou combler les lacunes de leurs œuvres. C'est pourquoi j'ai pris grand soin d'en mettre le moins possible, m'en tenant à celles que j'ai cru absolument nécessaires. Et comme je l'ai exposé antérieurement (voir la note 3 de ce même chapitre), le lecteur peut à sa guise les ignorer. Mais j'espère, au moins, qu'il ne m'en voudra pas s'il n'y comprend rien.

L'auteur ne veut pas abuser de la bienveillance du lecteur mais il compte toutefois sur cette bienveillance pour se permettre une dernière mise au point avant d'entrer dans le vif du sujet. Mise au point absolument nécessaire pour éviter de fausses interprétations et prévenir de futures attaques. Nous ne voulons pas dans cet ouvrage commettre l'erreur de plusieurs universitaires qui, en l'absence de louanges d'autrui, se louangent eux-mêmes et qui, pour faire ressortir la valeur de leurs propres recherches, ne cessent tout au long de leurs textes d'en signaler l'utilité et l'importance. Ils mettent toujours en évidence qu'avec leurs recherches, ils «remplissent un vide», comme si le vide les attendait pour se remplir, ce que n'ont pas réussi à accomplir les millions de traités écrits sur le sujet, de l'Antiquité jusqu'à nos jours.

Avec tous ces rappels, ils traitent indirectement d'idiots tous ceux qui ne se sont pas rendu compte de la transcendance et de la pertinence du détail (il s'agit toujours de détails) qu'ils ont étudié. L'auteur n'insistera pas non plus sur les justifications classiques: «manque de données» ou «on ignore» ou «il est difficile d'ajouter quelque chose de neuf» ou «sans compter les sacrifices»... que personne d'ailleurs ne leur a demandés. Autant d'expressions qui, avec raison, amènent le lecteur non «spécialisé» ou non «initié» à mettre en doute le sérieux authentique de la recherche. Ce qui ne se pose pas vraiment pour les membres de la secte (parmi lesquels je m'inclus: il faut bien vivre de quelque chose) puisque ces derniers, de toute façon, doutent et se méfient de toute recherche qui ne soit pas la leur.

La rédaction de ce livre est le fruit d'une recherche exhaustive et très méticuleuse. S'il manque quelque chose, si tant est qu'il puisse manquer quoi que ce soit — est-ce que je me risque à le dire? —, c'est tout simplement que cette chose n'existe pas. Et même si l'importance et l'utilité de cette recherche ne font pas l'objet d'un rappel continuel, cette utilité et cette importance apparaîtront d'elles-mêmes, sans la nécessité de l'autopromotion, au fil de la lecture. Le lecteur intelligent pourra en juger par lui-même dans les pages qui vont suivre[5].

5. J'allais oublier. Les introductions ou les prologues, en plus d'abuser de lourdes explications (que j'ai pour ma part tenté d'éviter), ont l'habitude de fourmiller de remerciements. Sur un ton à peine bouffon, je pourrais dire que l'existence est la seule chose pour laquelle il me faille exprimer (à mon papa et à ma maman) quelque reconnaissance, mais personne ne me prendrait au sérieux dans cette société incrédule. Aussi, j'exprime ma gratitude à mes collègues des autres départements pour leur collaboration désintéressée. (Et entre nous, cher lecteur, en ce qui a trait au désintéressement, «allons donc!» comme dirait un collègue de mon département que le lecteur connaîtra bientôt. Tous ceux que je consultais voulaient que leurs nom et prénom, champ de spécialisation, adresse et numéro de téléphone apparaissent dans mon livre; et il s'en fallait de peu qu'ils n'aillent pas jusqu'à me demander de publier aussi leur *curriculum vitae*. J'ai eu toute la peine du monde à les convaincre que ce livre serait publié sous un pseudonyme, et qu'il s'agissait d'une publication d'intérêt général, sans intérêt particulier. Il me semble que les explications déjà fournies sont amplement suffisantes pour toute personne se disant cultivée. Comme je le mentionnais, le lecteur intelligent pourra en juger par lui-même dans les pages qui vont suivre.

CHAPITRE II

L'incident

Que l'incident initial se soit produit un vendredi, jour
où se profilent la menace de l'ennui de la fin de semaine
et l'obligation de «s'occuper de la famille», les épouses y
comprises, que l'incident se soit produit un hiver où les
températures avaient été exceptionnellement basses (ce
qui, comme on le sait, contribue à la dépression), que les
deux professeurs aient à ce moment-là épuisé leur marge
de crédit, voilà autant de faits que seuls les érudits très
pointilleux évalueront.

Le fait est qu'un certain vendredi du mois de janvier,
une réunion des membres du Département d'espagnol de
l'une des universités d'Ottawa venait de prendre fin[1].
Après une réunion aussi tumultueuse qu'épuisante (elles
sont toujours ainsi, c'est l'«esprit du temps»), les profes-

---

1. La ville d'Ottawa compte deux universités. Comme le lecteur averti
l'aura remarqué, je tais volontairement le nom de l'université dans
laquelle se produisit l'incident. Ceci, dans le but de conserver le plus
strict anonymat possible et aussi pour m'en tenir à mon principe de
généralisation des idées. (N.B.: Ottawa est la capitale du Canada.)

seurs se retiraient soulagés et, avec beaucoup de civilité, dans le plus pur respect de la tradition anglaise, tous se souhaitaient mutuellement une bonne fin de semaine.

Ils étaient peu nombreux à avoir assisté à la réunion; mais il faut bien dire que ce département ne comptait plus tellement de membres. À l'exemple de ce qui se passait ailleurs (eh oui, encore l'«esprit du temps»), ce département était en décadence. Il est cependant certain que la disparition du Pygmée et de Masque Aztèque n'attira l'attention de personne; tous pensèrent qu'ils s'étaient retirés dans leurs bureaux respectifs pour «mettre une dernière main à quelque détail[2]».

Les autres universitaires présents à la réunion profitèrent de l'absence de ces derniers pour commenter avec étonnement l'attitude curieuse du Pygmée qui avait soudainement perdu la voix devant «l'étrange regard» que lui avait lancé Masque Aztèque, un regard anormal chez lui

---

2. Je m'en tiens à nouveau au même critère (voir la note 1 de ce même chapitre). Bien que je connaisse le nom et le prénom des protagonistes, je ne veux pas les divulguer pour «ne pas jeter de l'huile sur le feu». Je préfère employer leurs alias qui, eh oui, sont aussi utilisés entre professeurs universitaires. Ces alias (ou surnoms ou sobriquets; mais dans ce travail, je préfère employer le mot «alias» en raison de sa signification intrinsèque: en effet, l'Académie royale définit «alias» par «à la place d'un autre nom»), ces alias, donc, autant les étudiants que les professeurs les utilisent quand ils parlent en mauvais termes et derrière leur dos de leurs collègues. Toutefois, si l'utilisation de ces alias dans la narration des événements imprègne une certaine allure ou une certaine odeur de gangstérisme, cela ne veut nullement dire que les professeurs soient des mafiosos ou des voleurs. Bien que, aïe! il y eut malheureusement, comme on le verra, de sérieuses accusations de vol et de violation de la propriété privée. Les alias ont toujours leur raison d'être: dans le cas du Pygmée, l'alias est né de la stature réduite du professeur; quant à Masque Aztèque, il fut ainsi nommé à cause de l'impénétrabilité de son visage ou peut-être tout simplement parce que son épouse était mexicaine. Comme je l'ai dit, tous les deux étaient absents à ce moment-là.

(personne n'osant parler clairement d'un regard féroce). Et, plutôt que de s'étouffer avec les syllabes qui se pressaient dans sa bouche sous l'effet d'une rage qui sautait aux yeux, le Pygmée avait dû ravaler ses mots.

Naturellement, selon une tradition bien implantée depuis plusieurs années, la réunion n'avait pas apporté la moindre solution ni n'avait permis de tirer quelque conclusion que ce soit quant aux sujets traités, ce qu'il fallait bien encore une fois attribuer à l'«esprit» dont nous parlions antérieurement. Aussi, quand le Pygmée annonça d'une voix grave, inhabituelle et insoupçonnée: «J'ai une idée», tous se sentirent soulagés et pleins d'espoir. Était-ce enfin l'occasion d'apporter un démenti à «l'esprit» et un début de solution à leurs problèmes? Toujours méfiants face aux idées nouvelles, surtout quand elles ne viennent pas d'eux-mêmes, ils écoutèrent le discours du Pygmée, qualifié par la suite de «causerie avortée», comme s'il s'agissait d'une fausse-couche[3]. Le lecteur peut s'imaginer la déception qui se lisait sur le visage des professeurs (l'un d'eux y alla même de la célèbre phrase: «L'homme ne vit pas que de pain») quand le Pygmée, après avoir bu une gorgée d'eau (de circonstance) et après avoir commencé son discours en véritable patineur de fantaisie, était soudain devenu muet sous l'effet du mystérieux regard de Masque Aztèque. C'est pour cette raison que la réunion fut qualifiée, comme toutes les autres, de réunion de routine.

Le groupe d'académiciens se retirait. Ils avaient presque dépassé le seuil de la porte du corridor qui conduisait à l'ascenseur quand quelque chose — un cri? un rugisse-

---

3. NDT: Il s'agit là d'une traduction très libérale du texte espagnol: c'est une image qui en remplace une autre (intraduisible en français) et qui la vaut sans doute. Il nous faudrait une longue note pour faire comprendre notre choix et nous serions bien malvenu d'abuser quand l'auteur lui-même est si pudique en matière de notes.

ment? une lamentation? — les cloua sur place[4]. Ils inter-
rompirent brusquement leurs commentaires et écoutèrent
attentivement: des coups, des gémissements, des bruits
sourds, des halètements provenaient de quelque part.
Tout d'abord, ils pensèrent que quelqu'un avait allumé un
téléviseur. Mais, entendant bien les «toi!» «toi!» prononcés
avec un accent guttural dans la douce langue de Castille et
prenant conscience qu'il n'y avait pas d'émission dans
cette langue à cette heure-là (à moins d'une improbable
série filmée à la frontière mexicano-américaine), ils rejetè-
rent leur première idée. Quelque chose de plus sérieux
était en train de se produire[5].

Si, pour le dire à la manière des romans policiers, les
professeurs «ne se précipitèrent pas vers les lieux du
crime», vers l'endroit d'où provenaient les bruits, les
gémissements et les «toi!» accusateurs, ce fut sans doute
parce qu'ils ne pouvaient concevoir, même s'ils le craignaient ou le pressentaient, ce qui était en train de se
passer.

---

4. Après l'incident, aucun de ceux qui avaient assisté à la réunion ne
put décrire avec exactitude ce qu'il avait entendu ou cru entendre, à
l'exception de quelques exclamations lancées par certaines professeures comme «c'était quelque chose d'horrible». Sans parler des nombreux «terrible» et «épouvantable».

5. Dans la mesure où il est possible de concevoir quelque chose de
plus grave qu'un «abêtissant» téléviseur allumé dans le Monastère du
Savoir. Si cela se produit parfois, on justifie la présence de l'appareil
par dix traités sur la pédagogie moderne et toutes les références
nécessaires.

CHAPITRE III

L'incident proprement dit

À bon ou à mauvais escient, pour le meilleur ou pour le pire, toujours est-il que les professeurs, guidés par le bruit, se dirigèrent vers le lieu de l'événement, au bout du corridor. Et que virent-ils? Au milieu du corridor, à mi-chemin de leurs bureaux respectifs, parmi les porte-documents, les pardessus, les écharpes, les gants et les lunettes, le Pygmée et Masque Aztèque, les jambes entre-mêlées (non pas tant comme des amants mais plutôt comme des boas constricteurs qui, dans l'obscurité de la nuit, se seraient trompés de cibles), pendus à la barbe l'un de l'autre, étaient en train de se rouler sur le sol, de s'insul-ter et de se cracher au visage.

Devant une scène aussi sauvage et brutale, un cri unanime, un indescriptible cri d'horreur s'échappa des bouches des universitaires, un cri qui, croyez-le ou non, figea les lutteurs sur place. Sans lâcher leur prise de barbe, ils jetèrent un coup d'œil sur les nouveaux arrivants. Puis, se regardant, aphones, ils restèrent ainsi pendant un long moment, comme figés sur place par la lente caméra de l'étonnement[1].

Ami lecteur hypothétique, permettez au chroniqueur de cette bien triste histoire de profiter de ce silence pour se permettre une brève digression. Pas plus longue, je vous assure, que ne dura en réalité ce silence. Maintenant que plusieurs mois nous séparent de la tragédie, en fait plus d'un an déjà, cette réflexion s'impose. L'auteur est aujourd'hui convaincu que si, à ce moment-là (sans qu'il pense aux femmes et sans qu'il faille y voir une attitude antiféministe), l'un des universitaires, le Viking par exemple (un professeur qui mesure ses deux mètres et qui, comme tout universitaire qui se respecte et malgré ce qu'en pense le vulgaire, pour ne pas s'ankyloser et prendre de l'embonpoint dans sa tâche pacifique d'éducateur, met en pratique la maxime «mens sana in corpore sano» et suit l'exemple de Platon dans ses aspects positifs et constructifs en s'adonnant systématiquement à la pratique du sport, dans ce cas-ci l'haltérophilie), si donc à ce moment-là, le Viking, sous le regard sévère mais en même temps paternel de l'assistance, avait de ses mains énormes agrippé par les cheveux et séparé les deux belligérants[2], ces derniers se seraient rendu compte de leur agissement honteux et cette affaire n'aurait pas pris de telles proportions; et même s'ils n'avaient pas réussi par la suite à redevenir des amis, l'inimitié aurait pu se poursuivre pacifique-

---

1. Quelques hypothèses sur le cri qui avait paralysé les lutteurs: «cri d'horreur» avais-je dit; mais ce fut aussi un cri de joie: de joie sadique? Même si je dispose de preuves irréfutables à cet effet (de nombreuses publications et articles sur le sujet), un minimum d'honnêteté et de décence m'empêche cependant de prêter à mes collègues mes propres sentiments.

2. «...agrippé par les cheveux»: voilà un bel exemple illustrant comment une métaphore peut occulter la réalité au lieu de contribuer à une connaissance poétique de celle-ci. J'insiste sur ce point parce que je n'ai pu employer cette phrase que métaphoriquement: le Pygmée et Masque Aztèque sont tous deux chauves.

ment sous la forme d'un dialogue infini. Il n'y a aucune raison de se montrer plus catholique que le pape ou de croire que l'on est soi-même un organisme plus important que les Nations unies.

Cherchant (maintenant) à comprendre pourquoi personne n'est intervenu, y compris l'auteur lui-même (quoique celui-ci avait une légère blessure à la main: le bandage qu'il portait ostensiblement en faisait foi), l'auteur se rappelle soudain avec un pincement douloureux une phrase au sujet de la non-intervention, une observation qu'il avait entendue de l'un de ses étudiants qu'il n'avait jamais considéré jusqu'alors comme particulièrement doué et intelligent. Ce dernier avait dit: «Entre vous, universitaires, et la vie, se dresse une muraille de livres plus large que n'importe quelle bibliothèque nationale.» On pourrait reconnaître au Pygmée et à Masque Aztèque la gloire d'avoir franchi cette barrière et d'être passés à l'action vitale.

La digression terminée et le silence maintenant rompu, nous retournons à la scène tragique. Sans doute parce qu'elle avait l'habitude de commander, la seule à faire preuve de détermination fut la chairman du département[3]. Avec un courage admirable et une grande fermeté, elle cria: «Lâchez-vous!» Sans vouloir parler d'intentions inavouées et d'intuition féminine, ni revenir sur les convoitises, les rancœurs, les haines et les jalousies aca-

---

3. La chairman, peut-être parce qu'elle est le plus ancien professeur du département, est celle qui a le plus d'alias: la Cubaine, la Voix de La Havane, s'expliquent d'eux-mêmes. Quant à Sorcière (créé à partir de l'expression: «Je ne crois pas aux sorcières, mais qu'elles existent bel et bien, la chairman en est la preuve vivante»), ce sobriquet ne connut guère de succès: le petit groupe qui tenta de l'implanter ne put apporter aucune preuve sur les activités qu'un tel sobriquet suggérait. Dans ce travail, pour ne pas me faire l'écho des jalousies et de la bêtise, je m'en tiendrai au nom générique de chairman, sa catégorie véritable (chair-chaise; man-homme; chaise-homme, ce qui correspond en français à président, responsable ou chef).

démiques, l'auteur se dissocie de cet ordre et soutient qu'il fut mal formulé. À son avis, pour qu'il ait pu donner quelque résultat, l'ordre aurait dû être: «Cessez le combat!»

L'ordre de la chairman fut respecté: ils lâchèrent simultanément prise. Mais comme cet ordre ne spécifiait rien d'autre, simultanément aussi, avec la force et l'énergie que donne la pratique du sport (le karaté dans le cas du Pygmée, la boxe dans celui de Masque Aztèque), ils se donnèrent l'un et l'autre de violents coups de poings en pleine figure.

Nouveau cri d'horreur de l'assistance. Quelque chose vola en l'air et tous crurent que Masque Aztèque avait arraché la tête du Pygmée. Mais non, vaine espérance. C'était le dentier (personne ne savait qu'il en portait un) du Pygmée que Masque Aztèque avait fracassé et qui se retrouva, éclaté en quatre morceaux, parmi les objets dispersés sur le sol. Par contre, le cri de l'assistance avait couvert le craquement sec produit par la cassure de l'une des canines de Masque. Le sang ne mit pas de temps à jaillir. Enflammé, convaincu que chacune des dents de son appareil orthopédique avait autant de valeur que chacune des dents naturelles de Masque Aztèque, bien décidé à appliquer la loi du talion, le Pygmée profita de l'hésitation de Masque — surpris par le goût de son propre sang — et il se mit à attaquer chacune de ses dents avec une dextérité que seuls peuvent donner les arts martiaux orientaux. À une série de coups bien appliqués succédèrent une série de craquements et un afflux de sang encore plus considérable.

Tout d'abord, hypnotisés par le liquide rouge et le déploiement de violence, les universitaires ne surent quoi faire. Le choniqueur est certain que l'assistance se divisa alors en deux clans: celui des bellicistes et celui des pacifistes. Ainsi, la moitié des personnes présentes imitait les combattants, mimant l'affrontement comme s'il s'agissait d'un vulgaire match de boxe. Affolée, l'autre moitié de l'assistance (au milieu des conseils que personne n'écoutait et des cris qui fusaient de toutes parts: «Arrêtez-vous, insensés!» «Cessez!» «Morbleu!» «Pardieu!» «Quo vadis, professeurs?») courait de tous bords tous côtés sans évidemment aboutir à quoi que ce soit qui vaille[4].

La suite du combat prit un tour inattendu et l'assistance, entrevoyant les conséquences désastreuses de l'affrontement, se vit obligée de réagir et de prendre une décision. Mais que se passe-t-il?

La vérité métaphorique du proverbe «tout ce qui brille n'est pas or» prit corps dans la réalité. Le Pygmée, excité par la vue du sang et par la série de dents de Masque Aztèque, lui enfonça la joue d'un autre de ses coups et, à sa grande surprise, son poing ne rencontra aucune résistance, aucun bruit ne vint confirmer qu'il avait atteint sa cible. Sa surprise augmenta encore. Masque, tout en maintenant sa prise de jambes, avait cessé de respirer et était devenu bleu; tous, y compris le Pygmée, s'en inquiétèrent. Mais Masque ne perdit pas la tête: il entrouvrit sa bouche ensanglantée, y introduisit le pouce et l'index, et il sortit de sa gorge, l'une à la suite de l'autre, une paire de molaires synthétiques (elles n'étaient pas en or). Il les étu-

---

4. «Arrêtez-vous, insensés!» et «Cessez!» furent lancés par le Mendocinien (de Mendoza, Argentine), spécialiste de la littérature du Moyen Âge. Les «Pardieu!» et «Morbleu!» vinrent de Paco, alias le Galicien, professeur de rhétorique d'une légendaire ambiguïté, comme il en fit encore la preuve dans ce cas-ci où l'on ne sut jamais s'il avait subi une sorte de régression académique le ramenant au temps de la chevalerie errante ou s'il ne s'amusait pas plutôt comme un fou de cette scène, hypothèse plus probable. Quant au latinisme «Quo vadis?», il fut prononcé par le docteur Cyrus Pomponius, «l'un des rares qui restent et savent encore quelque chose là-dessus», c'est-à-dire au sujet du latin, connaissance qui lui avait valu le surnom de Langue Morte. Comme pour accréditer la validité de son sobriquet, à l'exception de ce jour, il ne parla plus jamais de cette affaire; tout comme les «part-time» (professeurs à temps partiel), «il s'effaça». Je profite de cette occasion pour le remercier de ses conseils relativement aux expressions latines utilisées dans ce travail.

dia avec attention et il vit qu'elles étaient cassées. Et, comme si la perte des dents artificielles constituait une perte plus grande que celle des dents naturelles[5], il se mit en quête du point faible du Pygmée, encore paralysé par la surprise; se prenant alors pour le Dieu qui châtie par la cécité, il lui enfonça le pouce dans l'œil.

L'auteur croit que, n'eût été de l'intervention de l'assistance, la lutte se serait poursuivie — pardonnez à l'auteur l'image suivante, brutale mais juste — jusqu'à ce que les combattants se déroulent les tripes et se les mesurent centimètre par centimètre[6].

5. C'est effectivement le cas: les dents naturelles sont partie intégrante de l'individu alors qu'il faut, en revanche, acheter les dents artificielles sur le marché. D'une manière ou d'une autre, ce fut un facteur décisif lors du procès.

6. Pour ne pas trahir mon souci de trouver une justification aux attitudes des universitaires, et tenant compte des conclusions à venir, j'avance les raisons suivantes comme explication possible de leur conduite: d'une part, une dose de sadisme naturel et subliminal régit la conduite de chaque être humain, comme Freud l'a démontré scientifiquement; d'autre part, l'épisode en soi fut la preuve évidente de l'idéologie — perte des valeurs et absurdité de l'existence — qui habite le cœur de l'homme contemporain et explique son indifférence. En un mot, l'altercation, ou le combat, fut une manifestation supplémentaire de l'esprit du temps.

CHAPITRE IV

Fin de l'incident

Pendant que les combattants se roulaient toujours sur le plancher, visant et attaquant maintenant les yeux de l'ennemi, la chairman convoqua sur-le-champ une réunion extraordinaire. Et, se prenant pour l'archange Gabriel, faute d'épée, d'un percutant «Hors d'ici», elle mit à la porte les *part-time*, et plus spécialement la Petite Vipère, une professeure dont on ne savait jamais de quel côté elle penchait et qui, se frottant continuellement les mains et souriant sans arrêt, passait son temps à chercher un trou où faire son nid.

Le Paradis enfin nettoyé, la réunion put avoir lieu, avec les participants suivants (tous témoins de l'incident): l'auteur, le Mendocinien, la Chilienne (une miniature, un essai, une tentative de femme et, selon Paco, la parfaite œuvre inachevée), la Valkyrie (avec laquelle, toujours selon Paco, contrairement à la Chilienne, Dieu n'y avait pas été de main morte: par ses rondeurs et ses imposantes dimensions, elle apparaissait comme le symbole même de l'inaccessible), Paco, le Viking et Langue Morte (qui, ainsi que nous l'avons déjà dit, adopta tout comme les *part-time* l'attitude de Ponce Pilate).

Compte tenu des circonstances, la chairman expliqua en deux mots le motif de la convocation. Après un bref échange d'opinions (ponctué d'expressions du genre: «C'est terrible», «Il faut faire quelque chose», «Où en sommes-nous arrivés?», «Ça ne peut pas continuer ainsi»), invoquant le prestige de l'université et le danger qu'aurait représenté une intervention de la presse ou des autres mass media, on décida de ne faire appel ni à la police ni aux pompiers. Faisant preuve de discernement afin que l'incident ne soit pas ébruité, on appela les agents de sécurité (*Security Guards*), mais sans leur préciser le motif: on s'imaginait qu'aussitôt appelés, les agents de l'ordre, privés ou non, accourraient en toute hâte. Et encore avec plus de hâte s'il s'agissait d'agents privés: il est bien connu que «le privé» est le meilleur. Mais les agents mirent du temps avant d'arriver: ils crurent probablement qu'il s'agissait d'une simple porte bloquée, ou d'un fusible brûlé, ou d'un robinet qui coulait, ou du viol d'une étudiante dont il était habituellement bien inutile de tenter de retracer les auteurs. Aussi, ils tardèrent énormément avant d'arriver.

Pendant ce temps, l'angoisse rongeait l'assistance à tel point qu'on ne s'intéressait même plus au combat qui commençait d'ailleurs à devenir quelque peu ennuyant. Quand ils arrivèrent, les membres de l'équipe de sécurité (le staff) refusèrent d'intervenir, prétextant qu'ils étaient employés par une agence privée et que, pour cette raison, ils risquaient d'être faussement accusés et d'être même l'objet de sanctions punitives.

Finalement, comme les universitaires protestaient énergiquement, faisant valoir des menaces de poursuites interminables s'ils n'intervenaient pas, armés de chaises pour éviter tout contact direct avec les combattants (détail important dans le cas où il y aurait procès), comme s'ils avaient affaire à des lions, les agents parvinrent à séparer les deux assaillants.

Il était grand temps. Les combattants n'auraient pu

poursuivre la lutte davantage: à un mètre l'un de l'autre,
totalement épuisés, ils gisaient sur le plancher, cherchant
péniblement leur souffle[1].

---

1. Bien qu'il faille toujours se méfier de Paco à cause de la façon ambi-
guë qu'il a de dire les choses, il faut en toute justice lui rendre hom-
mage pour ses aptitudes rhétorico-sophistes en général et, en particulier, pour la finesse dont il fit preuve pour persuader les gardiens de
sécurité. Aussi à l'aise dans la confusion du verbe qu'un poisson dans
l'eau, alternant entre cinq langues (un espagnol assez bon, un mauvais français, un anglais encore pire, un galicien archaïque, et un pot-
pourri des quatre), il créa un tel embrouillamini parmi les gardiens que
ceux-ci, désespérés, crièrent en français et en anglais: «Assez!»,
«Fermez-vous!», tout en baragouinant autre chose, dans une langue
qui nous était incompréhensible et que nous crûmes être l'esquimau,
l'une des autres langues officielles du Canada. Le lecteur sourira sans
doute à la lecture de cette note. Toutefois, s'il est un tant soit peu
lucide, il saura deviner sous l'anecdotique l'un des symboles de la
société actuelle, celui (je cite) de «l'homme planétaire déraciné bâtis-
sant avec désespoir une tour de Babel moderne pour un Dieu auquel
il ne croit plus».

CHAPITRE V

À la recherche d'une explication

Quand le danger fut enfin écarté — le Pygmée et Masque Aztèque ne risquant plus de s'arracher les tripes — et alors que les gardiens de sécurité continuaient leur surveillance, les bottes bien appuyées sur les chaises, la réunion, elle, n'était toujours pas terminée. Comme pour atténuer la gravité de l'affaire, un épisode de plus dans la hasardeuse vie académique et dans la vie en général, la chairman, avec l'accord des professeurs présents — qui, maintenant que le combat était terminé et que s'était calmée l'excitation générale, s'apercevaient que le jour leur filait entre les doigts —, décida de ne pas appeler l'ambulance. Invoquant le libre arbitre, les droits de la personne et l'initiative privée, on décida de ne conduire les ex-combattants à l'hôpital que s'ils le demandaient. «En un mot, conclut la chairman, nous avons le devoir et l'obligation, d'un simple point de vue humain, de leur permettre de recevoir les premiers soins et de les aider à se sortir de ce mauvais pas. Messieurs, la réunion est close.»

Tous mirent la main à la pâte. Après avoir aidé les ex-combattants à se relever, l'auteur de ce rapport accompagna personnellement Masque Aztèque à la salle de bains pour qu'il puisse laver le sang qu'il avait sur le visage et nettoyer de son mieux ses vêtements. Pour des raisons stratégiques, dans le but d'éviter des disputes territoriales, on conduisit le Pygmée dans une autre salle de bains.

Masque Aztèque se nettoya, replaça ses quelques cheveux autour de sa tête et se lissa la barbe, mais il ne put, malgré toute l'eau et tout l'effort qu'il mit à frotter, faire disparaître les taches de sang sur ses vêtements. Enfin, quand l'auteur se rendit compte que Masque avait plus ou moins recouvré ses esprits, au nom du *staff* des professeurs, insistant sur la nécessité de la coexistence pacifique, il lui posa la question qui brûlait les lèvres de tout le monde: «Pourquoi vous êtes-vous battus?»

Par respect autant pour la mère du Pygmée que pour le Pygmée lui-même, il vaut mieux taire ici les insultes lancées par Masque Aztèque dans un anglais assaisonné de crachats sanguinolents et de bégaiements.

Sous le regard féroce de Masque (il n'y avait pas de quoi s'étonner que le Pygmée soit devenu muet), l'auteur, pour se ménager un refuge si cela devenait nécessaire, recula et se plaça près de la porte d'un des cabinets, Masque bloquant la porte de sortie des toilettes. Heureusement, les insultes semblaient l'avoir calmé. Réussissant à vaincre son bégaiement, mais non sa difficulté d'élocution (en raison de la perte des dents), Masque poursuivit son discours, cette fois dans un espagnol teinté d'un fort accent «britannique». L'auteur réussit plus ou moins à comprendre que l'autre lui aurait volé une idée, une idée des plus importantes qui apportait une solution définitive aux pressants problèmes du département. Devant les questions de l'auteur: où? comment? quand? et quelle idée? Masque répondit: «Merd...! Tu n'as peut-être pas entendu l'exposé du nain pendant la réunion? Bon, cela était MON idée.» L'auteur ne sait pas si ce fut à cause de la rage avec laquelle il avait prononcé le premier mot ou en raison du mot lui-même mais, chose certaine, il fit un pas de plus vers la porte du cabinet. Puis, se sentant plus en sécurité et s'excusant d'avance avec toutes les formalités d'usage, il lui déclara qu'il ne se souvenait malheureusement pas d'une telle chose, que durant la réunion de cet après-midi, il avait seulement entendu l'annonce d'une idée à venir mais nullement son exposition. Si le Pygmée l'avait exposée, l'auteur, par distraction, ou à cause de sa bêtise et de sa propre stupidité, ou pour toute autre raison qui plairait davantage à Masque, ne s'en était pas rendu compte ni ne l'avait comprise. Aussi, pour que l'auteur puisse en avoir, ne serait-ce qu'une idée approximative, pour le cas où il pourrait être appelé à donner son opinion sur celle-ci, il invita Masque Aztèque à lui faire part de son idée.

Masque Aztèque regarda l'auteur, non plus alors avec colère mais avec la méfiance d'un agneau qu'on égorge, ou comme s'il se trouvait en présence d'un autre voleur. Masque palpa sa bouche endolorie de laquelle continuaient à s'échapper par moments des filets de sang, passa sa main sur son front tuméfié et il repoussa l'un de ses yeux, presque sorti de son orbite. Puis, comme un chat échaudé craignant l'eau froide, d'un geste et d'un air de supériorité, il ignora l'auteur, lui tourna le dos et sortit de la salle de bains[1].

---

1. Naturellement, avant d'envoyer mes travaux à l'impression, je les relis minutieusement; et celui-ci plus que tout autre. Plusieurs de ces notes sont le fruit de cette tâche. Or voilà, quand je suis arrivé à la phrase: «...comme un chat échaudé craignant l'eau froide», je me suis rendu compte qu'en son temps je l'avais écrite spontanément. Je me suis demandé, surpris: «Que vient faire cette comparaison, placée juste ici, dans le contexte général?» Je me suis dit que le contexte «salle de bains» s'associait facilement au mot «eau». Mais... attention! L'affaire n'est pas aussi simple. Essayant d'approfondir la question, je fouillai ma mémoire et je me rappelai que Masque Aztèque était sorti sans fermer le robinet qu'il avait utilisé et que l'eau coulait à flots. Je fermai le robinet et le suivis alors aussitôt.

L'origine de la comparaison ayant révélé son mystère, comprenant enfin le mécanisme de sa construction, je me demande maintenant si ce phénomène curieux et digne d'intérêt, cette étrange association, ne

Tout le monde désirait tirer cette histoire au clair ce
même après-midi-là, afin de pouvoir dormir la conscience
tranquille. L'auteur, lui, avait hâte de révéler aux autres le
résultat de sa conversation avec Masque Aztèque et d'entendre à son tour la version qu'avait pu donner le Pygmée

confirmait pas la théorie du discours ou de l'écriture de l'inconscient.
Quant à «lui tourna le dos», indiscutable métadiscours du signe
«mépris» (ou métasigne: il faudrait en débattre), un doute se profile
que j'aimerais partager avec le lecteur. Tenant compte de nos positions stratégiques respectives, moi à côté de la porte du cabinet (je me
rendis compte avec répugnance qu'on n'avait pas encore nettoyé les
cabinets cette journée-là: il s'agissait bien d'une université française,
latine) et Masque près de la porte de la salle de bains, celui-ci devait,
pour sortir sans perdre la face, me tourner le dos. Toutefois, selon la
«théorie de l'inconscient» (comme les enfants et les ivrognes, l'inconscient ne ment jamais; le problème est de savoir ce qu'il dit), il est
impossible que Masque, qui utilisait fréquemment la salle de bains, ne
se soit pas rappelé dans son inconscient que la porte était du modèle
«porte battante» et qu'il n'y avait donc aucun danger que ne s'ajoutât
un autre coup à ceux déjà reçus du Pygmée (qu'il appela le Nain, alias
que je trouve exagéré). Or voilà: la réalité une fois transposée sur
papier, pour que la fonction du «métalangage» dans son sens de
«mépris» ne s'impose pas aussi radicalement, Masque aurait-il dû sortir en faisant marche arrière? Ou bien... était-ce réellement un signe
ou un indice de mépris? Si ce n'était pas le cas, tenant compte du contexte, Masque, en bon gentleman qu'il est, aurait dû agir autrement et
se retirer «à reculons».
    Ce genre de réflexion arrive toujours au moment où l'on s'y attend
le moins! Je pense que ces découvertes ouvrent des perspectives
importantes et insoupçonnées, de nouveaux horizons dans les
recherches sur l'inconscient. Face aux théories délirantes et hallucina-
toires qui prolifèrent un peu partout, ce que je vise, c'est l'analyse et
l'étude d'une «théorie littéraire concrète». D'ailleurs, il n'y a qu'à comparer mon exemple «concret» avec des énoncés comme ceux-ci: «Ce
que dit le langage de la littérature, n'est-ce pas un silence qui, comme
le *hoquet de l'amour*, est rien et tout... Vibrations, ondes, appels et
réponses: silence.» (Les guillemets et la mise en italique de «*hoquet de
l'amour*» sont de moi.) En voici un autre: «Le langage (la parole) du
texte, par un acte permanent et révolutionnaire (la dialectique), détruit
en même temps qu'il reconstruit.» (Quant à moi, je dirais plutôt:
comme Néron qui brûla pour reconstruire.)

à la personne qui l'accompagnait, pour pouvoir ainsi comparer les deux versions et voir si une petite lueur ne faisait pas jour dans le brouillard. Toutefois, contrairement à ces espérances, on n'obtint aucun résultat tangible. Les membres du département, en effet, n'eurent guère le loisir d'éclaircir le mystère, occupés tout ce temps à bien d'autres travaux: surveiller les ex-combattants; ramasser les objets éparpillés sur le sol; retrouver sur la moquette rouge les dents ensanglantées de Masque Aztèque, les compter et, pour qu'il ne subsiste aucun doute quant au propriétaire, vérifier si elles correspondaient aux trous vides de sa bouche; rechercher la prothèse dentaire du Pygmée en évitant d'en mêler les éclats avec la série de molaires synthétiques de Masque; tenter de réinstaurer la paix, tout en demeurant sur le qui-vive à cause des regards agressifs que les deux pugilistes se lançaient ou qu'ils jetaient aux autres professeurs quand l'un d'eux, timidement, discrètement (et même tendrement et de façon mielleuse quand il s'agissait des femmes), tentait de connaître le motif de la querelle. On dut également les reconduire à leurs maisons respectives: ils refusèrent d'aller à l'hôpital parce que tous les deux voulaient «que tout le monde sache et voie ce que m'a fait cette espèce de...». Finalement, on dut supporter les cris de peur et d'hystérie de leurs épouses... C'est ainsi que l'après-midi leur fila entre les doigts.

CHAPITRE VI

Le mystère s'épaissit

Ce même soir, l'auteur, qui vit seul (pour des raisons qui n'ont pas à être exposées ici), se trouvait chez lui, un verre de bon whisky écossais à la main. Il réfléchissait et se promenait, inquiet, de la fenêtre à sa chaîne stéréophonique placée sur l'un des rayons de son abondante bibliothèque, puis de là jusqu'au sofa de velours. Il s'assoyait, se levait, allait jusqu'à son bureau. En proie à l'incertitude, il tentait de comprendre l'incident et il se demandait si oui ou non il valait la peine de prendre quelques notes (fort heureusement, il le fit: il nota consciencieusement toutes ses pensées). Le téléphone sonna au beau milieu de sa réflexion: c'était la chairman.

Après quelques considérations climatiques (le froid, la neige, la tempête qui se préparait), la chairman, qui avait vu l'auteur accompagner Masque Aztèque à la salle de bains, voulut savoir si ce dernier lui avait dit quelque chose et, le cas échéant, ce qu'il avait dit. Gardant pour lui ses conjectures philosophiques, ses théories et ses hypothèses, l'auteur, autant par amitié pour la chairman que par déférence pour son poste (elle distribuait «la manne»), lui fit le récit détaillé de ce qui s'était passé avec Masque Aztèque dans la salle de bains.

Il est inutile de répéter ces faits que le lecteur connaît déjà. «C'est plutôt mince», remarqua la chairman. Puis elle révéla à l'auteur, étonné, que c'était elle qui avait accompagné le Pygmée à l'autre salle de bains (ce qui s'explique — ou non — par le fait qu'il s'agissait de la salle de bains des dames); elle lui révéla aussi que la version du Pygmée, qui ne s'était pas gêné pour d'abord insulter vertement la mère de Masque et tous ses ancêtres et même tout l'empire britannique (véhémence qu'il faut imputer à ses origines latines), était plus ou moins la même que celle de Masque. Selon lui, durant l'exposition de «SON idée», il s'était rendu compte que Masque, juste à sa manière de le regarder, connaissait déjà son idée et qu'il avait donc découvert que ce... ce... la lui avait volée. Malgré l'insistance de la chairman (Pauvre Pygmée! L'auteur peut facilement imaginer ce qu'il a dû subir...), il se refusa à dire de quelle idée il s'agissait.

Avant de raccrocher, la chairman demanda à l'auteur ce qu'il pensait de cet incident. L'auteur, qui la connaissait bien et savait qu'elle faisait siennes les opinions des autres, lui répondit qu'il était désolé de la décevoir mais qu'il n'avait aucune opinion, seulement de vagues idées, des théories très générales sur les phénomènes d'agressivité engendrés par la télévision dans la société contemporaine et dans la vie moderne.

Tout en lui transmettant quelques dernières directives, qui signifiaient un surplus de travail, la chairman prit congé: «À demain! Je te vois au département»[1].

---

1. Comme le lecteur s'en sera rendu compte, ce chapitre ne contient aucune note en bas de page.

CHAPITRE VII

La solution tarde à apparaître

L e lendemain et les jours suivants, malgré tous les efforts des membres du département — les efforts sincères de certains et les présumés efforts de certains autres qui ne visaient qu'à satisfaire leur goût du commérage et de la médisance —, la situation ne s'éclaircit pas davantage. Le *staff* du département dépensa son énergie en vain, au point d'en arriver à un état de *stress* général tant dans le maintien du «statu quo» (pour éviter que ne se répète le «casus belli») que dans ses tentatives d'élucider ce qui s'était passé[1].

Il fut relativement facile de déterminer le moment du début du combat et d'en dégager le côté technique ou anecdotique. Sur ces points, les deux belligérants s'entendaient. La veille, au même moment, armés de leurs serviettes, gants, vestons, foulards et pardessus, ils avaient fermé précipitamment la porte de leurs bureaux respectifs

---

1. «Statu quo» et «casus belli»: respectivement, état des choses à un moment déterminé et cas ou motif de guerre.

pour rejoindre les autres membres du département. Leur porte refermée, ils s'étaient retournés et ils s'étaient rentrés l'un dans l'autre. Le reste était venu tout seul: ils avaient laissé tomber leurs effets personnels — imposés par l'exercice de la profession et par le froid intense — et l'un l'autre s'étaient empoignés par la barbe. Le reste est de l'histoire ancienne.

Au-delà des faits superficiels, le vrai motif, la raison profonde du combat aurait été le vol de l'idée, c'est-à-dire l'Idée elle-même. L'auteur regrette toutefois de ne pouvoir l'exposer ici pour la simple raison qu'il n'en avait pas la moindre idée. Il comprend le désappointement du lecteur mais il lui certifie que cette ignorance ne veut nullement dire la fin de l'histoire, que c'en est au contraire le commencement. L'auteur racontera cette histoire le plus fidèlement possible afin que le lecteur, sur l'intelligence duquel il compte et qui la possède indubitablement, puisse, avec toutes les informations en main, tirer ses propres conclusions, des conclusions qui seront probablement plus avisées que celles de l'auteur qui fut lui-même impliqué dans ces événements.

Voici quelques faits: au cours des recherches entreprises pour connaître l'idée proprement dite, des informations supplémentaires furent obtenues. Aussi bien le Pygmée que Masque Aztèque étaient d'accord sur le fait qu'il s'agissait d'une idée importante, très importante, une idée des plus originales, une idée salvatrice. C'était non seulement une idée salvatrice qui apporterait une solution aux graves problèmes dont était affligé le département à ce moment-là, mais également une idée qui, d'abord mise en application dans le cadre d'une expérience pilote où les membres du département joueraient le rôle de cochons d'Inde, permettrait, après coup, de résoudre les problèmes de l'humanité tout entière et la sauverait (ou quelque chose du genre). Les deux protagonistes, malgré tous les efforts déployés, se refusaient toutefois à révéler et à expliciter l'Idée. Tous deux affirmaient que lorsque la situation serait enfin éclaircie et que la paternité de l'Idée serait bel et bien établie, ils n'hésiteraient pas à l'offrir de façon tout à fait désintéressée à leurs collègues ou au collègue qui, il va sans dire, en ferait la demande et saurait l'utiliser correctement, honnêtement et adéquatement, «étant donné que le triste exemple de la découverte de la fission de l'atome, qui aurait pu sauver l'humanité, menace maintenant, par suite de procédés malhonnêtes de la part de professionnels et de scientifiques corrompus, de la détruire: cet antécédent historique nous oblige à mettre en doute le bien-fondé d'une révélation prématurée de l'Idée». En fin de compte, et de façon bien compréhensible, l'un comme l'autre ne demandaient que la plus simple reconnaissance.

En conséquence, pour pouvoir établir s'il y avait effectivement eu vol, il ne restait aux membres du département, de plus en plus intrigués, qu'à se concentrer sur la recherche de — comment pourrait-on dire? —, ah oui! c'est cela, sur la recherche du «penseur originel». Interrogé à ce propos, le Pygmée accusa Masque Aztèque d'«abus de confiance» puisque, selon ce qu'il prétendit, cette tête d'Anglais avait demandé le passe-partout à la secrétaire du département, était entré subrepticement dans «son» bureau et avait lu l'esquisse de l'idée originale laissée sur «sa» table de travail. «Et si j'ajoute à cela que je n'ai plus confiance en mes collègues, c'est une raison de plus pour ne pas en dire d'avantage sur l'Idée.»

On interrogea la secrétaire du département. Celle-ci confirma que Masque Aztèque avait en effet emprunté le passe-partout mais elle nous pria en ces termes: «S'il vous plaît, ne me mêlez pas à cette histoire, ça nous tombe toujours sur le dos, nous, les secrétaires.» Elle expliqua qu'elle ne savait ni ne pouvait savoir — «Je ne passe pas mon temps à abandonner mon travail pour épier les professeurs» — dans le bureau de quel professeur était entré Masque, oh pardon, Masque Aztèque, parce qu'avec cette clef, il pouvait pénétrer dans n'importe quel bureau, et que si quelque chose avait disparu, c'était clair, ce n'était pas de sa faute. Et que, de plus, il serait temps que l'on réglementât l'utilisation du passe-partout: en l'absence de règlements, des situations comme celle-ci ne pouvaient que se répéter. Quand il n'y a pas de lois, c'est l'anarchie qui règne.

À la surprise générale, alors que tous pensaient avoir enfin réussi à élucider le problème (et en être arrivés à la solution définitive de toute l'affaire — quelle humanité impatiente!), Masque Aztèque reconnut qu'il avait en effet emprunté la clef et qu'il était entré dans le bureau de Pygmée, mais ce fut pour lui laisser un vieux livre très rare «qui m'appartenait», et qu'il ne pouvait évidemment pas confier à la boîte aux lettres. Un livre que le Pygmée m'avait demandé de lui prêter pour une recherche — un chercheur celui-là! Et il fit savoir qu'on ne vienne plus jamais lui demander quoi que ce soit à emprunter parce qu'après ce qui s'était passé, il avait perdu confiance dans l'humanité tout entière, sur laquelle il avait, d'ailleurs, des doutes depuis un certain temps. Et comme il savait (d'ailleurs tout le monde le sait) que, de toute sa vie, il n'était sorti ni ne sortirait de la tête du Pygmée une seule idée digne de ce nom, mal lui en prendrait de perdre son temps à fouiner dans ses papiers, un véritable «fouillis». Il regrettait, au contraire, de ne pas avoir eu de témoins. Si le Pygmée, ajouta-t-il, esquissa ou nota quelque chose, ce fut «MA» propre idée, car dans un moment de relâchement, de franche camaraderie, alors qu'ils s'étaient rencontrés en face de l'ascenseur et qu'ils étaient descendus ensemble, lui, Masque Aztèque, confiant dans la tradition bien connue mais stupide de «l'échange des idées», s'était laissé aller, pendant le trajet, à lui faire part de son idée.

Le Pygmée admit qu'il avait emprunté le livre, «de la vraie merde, comme il s'y attendait», et qu'indigné, il l'avait rendu à Masque, le lui lançant littéralement au visage. Il reconnut aussi qu'il était descendu non seulement une seule fois mais plusieurs jours de suite dans le même ascenseur que Masque. Et qu'il nous fallait voir — «c'est à cela que sert la tête» — s'il était possible pendant un court trajet de trois étages, et surtout si l'on ajoutait à cela le bégaiement qui gagnait Masque quand il était nerveux ou quand il croyait qu'il allait dire quelque chose d'important, s'il était donc possible qu'une quelconque idée puisse être émise dans de telles conditions. Et même s'il admettait volontiers qu'une idée intelligente, si elle est brève, est doublement meilleure, c'était une chose impensable et tout à fait improbable avec «cet imbécile».

Et ainsi, comme un chien qui court après sa queue ou comme un âne qui tourne et tourne la noria, le temps suivait son cours avec ses intrigues, ses réunions extraordinaires, ses interventions d'avocats, ses consultations et ses contre-consultations, etc.[2]

---

2. Il n'est pas nécessaire que je décrive — le lecteur peut parfaitement l'imaginer lui-même — à quel point la bouche dégarnie des deux ex-combattants leur donnait l'apparence de vieillards: tous les deux se refusaient à faire remplacer leurs dents «tant que justice ne serait pas faite». En même temps que leurs bouches édentées donnaient lieu à de nombreux commentaires parmi les étudiants et parmi les collègues des autres départements et faisaient naître de nouveaux alias, c'était aussi une «accusation vivante» pour l'agression brutale perpétrée l'un contre l'autre et c'était, dans l'esprit de chacun d'eux, l'empreinte du «martyre de l'idée nouvelle».

CHAPITRE VIII

La nouvelle se propage

«Urbe et orbi[1]», la nouvelle se répandit comme une traînée de poudre. On ne dit pas sans raison «homo homini lupus[2]». Le fait que l'Idée pouvait signifier, pour le département, des projets de recherche et du travail, voilà probablement ce qui éveilla l'envie aussi bien des autres départements de notre université que de tous les départements des universités à la ronde. Le monde académique s'émut et manifesta, selon l'auteur, une surprise et une

---

1. «Dans la ville, Rome (dans ce cas-ci, Ottawa), et dans l'univers.»

2. «L'homme est un loup pour l'homme.» Il est possible que le lecteur considère que j'abuse de ce qu'on appelle péjorativement des «latinismes». Mais il comprendra, s'il a une certaine culture, que les anciens exprimaient avec une plus grande justesse (la vieille sagesse antique) certaines idées toujours en vigueur aujourd'hui. Et surtout, évidemment, quand ces latinismes sont employés bien à propos... Et non pas, comme lorsque j'ai demandé au Pygmée pourquoi il ne remplaçait pas ses dents et qu'il me répondit: «Cogito, ergo sum» (Je pense, donc je suis).

consternation exagérées. En fin de compte, le Pygmée et Masque Aztèque n'avaient rien fait d'autre que ce que les autres, bien qu'ils en mouraient d'envie, n'osaient faire.

Mais laissons de côté ces jugements! Des versions amplifiées et défigurées de l'événement firent, comme Magellan (ou plutôt presque comme Magellan puisque celui qui compléta ce tour fut Elcano), le tour du monde, la dizaine de coups de poing échangés et les quelques dents perdues devinrent respectivement des centaines de coups de poignard et des veines tranchées. Pour ne pas abuser de la patience du lecteur qui suit attentivement le récit et qui est déjà au courant des faits, l'auteur se bornera à signaler seulement quelques-uns des commentaires qui aboutirent sur sa table de travail par le biais de brèves notes, d'appels téléphoniques locaux ou interurbains, de commentaires recueillis lors de rencontres impromptues[3].

---

3. Même s'il est triste de le concevoir, il faut signaler que les propres membres du département qui avaient assisté à l'affrontement contribuèrent pour une large part à la diffusion de certaines des versions déformées qui circulèrent. Paco, le Galicien, par exemple, peut-être bien par ressentiment (les Galiciens sont à l'Espagne ce que les Nègres sont aux Etats-Unis) ou encore parce que plusieurs professeurs de littérature ont tendance à confondre la réalité littéraire avec la réalité réelle (confusion de niveaux et de plans), était une source intarissable de versions différentes sur le combat. Ainsi, un professeur d'une autre université, invité par Paco et moi à dîner, nous questionna-t-il abondamment et avec un immense sans-gêne sur le malentendu. Je préférai ne pas répondre, par discrétion, mais Paco — comme se disant à lui-même: «Là, vous êtes tombé en plein dans mes cordes!» — commença par un «Pardieu, c'en fut toute une!» et il raconta le combat comme s'il s'était agi de l'épopée homérique d'Ajax ou d'Achille devant Troie: la moquette du corridor devint le sable de la plage de la ville précitée, le Pygmée devint Pâris et Masque Aztèque, Achille, dont le talon était remplacé par les dents; Paco, lui, se donnait le rôle de l'astucieux Ulysse. Mais le pire fut que, avec son art habituel de la rhétorique, il avait converti le bureau de la chairman en Troie et la *chairman* était devenue rien de moins qu'Hélène elle-même. Imaginez un peu!

L'auteur a divisé ces commentaires en deux groupes: les commentaires spontanés, qui méritent d'être rapportés et respectés comme tels et les commentaires prudents, dignes d'intérêt comme expression du bon sens et de l'évolution sociale. Voici les commentaires épouvant..., non, pardon, je veux dire spontanés: «Que s'est-il donc passé?!» «Qui aurait pu croire cela?» «Quelle horreur!» «Nooon...!» «Mais où sommes-nous rendus?» Voici les commentaires prudents auxquels l'auteur souscrit: «Manifestation de l'agressivité sociale refoulée!», «C'est un problème mondial, comme l'inflation!», «Dans d'autres pays, c'est encore pire!» «Avant de diffuser quelque publica... excusez, avant d'émettre quelque jugement ou quelque opinion que ce soit, il faudra étudier attentivement toute l'affaire.» «Nous avons besoin de plus d'informations.» «C'est la faute de notre style de vie: l'American Express, le Coca-Cola, la démocratie et la société de consommation en général.» Enfin... le... le relent légèrement politique et les accusations gratuites de ce dernier commentaire empêchent l'auteur d'y souscrire pleinement.

Avec tout le respect que l'on doit à la vérité, il convient d'exprimer une juste reconnaissance pour les manifestations sincères de solidarité; il faut signaler en particulier une lettre venant du Département d'espagnol de l'Université Laval, ville de Québec, capitale de la province du même nom et chef-lieu du français au Canada[4].

---

4. La lettre, qui m'était adressée — signée par Antonio Harque, Francisco de Rico, Jorge Parental et Juan Claudio Simord — contenait une erreur lamentable que je préfère attribuer aux versions déformées qu'auront reçues mes collègues quelque peu isolés du monde plutôt qu'à la coutume habituelle de l'«expression de vœux» tellement répandue parmi les universitaires et les intellectuels. Il est certain que cette lettre témoignait de leur solidarité avec notre département, mais plus particulièrement avec moi car ils croyaient que j'étais celui qui s'était battu avec le spécialiste de latin, ledit Langue Morte. J'espère que cette note éclaircira la situation une fois pour toutes.

CHAPITRE IX

À la recherche de la vérité

L'Idée grandissait résolument jour après jour. Les professeurs faisaient des efforts désespérés (des efforts qui, par moments, frisaient tellement la colère ou l'impatience qu'ils provoquaient de furieuses discussions et menaçaient d'envenimer le débat) pour que le Pygmée et Masque Aztèque fassent la paix et pour que l'auteur véritable de l'Idée (ou même tous les deux puisque pour les professeurs, en toute honnêteté, l'un ou l'autre, c'était la même chose: selon les opinions recueillies, personne au fond ne les croyait capables d'inventer quoi que ce soit, encore moins une idée) la révèle au grand jour et — «charité bien ordonnée commence par soi-même» — qu'il la révèle en premier lieu à ses proches collègues. «Mais rien de rien!» comme dit Paco. Plus les professeurs s'acharnaient à connaître l'Idée, plus les ex-combattants (désormais les plaignants) se repliaient sur eux-mêmes.

Depuis l'épisode homérique (oui, il est désormais légitime de parler en langage métaphorique, maintenant que tout est du passé et que les faits font partie de la légende), plus d'un an déjà s'est écoulé et ce n'est qu'il y a deux semaines qu'on est arrivé à ce que, sous toutes réserves, on pourrait appeler (ou supposer être) une solution au différend. L'affaire enfin classée, l'auteur, toutes ses notes à la portée de la main, consultant au besoin son abondante bibliothèque ou celle de l'université, se mit à travailler avec acharnement pendant qu'à l'extérieur il neigeait et que le vent soufflait.

Rien n'y fit. Les efforts et toute la bonne volonté que déployèrent les universitaires tombèrent dans le vide. Un sentiment d'inquiétude envahit les membres du département. Le Pygmée et Masque Aztèque se repliaient de plus en plus sur eux-mêmes: aux questions que leur posait l'un ou l'autre des professeurs appartenant au camp des optimistes, ils ne répondaient plus que par monosyllabes. Devant l'indignation de la chairman qui devait faire face aux plaintes des étudiants, ils s'enfermèrent de plus en plus dans le mutisme, ceci même pendant leurs cours. Pendant ces cours, ils s'égaraient souvent, trop souvent, dans des espèces de rêveries éveillées, les yeux dans le vide, un sourire incertain et candide aux lèvres. Comme des «prophètes cataleptiques», avait laissé tomber le Mendocinien avec une méchanceté surprenante, fatigué sans doute de ne rien pouvoir tirer d'eux et de perdre son temps. Malgré tout, comme quelqu'un qui achète un billet de loterie tout en sachant d'avance qu'il n'a aucune chance de gagner, il revenait toujours à la charge avec ses questions.

Soit à cause de l'insistance du Mendocinien toujours à la recherche de «la nouvelle», soit parce qu'ils n'avaient rien à dire, soit encore parce qu'ils ne «ménageaient aucun effort» pour prolonger le suspense et demeurer sur la sellette (cette dernière opinion était défendue par le clan des femmes, des expertes en la matière), toujours est-il que le Pygmée et Masque Aztèque finirent par refuser de parler et ils s'enfermèrent dans un mutisme total.

Oh! comme les universitaires se fourvoyèrent! L'idée ne vint à personne que, s'en tenant à l'une des trois règles de la sagesse des pantins de comédie, le Pygmée et Masque Aztèque ne faisaient que consolider leur position et préparer leur propre gloire.

Pour bien mettre en évidence que l'on vivait dans un monde civilisé (plus spécifiquement au Canada[1]) et selon

---

1. Je me rends compte à l'instant que, pour le bénéfice du lecteur quelque peu perdu qui ne connaîtrait pas le Canada, je devrais peut-être m'étendre un peu plus sur le pays et son style de vie. Le lecteur comprendra que ce n'est pas là le sujet de mon étude ni davantage le but que je poursuis mais que, comme je l'ai déjà dit, j'explore derrière les apparences les valeurs humaines d'application universelle et de contenu éternel. Toutefois, une vue à vol d'oiseau — prenant l'aigle comme modèle et non le moineau — ne serait pas, je crois, superflue. Quant aux informations géographiques (population, climat, etc.), le lecteur peut, et c'est ce que je lui conseille, consulter n'importe quelle encyclopédie ou n'importe quel manuel de géographie. Je signale seulement que la capitale de ce pays, Ottawa, est la capitale la plus froide du monde; si elle ne jouit pas de la renommée de Moscou, c'est que lui fait défaut l'abondante littérature qui caractérise cette dernière. Avec cette présente publication, je crois, en toute modestie, être en mesure de contribuer à la promotion de sa renommée et j'espère que les autorités m'en sauront gré. La démocratie la plus absolue est le système politique qui régit le pays: c'est un système dans lequel une minorité peut gouverner. Contrairement à nos pays latino-américains où, comme on le sait (et je cite): «Personne ne parle mais tous écoutent», ici «tous parlent mais personne n'entend ni n'écoute».

C'est une société hautement développée et technologiquement très avancée, une société qui répond au concept de «société de consommation». Voilà un concept qui, de toute évidence, ne signifie pas grand-chose mais qui possède l'avantage, quand on en parle, d'allumer les lanternes de tous ceux qui écoutent, spécialement celles de la gauche. Les États-Unis constitueraient le modèle suprême de la «société de consommation» et toute personne le moindrement renseignée sait qu'entre les États-Unis et le Canada, la différence n'est que dans la taille plus petite de ce dernier pays. Il est tout aussi notoire que les États-Unis nous ont donné et ont donné au monde entier des valeurs fondamentales (pour lesquelles on ne sera jamais assez reconnaissant) telles que le Coca-Cola, le jean, la gomme à mâcher (la régulière et aussi la spéciale, celle qui fait des bulles) et l'image de la blonde platine venant à notre rencontre, les cheveux au vent, dans une magnifique décapotable. Voilà autant de choses que, pour ma part, je ne bois, ni n'utilise, ni ne mastique et mon idéal en matière de beauté féminine est tout autre. Mais ce sont aussi des choses qui font désormais partie du style de vie universel contemporain, le champ des recherches sociologiques, psychologiques et anthropologiques se trouvant de la sorte grandement élargi. Ceux qui doutent encore ne douteront plus longtemps. Si même l'ex-sainte Russie et la Chine millénaire ont adopté ces produits, il s'ensuit que (et je cite): «par une sorte de confirmation théologico-numérico-mystique (à eux seuls, les Chinois sont un billion!) et en raison du célèbre effet 'Titanic', ces produits doivent être et sont sans nul doute de bons produits.» Une association me vient soudain à l'esprit. Je me souviens avoir lu une fois sur une affiche collée à l'arrière d'un camion canadien de cueillette des ordures: «Les ordures sont des choses bonnes et belles: cent millions de mouches ne peuvent se tromper.»

On a critiqué à satiété ce type de société. Par honnêteté intellectuelle, je présenterai au lecteur quelques commentaires qui définissent et éclairent supposément les citations antérieures. Je ne me souviens pas des auteurs et je ne peux donc donner les références bibliographiques; je m'en excuse. Ce sont des définitions et des phrases que j'ai lues il y a plusieurs années et qui me résonnent encore dans la tête. À l'époque, elles me parurent fort brillantes mais, avec les années — et bien que je ne sois pas encore vieux —, c'est comme si leurs significations s'étaient estompées comme un vieux rêve de jeunesse. En voici une au sujet des structures: «Ce sont des sociétés structurées comme des toiles d'araignée artificielles enrichies de vitamines A, D et C. Rien n'y est solide et stable: quand l'homme se rebelle contre la sensation enveloppante et épouvantable de l'inutilité de son existence, quand il cherche un appui ferme pour aller de l'avant, il se rend compte que tout autour de lui — maisons, hommes, femmes, idéaux — est devenu mou, flasque: que tout cède, plie, se replie et l'enveloppe dans la toile d'araignée.» En voici une autre à propos de l'idéal patriotique: «L'idéal patriotique de ces sociétés n'est pas de protéger l'intégrité de la patrie pour le bien de tous mais de la consommer au profit d'un petit nombre d'individus.» À propos de la religion: «Le concept religieux de la faute ne naît pas du péché ou de l'excès; bien au contraire, le fait de ne pas pécher ou de ne pas tomber dans l'excès (en consommant, par exemple) est ce qui génère la faute.» Sur la vie en général: «On vit comme on a vécu au Moyen Âge, attendant la fin du monde, le sauveur, ou cherchant et écoutant de nouveaux prophètes qui surgissent chaque jour avec des idées et des solutions pour tous les problèmes.»

Je répète que je n'adhère pas à ces idées: elles sont schématiques et ne valent que ce que vaut une opinion; et des opinions, tout spécialement en démocratie, nous en avons plus que notre lot. Ma devise les lois de l'Occident démocratique et chrétien où la Charte des droits de l'homme est en vigueur, le Pygmée et Masque Aztèque, toujours muets, se parlaient par la bouche de leurs avocats respectifs (tout comme la marchandise parle par la bouche des vendeurs) qui, pour leur part, travaillaient activement.

Au début, ce fut chose facile que d'établir à quelle juridiction correspondait ce cas et de déterminer quel serait le tribunal où un juge serait appelé à statuer sur la poursuite du Pygmée contre Masque Aztèque et celle de Masque Aztèque contre le Pygmée. De plus, depuis des temps immémoriaux, il existait des lois qui prévoyaient toute la gamme (et le degré de gravité) des délits possibles, qu'il s'agisse de délits mineurs ou majeurs, de la simple ou légère collision entre deux personnes sur le trottoir jusqu'à la décharge d'une mitraillette lourde dans le corps d'un être humain. Mais quand, en raison des précédents refus et de la singularité du cas, les poursuites du Pygmée et de Masque Aztèque furent rejetées pour la troisième fois, les avocats se rendirent compte que la chose n'était pas aussi simple qu'ils ne l'avaient cru et ils envisagèrent alors un «contact plus personnel et plus direct» avec la justice.

Ayant sollicité une audience auprès de l'un des juges du tribunal concerné, impeccablement vêtus, rivés à leurs porte-documents, les deux avocats se présentèrent au bureau du juge qui leur avait accordé l'audience et y exposèrent leur affaire.

---

est: «Il n'y a rien de nouveau sous le soleil.» Quant à mon intention de m'en tenir exclusivement à l'*humain* et aux *valeurs éternelles*, et quant à la question de savoir si ce type de société possède ou ne possède pas de telles valeurs, je crains que ce sujet (bien que toute méthodologie soit totalisante) ne déborde mon champ d'étude. C'est, comme on a l'habitude de dire, «une autre paire de manches». Que le lecteur veuille bien oublier ces considérations abstraites et revenir à la réalité, à ce qui est certain. Nous nous étions interrompus à «... spécifiquement au Canada»; cela continue ensuite avec «et selon les lois...»

Le juge écoutait attentivement les avocats qui — tout en consultant des chemises avec les noms et prénoms de tous les impliqués, plaignants, témoins, le lieu, l'année, le mois, le jour et l'heure des événements — essayaient d'expliquer la raison de cette affaire et la complexité du cas. Quand ils eurent terminé leur exposé, ils montrèrent au juge les preuves matérielles du délit qu'ils conservaient dans leurs porte-documents: deux ravissants sachets rigoureusement scellés et étiquetés (avec les noms et prénoms, date de naissance, etc., du Pygmée et de Masque Aztèque) qui contenaient les dents, les fragments de dentier et quelques poils de barbe de leurs clients respectifs.

Légèrement mal à l'aise à la vue d'éléments aussi concrets, et sans doute quelque peu irrité, le juge demanda la raison d'une telle démonstration. Après tout, le «cas» était simple. Grâce à la grande sagesse de la loi, des situations comme celles-ci — et même des situations beaucoup plus graves, comme la perte d'un bras, d'une jambe ou de la tête — étaient prévues presque dans leurs moindres détails. Il ne comprenait donc pas pourquoi ces doctes messieurs ne s'adressaient pas tout simplement aux greffes pour faire inscrire leur cause au rôle de la cour.

Les avocats avaient laissé les sachets sur la table et, d'une voix susurrante, ils reprirent: «Votre Honneur, veuillez excuser notre insistance, mais... vous n'avez peut-être pas compris... L'Idée...» «Je n'ai pas compris?! Quoi? Je n'aurais pas compris?» Se raclant la gorge, nerveux, les avocats expliquèrent qu'ils n'avaient nullement voulu dire une telle chose, que c'était peut-être leur faute, qu'il était bien possible qu'ils aient mal exposé l'affaire, mais que c'était difficile, croyez-le, Votre Honneur, et nous faisons appel à la bonté, à la compréhension et à la sagesse que possède un juge expérimenté comme Votre Honneur pour qu'il veuille bien ne pas oublier — comme ils l'avaient signalé, mal sans doute, oui, sûrement très mal — que l'affaire de la perte des dents était liée à la nécessité de déterminer la *propriété privée* d'une idée, la cause véritable à

l'origine de ce différend. Bien sûr, bien sûr, le juge comprenait et, après quelques considérations sur la *propriété
privée* par lesquelles il avait souligné l'importance de ce
principe et le respect qu'on devait lui porter, le juge avait
demandé: «Quelle est cette idée? S'agit-il d'une invention?
Est-elle enregistrée au bureau des brevets?» Les avocats
souriaient et faisaient remarquer avec douceur que là, là
précisément, Votre Honneur l'a sûrement parfaitement
compris, résidait la difficulté de l'affaire. Il n'était pas question d'une idée qu'on pouvait définir grossièrement; c'était
plutôt une idée subtile, délicate, à haute teneur spirituelle,
distillée par le cerveau de l'un des deux universitaires en
lutte; et que, comme il fallait s'en douter, l'utilisation et la
mise en application d'une telle idée ne pouvaient s'imposer
avec la même évidence que l'utilisation d'une bougie
d'auto ou d'une boisson gazeuse mais que, une fois développée et mise à l'épreuve au Département d'espagnol de
l'université, l'humanité entière devrait, peut-être... Assez!
Des témoins? Malheureusement, il n'y en avait pas quant
à l'idée proprement dite mais... nous espérons... Dans ce
cas, rien à faire! Le juge n'était pas étonné que les requêtes
précédentes aient été rejetées.

Les avocats prirent les sachets de dents qui, jusqu'à
ce moment, souriaient, optimistes, sur le bureau du juge
et ils les condamnèrent à nouveau à l'obscurité de leurs
porte-documents. Nos respects, Votre Honneur. Bonjour,
messieurs.

En deux semaines, les avocats épuisèrent toutes les
possibilités: les quatorze juges du tribunal qui avait juridiction sur le territoire où s'était produit le différend refusèrent d'entendre la cause[2].

---

2. En plus du fait que «l'humilité bien ordonnée commence dans son
propre esprit, et que la modestie excessive est une stupidité ou une
hypocrisie», le lecteur peut se sentir perplexe quant à la crédibilité à
accorder (vraisemblance en termes académiques) aux événements
racontés dans ce chapitre et aussi quant à l'image, à la fausse opinion

qu'il a pu se former de moi — que ce soit à cause de mes détracteurs ou tout simplement parce que le lecteur s'est fait, sans plus, cette opinion. De sorte que l'heure est arrivée de parler de moi. Ce fut peut-être une impolitesse de ne pas m'être présenté auparavant; si ce fut le cas, il s'agit d'une erreur que je vais réparer sur-le-champ. Il serait très difficile (nous vivons, comme l'esprit de l'époque en fait foi, dans l'ère de la facilité et du confort) de me classer parmi les professeurs hispano-américains qui, renonçant aux idéaux inflationnistes de leurs pays — nul n'est prophète en son pays —, se laissèrent attirer par «le doux froissement et l'odeur des dollars». Ou parmi ces autres professeurs qui, ayant raté leur vie dans leur propre pays, enseignent maintenant leurs théories «révolutionnaires» ou «pseudo-révolutionnaires» à d'innocentes créatures des universités du Nord, innocentes créatures qui ne sont attirées que par l'argent et qui ne «flirtent» avec les nouvelles théories que dans la mesure où elles sont rentables. D'ailleurs, face à l'inquiétant problème de la surpopulation (*Baby Boom*), ils utilisent aussi ces théories pour se mettre en vedette et se tailler une place au soleil. Ainsi, à l'instar de plusieurs de mes collègues, je fus amené, en raison de circonstances incontrôlables (économiques, politiques, absence d'ouvertures), à prendre la décision de me chercher du travail et de me faire une nouvelle vie à l'étranger. En ce qui me concerne (j'en arrive au cœur de l'affaire), ma parfaite maîtrise de l'anglais m'ouvrit non seulement les portes de l'université du Nord de mon choix mais aussi les voies du savoir et de la connaissance (sagesse), valeurs qu'on considère communément et péjorativement aujourd'hui comme une simple «marchandise».

Cette émigration «semi-forcée», pour lui donner un nom, engendre de tragiques situations de déracinement, de perte d'identité, de nostalgie, etc., situations dont nous ne parlerons pas parce que, d'une part, là n'est pas notre propos et parce que, d'autre part, ce sujet a déjà été étudié en long et en large. D'ailleurs, plusieurs psychanalystes de langue espagnole qui coururent eux aussi, et avec encore plus de rapidité et d'efficacité que bien d'autres, après le «tintement sonore des pièces d'argent frappées à l'effigie d'un Kennedy assassiné», se sont intéressés à ces problèmes. Et bien qu'ils ne les résolvent pas, il savent en traiter bien mieux que moi. Mais ce n'était pas là où je voulais en venir, ami lecteur, et même si cela peut paraître pur mensonge, j'allais bien quelque part. Je reviendrai sous peu au thème central de cette discussion.

Plusieurs de mes collègues d'émigration manifestent une attitude négative envers la langue de Shakespeare. Toutefois, ils commettent une erreur; au lieu de l'ignorer (et ignorer est une chose facile dans un pays de totale liberté) ou d'en tirer quelque profit, si mince soit-il, ils

préfèrent piétiner le nid des abeilles américaines. Pour illustrer ce que
je viens de dire, voici un extrait d'une publication de l'un de mes collègues que je ne nommerai pas pour ne pas lui nuire: «On a vanté à n'en
plus finir les bénéfices et les avantages de la langue anglaise mais, si
on excepte le fait qu'elle soit actuellement la langue du dollar malade à
la langue verte, les autres arguments en sa faveur sont facilement
réfutables.» Avant tout, comme il convient dans tout travail consciencieux, un bref survol historique nous permettra de comprendre l'origine de cette langue. L'anglais prit naissance, comme prirent naissance l'empire britannique et les œuvres de Shakespeare, en pillant et
volant, en volant des idées et des mots à d'autres langues; on donna à
ce procédé le nom de ductilité. Les États-Unis ont suivi l'exemple de
leur père ou de leur mère, comme il vous plaira: de toute manière, ils
sont les fils d'une ancienne mentalité. Évidemment, l'empire nord-
américain est plus puissant que l'ex-empire britannique, bien que son
pouvoir soit moins visible. En fin de compte, le Coca-Cola et la «Chiclets» sont tout de même des produits gratifiants et ils constituent une
preuve palpable que l'homme a enfin dépassé sa phase anale primitive et est entré dans sa phase orale, encore stationnaire pour le
moment. Mais l'influence du néo-impérialisme et les principes de la
nouvelle morale, il faut surtout les chercher à Wall Street où, comme
dans certains milieux pas très catholiques, les actions du Vatican, la
Couronne de Grande-Bretagne, la mafia nord-américaine, la famille
Kennedy, les actions de Nixon, les dictateurs africains, le Ku Klux
Klan, les dictateurs latino-américains et, qui sait, quelque Commission des droits de l'homme, marchent main dans la main. Mais, trêve
de conneries, nous étions en train de parler de la langue anglaise. Les
Nord-Américains, disions-nous, empruntent n'importe quel mot de
n'importe quel pays et, grâce à la ductilité de la langue, l'incorporent à
leur langue tout simplement en le prononçant mal; si par hasard il
réentend le mot, le pauvre natif reconnaît seulement dans la nouvelle
prononciation un tonnerre lointain, il croit que c'est la voix de Dieu qui
lui reproche quelque chose et il s'agenouille, craintif, disposé à rendre
l'âme et la vie. Parmi les arguments que l'on invoque pour promouvoir
l'anglais, on soutient que c'est une langue précise, que la majorité des
phrases, en particulier les phrases interrogatives, se construisent toujours de la même façon, exactement comme se construit le langage
des perroquets. Mais il y a plus encore: la précision y est telle qu'il n'y
a aucune confusion possible entre l'en dedans et l'en dehors, entre l'en
bas et l'en haut, entre l'être et le non-être. Rien, donc, n'y est laissé au
hasard. Nous pouvons toutefois nous rendre compte que, malgré l'ap-
parente mobilité linguistique (attribuable à la précision) dans les pays
de langue anglaise, et particulièrement dans ceux du Nord, ils ne vont

nulle part. S'ils marchent sur nos têtes, c'est simplement en raison de leur situation géographique.

Chaque langue est orgueilleuse de la richesse de son vocabulaire: il en va de même de la langue anglaise qui ne veut surtout pas être en reste. Évidemment, il ne pouvait en être autrement, car c'est la langue la plus riche en mots, comme une tarte hongroise est la plus riche en noix, simplement parce que les tartes hongroises sont réputées être les plus riches en noix et que les noix ni ne se voient ni ne s'entendent. Cette richesse est bien réelle, elle existe, mais c'est surtout dans les dictionnaires que nous pouvons la vérifier puisque les habitants des pays de langue anglaise, dominés par les images, communiquent entre eux par signes et gesticulent encore plus que les Italiens (bien que sans la chaleur de ces derniers). Ce néo-langage de marionnettes, hautement symbolique (une étape supérieure dans l'évolution de l'homme), constituerait la preuve évidente d'une autre des qualités de l'anglais: son pouvoir de synthèse. Mais... qui a dit que les Nord-Américains de langue anglaise ne parlent pas? Eh bien oui, ils parlent! Et comment? Grâce au pouvoir synthétique de la langue et au langage des ordinateurs qui s'expriment avec des un et des zéros, chaque fois qu'ils ouvrent la bouche, c'est (immanquablement) pour parler de piles de dollars.

Voyons maintenant l'argument le plus percutant que l'on invoque pour soutenir la supériorité de l'anglais: «La majeure partie de l'information est publiée en langue anglaise; posséder cette langue, c'est avoir accès aux découvertes les plus récentes de la science, de l'art et de la culture en général, c'est s'ouvrir un horizon infini de possibilités.» Merde, elle est bien bonne celle-là! Depuis quand l'information servirait-elle à autre chose qu'à s'informer? S'informer, c'est-à-dire se tenir au courant des derniers bobards pour pouvoir briller dans les réunions mondaines et ne pas se sentir à l'écart du monde. Depuis quand l'information serait-elle connaissance? Nous ne le savons pas mais nous savons, par contre, que le chemin de la sagesse perdue dans un horizon infini est pavé d'informations. Et le pire, quand on entend cet argument, c'est qu'on pense inévitablement de celui qui le dit: «Putain, toi qui défends cet argument, tu ne fais rien d'autre que de t'informer ou de dire les mêmes niaiseries dans une autre langue, avec d'autres sons. Il faut croire au triomphe de la forme. Ce n'est pas le nombre de langues (et tout spécialement l'anglais) que l'on connaît qui fait ce que l'on est, mais bien ce que l'on fait avec la langue que l'on parle...» (Bon, bon, comme j'aimerais avoir à la main le *curriculum* de mon collègue — même si l'on sait bien dans le monde académique que les *curriculum* se «fabriquent» et ne signifient absolument rien — pour voir ce qu'il a fait dans sa propre langue «maternelle».) Mais je conclus. On trouve, dans la publication d'où nous avons tiré ces extraits, d'interminables analyses, en totale contradiction d'ailleurs avec le manuel le plus élémentaire de psychiatrie, sur la double schizophrénie que produirait l'utilisation de l'anglais: on écrit d'une certaine manière, on parle d'une autre et on agit d'une autre manière encore. Pour ne pas abuser de l'attention du lecteur, je ne rapporterai que la phrase finale de l'article en question (et je donnerai par la suite ma réponse): «Pour toutes ces raisons et pour plusieurs autres qu'il ne vaut pas la peine d'énumérer ici, nous pouvons conclure que l'anglophone pense, quand il ouvre la bouche, qu'il est en train de toucher le 'cul' (lecteur, pardonne-moi ce gros mot; même si cela paraît incroyable, je l'emploie par respect pour le Suprême) de Dieu: les gratte-ciel et la flamme de la torche de la statue de la Liberté qui s'élève vers le ciel en seraient la preuve indubitable. Qu'on le veuille ou non, il convient d'adopter une position plus conservatrice et de nous souvenir que là-bas, en des jours lointains, le latin, notre ancêtre, édifia un empire, de nous souvenir aussi qu'il n'y a pas si longtemps, l'Espagnol découvrit et colonisa l'Amérique. Nous sommes obligés, je répète, de regarder désormais avec plus de respect notre fabuleux patrimoine culturel.»

Sans entrer dans un interminable débat (le léger relent volontariste, réactionnaire, presque militaire de la conclusion finale), il faut tout de même signaler que la prédilection de mon collègue pour l'espagnol constitue ce qu'il faut bien appeler la «maladie du patriotisme» (attention avec les «ismes»: ils sont très dangereux même s'il est par contre certain que, pour un universitaire, les seules choses dignes d'intérêt ou d'étude sont ces philosophies, ces théories littéraires ou scientifiques qui ont produit des «ismes»). D'ailleurs, on pourrait facilement réfuter les arguments de mon collègue avec les mêmes armes qu'il emploie: l'ironie et le dénigrement. Reprendre la phrase «les mêmes niaiseries... avec d'autres sons», ce serait tricher mais aussi lui rendre la monnaie de sa pièce. Je m'explique à l'instant: cette phrase brillante est une trouvaille du plus illustre parmi les illustres écrivains, Jorge Luis Borges, amant et admirateur indiscutable de la langue anglaise qu'il possède parfaitement même si, quand il la parle, les Anglais eux-mêmes ne le comprennent pas en raison des archaïsmes qu'il utilise; or, cette phrase, il l'inventa pour l'appliquer précisément au mythe si répandu de «la richesse des synonymes dans la langue espagnole». Et pour continuer dans la même veine, nous pourrions dire que l'espagnol, héritier du latin vulgaire, est formé à partir des mots que les soldats romains ivres crachaient du coin de la bouche pendant qu'ils jouaient aux dés dans les campements situés au pied des collines d'Ubéda. Origine bâtarde s'il s'en faut! Fait historique indiscutable qu'on prétend occulter ou encore glorifier avec un terme aussi ambigu que celui de «langue romane» (un brin ou une petite touche de poésie ne nuit jamais) ou avec des discussions érudites sur le mot «vulgo», qui ne veut pas dire vulgaire mais bien «du peuple, qui appartient au peuple». Mais on ne sait plus très bien en quoi consiste «le vulgaire» et ce qu'est le peuple, ni où commence l'un et finit l'autre.

Ami lecteur, plains-moi; je passe ma vie penché sur ces questions qui me causent une sourde angoisse même si, en retour, elles me permettent de gagner ma vie ou me fournissent l'occasion de me saouler quand mes attaques d'angoisse deviennent trop fortes.

Laissant un moment de côté ces problèmes de définition, je ne peux toutefois passer sous silence que la langue de Castille souffre d'une faiblesse intrinsèque qui la rend peu appropriée à l'ère contemporaine. Elle est facilement vulnérable et elle court le risque de disparaître devant les attaques toujours plus virulentes des mouvements féministes, chaque jour plus puissants (ou puissantes?). La langue espagnole connaîtra-t-elle le même sort que celui du mari de l'araignée Veuve Noire? Même si nous vivons à l'ère de la science-fiction (davantage fiction que science, il faut bien en convenir), les analogies et les métapolarisations biologiques sont dangereuses (à titre de preuve, il n'y a qu'à consulter Spengler, Schopenhauer, Goethe et Nietzsche). Comme toujours, le lecteur aura le dernier mot. Je lui offrirai sur un plateau un extrait de l'article «Le 'machisme' de l'homme dans la littérature hispano-latino-américaine et dans la langue espagnole», article que l'on doit à la plume d'une professeure et poétesse nord-américaine connue dans le monde académique sous le surnom de la Veuve Joyeuse. Cette militante féministe de réputation internationale écrit: «Il est du domaine public que l'homme latin est un macho et il est tout aussi connu que l'archétype de ce 'macho' est le macho mexicain. Mais personne n'a jamais cherché sérieusement l'origine et les causes de ce 'machisme' néfaste. En comparant les langues, nous découvrons, étonnés, que les langues dérivées du latin, nommées avec justesse 'romanes' parce qu'elles ont pris naissance à Rome, sont presque les seules à poser une division des sexes (lisez ségrégation) par le biais des genres masculin et féminin; cela est particulièrement vrai de l'espagnol (je suis suffisamment intelligente pour savoir que l'appellation 'langue espagnole' est incorrecte), la langue romane que je connais le mieux après l'avoir enseignée pendant des années. Comme chacun le sait, on doit les grandes découvertes à de petits accidents et ces découvertes se réalisent à des niveaux et à des plans apparemment tellement bas qu'uniquement les femmes-génies et l'intuition féminine (dont on parle tant et qu'on valorise si peu) daignent y poser leur regard. Qui oserait en effet attaquer l'Académie royale espagnole, cet éléphant aux cheveux blancs constitué principalement d'hommes, et au sein duquel, nous les femmes, ne participons (si tant est que nous participons) qu'en recevant à l'occasion, comme une chienne polissonne, un petit os pour nous distraire? Personne n'oserait, bien sûr, et encore moins une femme douce et tendre. Mais, par contre, oui l'idéologie tyrannique professée par ladite institution avec l'imposition 'machiste' de ses 'règles' est attaquable et doit faire l'objet d'une dénonciation (une dénonciation que nous devons faire, nous les femmes, si nous voulons survivre). C'est en effet à ce modeste niveau, au niveau grammatical, et plus spécifiquement au niveau des 'règles' de l'accord avec le masculin ou le féminin, que nous découvrons l'origine, le fondement et la force de l'idéologie latine 'machiste'. Que la lectrice lise attentivement la règle suivante de l'Académie royale concernant l'accord de l'adjectif avec le substantif: 'Quand il s'agit de plusieurs substantifs, l'adjectif se met au pluriel; si les substantifs sont tous féminins, on conservera le même genre; s'ils sont masculins, on mettra le même genre; s'ils sont masculins et féminins, *on préférera le masculin*; et en cas de doute, *toujours* le masculin'. (Les italiques sont de moi.) Vous rendez-vous compte, lectrices, d'une pareille préséance... d'une semblable toute-puissance? Je suis une femme et je ne peux faire moins que de m'indigner devant une règle aussi dictatoriale. Mais avant de poursuivre, je ne peux résister à la tentation de transcrire les exemples que donne l'Académie et qui sauront émouvoir le cœur tendre de la femme la plus dure. Ils semblent nés de ma plume d'oie:

> Le lys et le magnolia sont *blancs*
> Cet œillet et ce géranium sont *rouges*
> *La* rose et le jasmin sont *odoriférants*

Avec de telles règles, quel est l'homme qui ne se sentirait pas plein d'orgueil et de suffisance? De là au 'machisme', il n'y a qu'un pas. Mais n'allons pas trop vite: avant les conclusions générales, il nous faut d'abord étayer notre thèse par des exemples. Maintenant que nous avons cerné 'le cœur du problème', nous allons faire, à la lumière de la règle que nous avons dénoncée, un survol rapide des romans et des contes hispano-américains où cette norme...»

À l'occasion d'une pause dans notre travail, Paco, le Mendocinien et moi sommes allés au bar de l'université et quand nous avons lu cet extrait à haute voix, les commentaires de Paco, qui avait déjà une couple de bières derrière la cravate, furent pantagruéliques, pour ne pas dire obscènes: «Putain de merde, je ne saurais trop dire quel âge peut avoir la Veuve Joyeuse mais elle est loin d'être née de la dernière pluie. Il lui ferait sans doute plaisir de savoir que «pija», l'organe de l'homme en espagnol, est féminin, et que celui de la femme, «coño», est masculin. Merde, il existe au moins une douzaine d'articles sur ce sujet. Si par hasard elle a déjà fait l'amour avec un Latino-Américain, ça doit faire tout un bail, au point que, si elle a déjà su ces noms, elle les a maintenant oubliés faute de pratique. Et si elle a fait l'amour récemment, c'était sûrement avec un Latino-Américain sourd-muet.» Mais laissons cela de côté et passons au paragraphe suivant où nous allons enfin en arriver au cœur du sujet.

Il est certain que je dois ma maîtrise (presque parfaite) de la langue de l'Empire, pardon, de l'ex-Empire (que l'on ne vienne pas dire que dès que j'ouvre la bouche en anglais, je me sens aussitôt connecté avec l'univers entier et en particulier avec Wall Street), à la ténacité dont j'ai fait preuve dans les recherches que j'ai entreprises lors de la préparation de ma thèse de doctorat. Dans le cadre de cette recherche, j'ai choisi un auteur peu et mal étudié sur lequel il était encore possible de dire quelque chose de nouveau (après mon doctorat, j'en doute) et de signaler des aspects que n'avaient pas observés les autres commentateurs. Je parle de Guillermo Enrique Hudson, un écrivain dont les parents étaient nord-américains et qui naquit en Argentine vers le quatre août 1841. C'était donc un Argentin de naissance mais qui mourut toutefois en Grande-Bretagne comme citoyen anglais et qui écrivit dans la langue immortelle de Shakespeare sur les *gauchos* de langue espagnole de la pampa argentine. Un écrivain nord-américain? argentin? anglais? anglo-nord-américain? nord-argentin? anglo-argentin? nord-anglo-argentin? Si quiconque est intéressé à savoir comment envisager correctement cette question, et bien d'autres problèmes, je le renvoie, comme il se doit, à ma thèse (qu'on peut trouver dans toutes les bonnes bibliothèques) intitulée: *Aspects inconnus de la conjonction nationalité-création-sujet dans l'œuvre de Guillermo Enrique Hudson; apports et révélations significatives pour la compréhension du problème actuel de la communication planétaire et pour une vision renouvelée du problème des nationalités.*

Mais voici (oui enfin!) le cœur du sujet et la véritable raison de cette note: la crédibilité et la vraisemblance de mes propos au sujet des entretiens des avocats avec les juges. L'explication est très simple: ma parfaite connaissance de l'anglais et l'habileté avec laquelle je me dépêtrais dans la problématique des questions linguistiques étaient du domaine public (en cas de doute, relisez cette note). Aussi, il ne faut pas s'étonner que les avocats (des spécialistes limités et des produits de la civilisation technocratique de langue anglaise), confrontés à une cause aux caractéristiques aussi singulières et pour laquelle il n'existait aucune jurisprudence sur laquelle s'appuyer, aient eu recours à moi, quand ils découvrirent qui j'étais, pour obtenir de l'information

sur le monde des idées et pour trouver un fondement et des arguments leur permettant d'affronter les juges. De la sorte, à mon tour,
j'étais tenu au courant des aspects les plus secrets de l'affaire et, avec
l'aide de Paco (dont je devais continuellement modérer les exagérations) et de ses arguments rhétoriques, je conseillais les avocats en
difficulté. Le temps passait et Paco, harassé de se voir obligé d'attendre pendant que je servais d'interprète et que je dissipais les malenten-
dus lors des rencontres entre les avocaillons et leurs clients, et encore
plus harassé quand vint le temps de rédiger la circulaire (voyez le chapitre XIII), Paco, donc — avec comme seul argument et comme seule
justification son: «Merde, j'en ai par-dessus la tête!» —, préférait aller
prendre une bière au lieu de travailler. Pour ma part, je flairais d'autres
raisons (qui se confirmèrent) que je préfère taire. Je suis ce que, selon
Alejo Carpentier, doit être tout écrivain: un simple et modeste chroniqueur qui raconte objectivement les événements de son époque.

CHAPITRE X

La recherche continue
(première réunion)

Bureau de la chairman. Sont présents: la chairman elle-même, l'auteur, les deux plaignants et leurs avocats respectifs. «Nous allons bien voir s'ils vont encore continuer à se prendre pour les maîtres du département.» C'est par ce commentaire que la chairman laissa clairement entendre que plus personne d'autre n'était admis. Après un «hum» inaugural, dans son détestable anglais, la chairman s'adressa aux avocats: «Messieurs, moi écouter.» Ces derniers se raclèrent la gorge, ajustèrent leurs cravates, ouvrirent leurs porte-documents et, après s'être consultés du regard, l'un d'eux fit un compte rendu du résultat de leurs démarches. Ou plutôt, pour le dire autrement, de l'absence totale de résultat. Or voici, cet échec s'expliquait par le caractère particulièrement exotique et étrange de la querelle; pardon, il voulait dire étrange et exotique pour le reste des gens, pour les autres, les ignorants; pour eux, et il parlait en son nom et au nom de son collègue, pour eux, répéta-t-il, imprégnés de l'esprit de leurs clients, l'Idée leur paraissait un produit aussi naturel qu'une poire, un œuf ou une banane, par exemple. Ils comprenaient parfaitement la situation: on ne jette pas tout simplement à la poubelle une idée aussi brillante, découverte à force de travail, peu importe le travail de qui — il n'est plus question d'établir des différences maintenant que les difficultés sont communes. Compte tenu de la nature de l'Idée et de tous les autres facteurs, et devant l'impossibilité de trouver un juge qui veuille inscrire la cause devant le tribunal correspondant à la juridiction de l'université, lui et son collègue proposaient deux solutions à leurs clients. Silence total. «Nous continuer écouter», laissa tomber la chairman. «Bien, je poursuis: d'une part, pour que messieurs les professeurs n'aient pas de difficulté à manger, nous suggérons de diviser la poursuite en deux parties: entamer des poursuites pour les lésions corporelles et laisser de côté les lésions intellectuelles. Ainsi, on pourrait obtenir que les dents manquantes soient rapidement remplacées pendant que l'on cherche et que l'on continuerait à chercher une solution pour les questions non matérielles. L'autre solution serait — et je me dois ici de signaler notre honnêteté professionnelle — de laisser tomber les poursuites mais, toutes mes excuses, après avoir au préalable réglé nos honoraires et les autres frais. Nous pourrions alors mettre enfin un terme à la querelle; d'ailleurs, et c'est là un vieux principe bien établi, mieux vaut un mauvais arrangement qu'un procès bien gagné[1].

---

1. Quand on entend ce dicton pour la première fois («Mieux vaut un mauvais arrangement qu'un procès bien gagné»), on s'émerveille de la sagesse contenue dans une petite phrase comme celle-ci et encore plus quand elle sort de la bouche d'un avocaillon. Toutefois, l'avocat n'avait rien dit là de neuf. Comme cette phrase avait attiré mon attention, je consultai l'ordinateur pour en retracer l'origine historique. Pour cinq dollars, j'obtins la réponse suivante: «Confucius (Kung-Fu-Tsi), philosophe et politicien chinois (Chang-Ping-Chantung-Lu -551?-479? av. J.C. Voir les *Annales chinoises*, tome 8, page 232, ligne 7». Le lecteur peut facilement comprendre que mon éverveillement s'est évanoui après avoir lu cette information.

Messieurs, la décision est entre vos mains.»

Tant l'auteur que la chairman restèrent muets. Au bout d'un moment, les plaignants répondirent en même temps avec douceur et fermeté: «Non.» Aucun des deux n'acceptait l'une ou l'autre des solutions proposées. Les dents perdues s'étaient fondues dans l'Idée et on ne pouvait maintenant plus les en dissocier. D'ailleurs, puisque de dent à dent il leur était désormais impossible de se parler, et puisque l'Idée, par le biais d'une «expérience» très dure, avait connu son baptême de feu, un baptême qu'on pouvait considérer comme une sorte de cérémonie «martyrologique» au cours de laquelle il y avait même eu du sang versé, ils ne voyaient donc pas pourquoi ils devraient se rendre sans se battre jusqu'à leur dernier souffle. Il devait y avoir une autre solution... Les avocats se regardèrent: «Il y en a une autre, mais nous devons préciser que les frais, qui ne sont peut-être pas énormes, peuvent quand même être assez élevés. Aucune importance, nous parlerons des frais plus tard. Quelle est cette autre possibilité? Si messieurs les professeurs sont disposés à changer de tribunal, peut-être, probablement, sans doute, nous ne pouvons rien promettre, peut-être pourrait-on éventuellement trouver un juge qui accepterait de présider une cause aussi 'étrange'. Cela étant accepté, que faut-il faire? Pour pouvoir changer de tribunal et de juridiction, il faut présenter une requête spéciale devant la Cour suprême de la nation et en justifier le bien-fondé: cela signifie alors d''énormes difficultés' et des 'frais supplémentaires'.»

L'un des plaignants balbutia une question. Non, les avocats le regrettaient, mais ils n'acceptaient pas les cartes de crédit et ne faisaient aucun crédit. Ces messieurs devaient comprendre... Leurs honoraires étaient peu élevés, et l'inflation — un problème mondial — frappait durement aussi le Canada. La dernière cote du dollar canadien face au dollar américain...

La chairman, laissant échapper un soupir qui fit

presque tomber l'auteur de sa chaise, mit un terme à la réunion. Cordiales poignées de mains et chacun retourna à ses affaires.

Masque Aztèque, prétextant qu'il était en train de jouer son avenir, son prestige et le pain de ses enfants, ordonna à sa femme de demander de l'argent, par télex, à ses parents qui vivaient à Mexico. Le Pygmée, plus ou moins pour les mêmes raisons, ordonna à son épouse qu'elle vende les actions qu'elle détenait dans la Compagnie générale électrique (la succursale canadienne), actions pour lesquelles le Pygmée se serait marié selon ce que prétendaient les mauvaises langues.

CHAPITRE XI

Les «forces vives» à l'action

Quelques jours après la présentation de la requête de changement de juridiction devant la Cour suprême, il se produisit certains faits qui sont maintenant du domaine public. Prévoyant d'«énormes difficultés» pour obtenir l'autorisation de changement de juridiction (à les entendre, cela frôlait pratiquement l'illégalité), les avocats, par le biais d'amis politiques, de journalistes, de déclarations à la presse, d'appels téléphoniques à diverses organisations, et de quelques «parties» (réunions sociales), mobilisèrent ce qu'on appelle communément les «forces vives» d'une nation[1].

---

1. Bien que l'Académie royale définisse les «forces vives» comme «l'ensemble que forment les industriels et les commerçants d'une région ou d'une nation» (les autres, est-ce que ce sont des forces mortes?), je redéfinis ce concept et j'y inclus tout groupe désintéressé, à but lucratif ou non, qui puisse changer ou modifier (de manière tangible) la physionomie d'une communauté ou les décisions qui se prennent dans celle-ci. Je fonde cet élargissement du concept en prenant au hasard l'une des nombreuses définitions de la démocratie qui ont actuellement cours (je cite): «La démocratie est un style de vie dans

Sauf dans certains cercles académiques — et même là
(c'est la pure vérité), ils étaient relativement peu connus —,
le Pygmée et Masque Aztèque étaient de parfaits inconnus. Un beau jour de printemps où les oiseaux annon-
çaient le renouveau de la nature et aussi, par contagion,
par sympathie ou osmose, le renouveau de l'humanité,
l'opinion publique fut surprise et secouée par une motion
de blâme présentée au Parlement par l'opposition. Les
noms du Pygmée et de Masque Aztèque surgirent soudain
sur le tapis de la Chambre. Soulignant les difficultés ren-
contrées par deux «éminents universitaires qui faisaient
l'honneur du Canada» pour trouver un tribunal où ils voulaient régler leur différend dans la paix et l'harmonie, l'opposition en profita pour dénoncer, comme elle l'avait déjà
fait plusieurs fois auparavant, l'inefficacité de l'appareil
judiciaire, l'épouvantable bureaucratie qui grugeait les
poches des contribuables, et les dépenses budgétaires
excessives et injustifiées; par exemple, les ripailles au fai-
san qu'organisait le premier ministre. Une fois de plus,
nous dénonçons...

Comme l'espéraient les avocats, quand les difficultés
du Pygmée et de Masque Aztèque firent les manchettes,

---

lequel tous pensent avoir le droit de caqueter et de 'pondre' leur petit
œuf, mais sans que l'on puisse voir un seul coq parmi tant de poules»;
quant à l'activité de certains groupes dans une démocratie (je cite): «Il
n'existe désormais aucun groupe 'désintéressé', c'est-à-dire aucun
groupe défini juridiquement comme 'à but non lucratif'. Une industrie
d'appareils orthopédiques pour estropiés peut très bien faire don des
premiers fonds pour la mise sur pied d'une association d'aide aux
estropiés sachant que par la suite ladite association achètera les
appareils qu'elle fabrique. Plus tard, si les estropiés finissent par être
en nombre insuffisant et que le progrès risque de durer un peu trop
longtemps, tant l'association que l'industrie organisent rapidement
une guerre qui fournira des vétérans estropiés pour une autre période
de trente ans. C'est ce qu'on appelle la planification du progrès.»
Cette note, qui aura peut-être distrait l'attention du lecteur, s'imposait
pour une bonne compréhension de ce chapitre.

d'autres groupes se mobilisèrent. Les nationalistes, une petite minorité, recommencèrent à parler de domination étrangère sans toutefois indiquer de quel pays il s'agissait; ils signalaient les failles de la démocratie et parlaient de la nécessité d'un chef «fort» qui puisse incarner les aspirations du peuple. Quelques sectes religieuses (des minorités aussi mais qui comptaient de très nombreux membres) réprimandèrent, dans de virulents sermons, les brebis égarées qui ne se rendaient pas compte de la venue imminente de la fin du monde et du jugement dernier et dont les sentiments d'amour, de solidarité et de fraternité étaient enveloppés de nuages de matérialisme. Les groupes de gauche (des groupes encore plus petits que les minorités) parlèrent, tout comme les nationalistes, de domination étrangère mais, contrairement à ces derniers, dans un élan de courage romantique, ils dénoncèrent le cruel colonialisme anglais et le Commonwealth auquel appartenait encore le Canada. Et avec encore plus de courage (pourquoi pas), ils dénoncèrent le néo-colonialisme et l'impérialisme sournois et fortement teinté de racisme des États-Unis. Et une fois de plus, ils profitèrent de l'occasion pour dénoncer les pièges sans cesse renouvelés de la société de consommation et ils opposèrent à nouveau le concept de «compétence créatrice» à celui de «compétence destructrice et aliénante» des pays capitalistes. Un analyste, grand spécialiste des discours de la gauche, fit remarquer que, cette fois-ci, ils n'avaient pas fait mention de l'«imperialine», des jeans ajustés et de la «Chiclets[2]».

Le 12 octobre, la Société protectrice des races considérées inférieures crut deviner dans l'affaire, désormais du domaine public, un cas de «racisme latent»; si elle avait écarté le cas de Masque Aztèque (avec certaines réserves

---

2. L'«impérialine» serait une espèce de drogue que les pays impérialistes d'Occident injectent dans leurs produits et dont l'effet est de donner l'impression que tout dans la vie est facile et sans substance.

toutefois: la manifestation du racisme peut prendre mille visages) qui pouvait prouver son origine anglaise aussi bien par son accent que par son nom, elle se chargea par contre avec ardeur de la défense du Pygmée qui, bien que citoyen canadien, était d'origine latine. Or, même si le Latin ne doit pas nécessairement être confondu avec le Nègre, il est facilement associable à l'«obscur», c'est-à-dire «dangereusement différent», et, en conséquence, «si le Gouvernement adopte une attitude négative face à la requête déposée par les docteurs devant la Cour suprême de la nation, le docteur... (le Pygmée) devra faire face à de nombreuses difficultés dans sa carrière et son processus d'intégration à notre société pourrait subir une irréparable régression».

D'autres groupes (ou associations), que l'auteur n'identifiera pas tous parce qu'il n'est pas dans son intention d'écrire un nouveau bottin téléphonique, intervinrent aussi dans l'affaire. Nous n'en citerons que quelques-uns. La Société protectrice des droits humains, la section américaine, déclara que «de toute évidence, les problèmes qui furent à l'origine de la création de notre ligue ne sont pas disparus et, en conséquence, notre existence et notre action sont toujours justifiées». Et cette société concluait sa déclaration en réclamant des fonds afin de pouvoir intervenir en faveur des persécutés «qui n'avaient même pas l'argent nécessaire pour s'acheter des timbres».

Dans son bulletin bi-mensuel distribué gratuitement, la Société protectrice des droits humains des animaux (crois-moi, lecteur, elle existe bien!) commençait son éditorial par une citation de Shakespeare: «Et le pauvre scarabée que nous écrasons ressent dans son corps au moment de mourir une souffrance aussi grande que celle d'un géant» (de *Mesure pour mesure*, acte III, scène I). Citant en exemple les récents événements, elle s'éleva une fois de plus contre «les différences arbitraires et les catégories que l'on établit, comme conséquence de la spécialisation, dans le traitement des êtres vivants. On oublie facilement que tous ceux qui souffrent et sont capables d'éprouver des sentiments sont égaux devant la loi.»

L'Association orthopédique pour les édentés, dont les fonds proviennent des matches de boxe qu'elle organise régulièrement, expliqua que, bien que «l'Association possédât le pouvoir, par une simple signature sur un chèque, de procurer des dentiers aux illustres universitaires s'ils en faisaient la demande et s'ils intégraient l'Association, ce cas ne correspondait pas aux situations prévues dans les statuts de l'Association orthopédique. Cependant, nous suivrons attentivement les événements et nous interviendrons directement si les circonstances nous l'imposent.»

En moins de temps qu'il ne faut pour le dire, les représentants des médias surgirent au département pour interviewer le Pygmée et Masque Aztèque. Craignant que le Pygmée ou Masque Aztèque, grisés par un sentiment de puissance ou par les vibrations du public qui les écoutait pour la première fois, ne commettent ou ne disent quelque monstruosité qui aurait pu leur nuire ou nuire au département, la chairman, avec une agilité que n'aurait pas laissé soupçonner sa taille, jouait énergiquement du coude et s'interposait entre les belligérants, entre les autres membres du département, entre les caméras de télévision, entre les appareils photographiques et les microphones[3].

Toutes ces précautions furent évidemment inutiles. Devant les caméras, saisis d'émotion, les deux belligérants restaient là, bouche bée, et ils ne réussirent finalement qu'à ouvrir leurs bouches édentées pour signaler

---

3. L'énergie déployée par la chairman lui valut un autre surnom qui fort heureusement ne lui est pas resté: Chairman-Sherman; ce dernier nom était une allusion au fameux tank allemand qui se révéla supérieur à tous les autres et qui causa une telle destruction durant la Seconde Guerre mondiale.

d'un doigt tremblant le trou laissé par les dents manquantes. Quelques photographies truquées, preuves que l'auteur conserve dans son classeur, constituent le résultat le plus spectaculaire de ces grimaces et de ces gestes. Sur ces photographies, on voit au premier plan les belligérants, leurs bouches édentées largement ouvertes, et on y trouve dans un coin les sachets de plastique contenant les dents et, au-dessous, la légende suivante: «Le Gouvernement permettra-t-il enfin que ces dents puissent retrouver leur place dans leurs bouches comme les idées dans leurs têtes respectives?»

Le Pygmée et Masque Aztèque, comme «deux paons», selon Paco, déployaient leurs queues dans les corridors du département où ils se pavanaient pleins de suffisance, négligeant leurs cours, n'écoutant plus personne, ni même la chairman qui, irritée, devait chaque jour les rappeler à l'ordre.

Finalement — devant l'injustice du tribunal dont les juges se refusaient à intervenir dans le différend, devant les atteintes du Gouvernement à la propriété privée, à la démocratie, devant les atteintes à la libre expression et au libre développement de la personnalité, devant les atteintes aux idées, aux droits des races, des animaux, à l'initiative privée et à la vie communautaire en général (*Community Life*) —, la Cour suprême de la nation, sous la pression des «forces vives», de la presse, de la radio et de la télévision (qui façonnent l'opinion publique), accorda l'autorisation du changement de juridiction.

Il était temps. L'été était arrivé et la saison nouvelle, coïncidant avec le jugement favorable de la Cour suprême, parut redonner un sens à la vie: tous fêtèrent la victoire avec des débordements d'allégresse. Toujours prêts à s'élever contre toute atteinte aux principes ci-haut énumérés, ils prirent leurs vacances, c'est-à-dire qu'ils retournèrent s'asseoir devant leurs téléviseurs, oubliant l'affaire et, malheureusement pour eux, oubliant aussi le Pygmée et Masque Aztèque.

CHAPITRE XII

Nouvel échec et seconde réunion

L'indifférence générale qui tomba sur le Pygmée et Masque Aztèque après la décision de la Cour suprême ne leur fit pas pour autant rentrer la queue. Bien qu'ils aient alors, grâce à l'autorisation de la Cour, tout le territoire national à leur disposition, les difficultés des avocats pour trouver un tribunal et un juge étaient les mêmes qu'auparavant et même encore plus grandes en raison de l'éloignement. Au lieu de décourager les plaignants, cette situation semblait rendre leur positions encore plus inflexibles. Même s'ils ne se parlaient pas, ils ne se saluaient même pas — nous avons même des raisons de croire que, lorsqu'ils se croisaient par hasard dans les corridors, sans oser en arriver à nouveau aux mains, ils se crachaient l'un l'autre au visage[1] —, ils ne se saluaient même pas, avons-nous dit, mais tous deux paraissaient toutefois parfaitement satisfaits de la façon dont les choses se déroulaient.

---

1. Il se peut bien que ceci soit honteux pour la dignité académique mais la vérité doit être dite. Il nous arrivait souvent d'apercevoir, parfois dans la barbe du Pygmée, parfois dans la barbe de Masque Aztèque, des filets brillants de salive qui glissaient tout au long des poils. Pour élucider le mystère (les accuser de baveux aurait été une solution

Tous les deux (comme si, pendant leur long silence, ils avaient couvé quelque conclusion et que, puisque personne ne parlait plus d'eux, ils allaient, eux, parler pour tout le monde) soutenaient que les difficultés qui se dressaient sur leur route ne venaient que fortifier leur foi dans la validité de l'Idée qu'ils avaient élaborée et qu'ils continuaient à défendre; et que, devant la «stupidité générale», mise en évidence par le simple fait de ne pouvoir trouver un juge suffisamment intelligent pour avoir le courage et la capacité de se charger de l'affaire, ils en étaient maintenant à remettre en question la pertinence d'exposer publiquement l'Idée, même si on en déterminait le vrai créateur. Ils prétendaient que le monde n'était probablement pas préparé à la recevoir.

　　Mais ce n'était pas tout. En plus des raisons déjà énumérées, tous les deux soulignaient que l'«expérience intense» qu'ils avaient vécue, née d'abord spontanément, devait maintenant être approfondie par la réflexion. La découverte de l'Idée avait été une «expérience authentique et vitale», un véritable tremplin pour un véritable «changement de vie»: elle signifiait donc bien davantage que l'un

simpliste), je consultai le spécialiste en réflexologie et en psychologie behavioriste, l'«autorité» du Département multidisciplinaire de biologie-psychologie. Selon ce spécialiste, après la perte des dents, il était inévitable qu'un changement de conduite se produise: «Les traces de salive que vous voyez dans la barbe de vos collègues, je n'ai aucun doute là-dessus, sont les restes des crachats qui ne peuvent être expulsés correctement à cause des dents qui manquent; mais il y a plus: il est bien possible que ce changement de conduite s'amplifie et en vienne à perturber la vie sociale des deux professeurs.» L'observation du spécialiste, je dois le reconnaître, se révéla exacte. Même si les crachats n'étaient pas du même calibre que ceux qu'ils cherchaient en vain à se lancer l'un l'autre, les belligérants, quand ils parlaient, projetaient constamment une fine pluie qui obligeait les autres professeurs à rester sur leurs gardes et à se tenir légèrement à distance. Et selon Paco, dans leurs salles de cours, les étudiants des belligérants refusaient de s'asseoir dans la première rangée et ceux qui le faisaient se protégeaient discrètement avec un mouchoir ou un journal entrouvert.

de ces changements «quelconques» (à la portée de n'importe qui) comme en propose la télévision à chaque instant avec toutes ces annonces dans lesquelles on insinue
que, pour changer de vie, il suffit simplement d'acheter un
shampooing «nouveau et naturel» ou que, pour recouvrer
la sagesse antique, il suffit de consommer des galettes
produites à la chaîne «comme les faisaient nos grands-
mères».

Non monsieur, il n'en est rien! Nous en avons plus
qu'assez de la société de consommation avec ses «hob-
bies» et ses autres «cures miracles». On a trop parlé de
l'«expérience authentique» d'une «nouvelle vie» pour qu'elle
n'advienne pas à l'occasion. Nous (chacun de notre côté)
irons de l'avant, nous avons «de l'enthousiasme à reven-
dre» et «plein de projets». Si les gens, pour en arriver à un
«changement authentique» dans leur vie et à une véritable
«vie communautaire», ne veulent pas entendre parler de
notre «expérience individuelle», alors, qu'ils aillent se faire
foutre; il nous restera toujours la solution d'une intense
«vie intérieure». Pour cette raison et pour bien d'autres, il
nous semble tout à fait indiqué de rappeler la règle d'or de
notre société qui prend ici toute sa signification: «Cover
your ass» (Protège tes arrières)[2].

---

2. Franchement, cette péroraison dépasse toutes les limites. Je ne
veux pas accabler le lecteur avec les notes en bas de page mais je ne
peux résister à la tentation de guider ses pas, comme Virgile guida
Dante en enfer, au milieu d'une telle confusion. Je laisse de côté les
interventions sardoniques de Paco qui ne réussissaient qu'à faire
enrager le Pygmée et Masque Aztèque: par exemple, quand ces derniers parlaient de leur «expérience», Paco leur demandait s'ils se réfé-
raient à la bataille elle-même ou s'ils parlaient des étoiles qu'ils avaient
vues durant l'échange de coups de poing, visions qui, bien que dou-
loureuses, pouvaient se comparer à une sorte d'illumination. Laissons
donc de côté cette ironie; je vais présenter au lecteur les plus récentes
définitions des concepts que nous avons utilisés. Ils font partie d'une
œuvre encore inédite, intitulée *Prostitution des mots vitaux*; l'auteur
en est l'éminent chercheur, The Lord, et il utilisera son alias pour la
publication. Je tiens à remercier The Lord pour la gentillesse avec

laquelle il m'a donné accès à quelques-uns des mots qu'il a étudiés.
Les voici par ordre alphabétique:

Enthousiasme: Devant un manque absolu d'enthousiasme
pour quoi que ce soit, il *faut* avoir de l'enthousiasme pour
tout.

Expérience: Il y a longtemps, quand le mot est né, on l'appliquait aux faits (externes ou internes) qui surprenaient
l'homme dans le cours de son existence; il équivalait à connaissance et sagesse. Aujourd'hui, grâce aux banques de
données, on peut utiliser et rechercher l'expérience en
sachant à l'avance qu'on va la trouver. Évidemment, au
cours d'une expérience planifiée, l'individu s'observe attentivement (voir: *Spontané*) pour découvrir à quel moment va
survenir le «changement de vie» promis par l'information.

Expérience individuelle: Quand n'existent plus ni le pouvoir
d'expérimenter avec l'autre ni la capacité d'assimiler la connaissance, il reste l'expérience individuelle. On brandit l'expérience individuelle (je l'ai *vu* ainsi, je l'ai *vécu* ainsi, je le
ressens ainsi) comme un sentiment unique, vital, intime; on
la surimpose, de manière psychopathologique, à la réalité
collective, justifiant ainsi l'absence de participation et d'engagement personnel. En plus, l'expérience individuelle contribue à maintenir ses propres illusions (elle permet de juger
le monde plus mauvais ou meilleur qu'il ne l'est, selon ce qui
fait son affaire): de la sorte, l'univers propre, privé, particulier
et insignifiant de chacun n'est nullement perturbé.

Hobby: C'est quelque chose qui, bien que cela puisse coûter
cher, ne se fait pas pour de l'argent mais pour passer le
temps et se divertir agréablement: c'est «Créer» avec un C
majuscule. Dans tout formulaire qu'on remplit pour une
demande d'emploi, ou pour devenir membre d'une association ou d'un club, ou pour une demande d'admission à l'université, on trouve toujours la question: Quel est votre hobby?
Ne pas avoir de hobby, quel qu'il soit (du simple collectionneur de timbres au collectionneur de scarabées desséchés ou
au collectionneur de mammouths pétrifiés), c'est comme ne
pas posséder de carte de crédit ou de permis de conduire:
cela équivaut à une sorte de mort civique. C'est la reconnaissance implicite que, malgré le milieu de travail et les différentes associations (qui sont incapables d'assurer à l'individu
un minimum de bonheur et de satisfactions), la société est

L'été tirait à sa fin. Après trois mois de recherche, alors que le dernier versement fait aux avocats était presque épuisé, ces derniers, ayant consulté tous les tribunaux dans un rayon de cent (100) milles, nous informèrent qu'ils n'avaient trouvé aucun juge disposé à présider une cause de cette nature[3].

franchement ennuyante. En bref, ne pas avoir de hobby, c'est assumer la réalité et reconnaître l'inutilité de l'existence: c'est donc vivre dans une profonde dépression.

Projets: Devant l'impossibilité de se réaliser soi-même, devant l'impossibilité de créer ou de réaliser le moindre changement qui soit réellement authentique et fondamental, l'individu *doit* avoir beaucoup de projets.

Spontané: Les êtres spontanés, comme toute marchandise qui se fait rare, sont hautement valorisés. Il faut toujours souligner, constamment, dans la vie sociale ou quand on fait l'amour, qu'on *est* spontané et qu'on *a* de l'enthousiasme.

Vie intérieure: Quand tout autour de nous s'écroule, il reste la vie intérieure.

Vie communautaire: Ces derniers mots de mon dictionnaire résument tous les précédents. C'est le théâtre fantôme — pour le dire poétiquement — dans lequel l'individu se joue la parodie de l'existence, répétant à tout moment: «Cover your ass».

3. Il est intéressant de signaler l'une des caractéristiques contradictoires des sociétés de consommation modèles. Curieusement, bien que ce soit des sociétés technologiquement très avancées, on continue à compter avec les pieds (*feet*) et avec les doigts (le pouce; *inches* en anglais). Je ne saurais dire combien il y a de pouces ou de pieds dans un mille. Il suffit au lecteur de savoir qu'un mille équivaut approximativement à mille cinq cents ou mille six cents mètres, ou un peu plus ou un peu moins. Je pourrais évidemment trouver l'équivalence exacte mais le lecteur conviendra avec moi qu'il s'agit là d'un détail sans importance. Sans entrer dans des considérations sur la métasignification du métasymbole, le but de cette note — et son importance — est d'attirer l'attention sur le caractère symbolico-magico-pythagorique (comme on le verra plus loin) du chiffre 100.

Deuxième réunion dans le bureau de la chairman qui commençait à s'inquiéter sérieusement de la tournure que prenaient les événements. Pour les mêmes raisons que la première fois (la chairman avoua à l'auteur qu'elle aurait été enchantée de laisser dehors «cette race de...»), l'assistance se composait des mêmes personnes que lors de la réunion antérieure. Un «Nous écouter» cassant, lancé il n'est pas besoin de dire par qui, annonça le début de la réunion. Tout aussi succinctement et sèchement, les avocats déclarèrent qu'ils refusaient de se déplacer en automobile à une distance de plus de cent milles; ils ajoutèrent que, s'ils devaient voyager en avion, ils avaient besoin non seulement de l'approbation de leurs clients et d'une somme additionnelle d'argent pour couvrir leurs frais, mais qu'ils exigeaient aussi une compensation pour les pertes qu'ils encouraient en s'occupant autant du Pygmée que de Masque Aztèque et ce, au détriment de leurs autres clients. Silence.

Encore une fois, la chairman nous fit profiter de son expérience et de ses grandes capacités. Lorsqu'elle avait besoin de communiquer quelque chose aux membres de son département, dit-elle, elle ne se mettait pas à courir (elle aurait eu l'air d'une folle) après chacun des professeurs *full* et *part-time*; mais elle rédigeait une circulaire et elle se servait des canaux correspondants (les casiers des professeurs ou le secrétariat, sans doute assez inefficaces mais... nous savons bien comment sont les secrétaires) pour que l'information, la demande, l'ordre, ou quoi que ce soit d'autre, parvienne aux intéressés. Aussi, elle suggérait que l'on procède de la même manière pour trouver un tribunal et un juge. Puis, se calant profondément dans son fauteuil, elle laissa tomber un «Ehhh! Que dites-vous de ça?» Et si elle se retint d'abattre son poing sur son bureau comme un buteur ou comme un juge avec son marteau, c'est qu'il était comme toujours couvert de papiers et de travaux en retard.

Les avocats se regardèrent et poussèrent un profond

soupir. Ils firent valoir qu'il n'existait ni législation ni juris-prudence traitant d'un cas comme celui-ci et encore moins concernant l'utilisation d'une circulaire pour la recherche d'un juge. Aussi, pour cette raison et pour bien d'autres, et bien que, pour le bénéfice de leurs clients, ils ne voulaient négliger la moindre possibilité, ils croyaient que les chances de succès étaient, sinon très minces, du moins plutôt minces.

Silence plus profond que le premier. Le Pygmée, qui avait des réflexes plus aiguisés que les nôtres (héritage de sa pratique des arts martiaux orientaux, comme il a déjà été dit), fut le premier à réagir. D'une voix qui ressemblait à celle de Dieu parlant à Moïse sur la montagne, après avoir déclamé que «rien de ce qui est humain ne m'est étranger», il demanda: «Combien cela va-t-il nous en coûter pour effectuer les recherches en avion?» Et discrètement, du revers de la manche, il essuya la salive qui lui coulait de la bouche, mais non sans que la chairman lui ait d'abord jeté un regard de dégoût.

Dans un même élan, comme si le Pygmée venait d'in-sérer une pièce de monnaie dans une machine automati-que, les avocats ouvrirent leurs porte-documents et ils en sortirent une pile de chemises; de ces chemises, ils tirèrent une liasse de documents agrafés ensemble; et de ces documents glissa et se déroula une bande de machine à calculer, plus longue qu'un serpentin de carnaval, qui se rendait jusqu'au plancher en ondulant comme une vipère au soleil. Avec quelques raclements de gorge en guise d'in-troduction, et une légère hésitation, ils commencèrent leur exposé. Grâce à l'ordinateur de la Cour suprême (cinq dollars de frais), ils avaient pu déterminer le nombre de tribunaux sur le territoire national, le nombre de juges en service (avec adresses, noms et prénoms), et, pour un autre cinq dollars, ils avaient pu établir le nombre de loca-lités qu'ils devraient visiter, les heures-milles-vol, la durée de séjour dans chaque localité, les appels téléphoniques interurbains, tout ceci sans compter évidemment les frais imprévus auxquels ils auraient à faire face, bon... enfin... en descendant dans des hôtels de seconde classe, en se faisant payer des honoraires minimum, ils calculaient que... enfin... hemm... le montant approximatif, minimal, serait... Et le chiffre qu'ils avancèrent vint confirmer ce que dit le dicton anglais: Tous se taisent quand l'argent parle (*When money speaks everybody keeps quiet*). Les plaignants non seulement se turent mais le chiffre avancé leur rabattit le caquet, comme s'ils rentraient six pieds sous terre, et les fit pâlir au point de leur chasser l'Idée de la tête. Mais le montant ne fit pas seulement effet sur eux: dans le cerveau de l'auteur, il se produisit soudain comme une sorte de vide; et la chairman, elle, se mit à respirer si irrégulièrement que tous nous avons craint une crise cardiaque.

Le mauvais moment passé, le pouls de la chairman battant à nouveau régulièrement[4], les visages ayant repris leur couleur normale (ceux des avocaillons devinrent rouges), les avocats, interprétant ces changements biologiques comme une réponse, enroulèrent le serpentin, rangèrent les chemises et, fermant leurs porte-documents, ils déclarèrent que... enfin... on pouvait toujours essayer d'envoyer une circulaire. Et que si cela s'avérait un succès, alors tant mieux puisqu'ils pourraient ainsi inscrire leurs noms dans les annales de la jurisprudence, ce qui pouvait avoir autant d'importance pour leur carrière qu'une publication dans la carrière d'un professeur universitaire.

Soulagés, tous manifestèrent leur approbation. Comme des paons, les belligérants déployèrent à nouveau leurs queues mais elles semblaient s'être légèrement déco-

---

4. On dira ce qu'on dira, on parlera tant qu'on voudra, mais je dois reconnaître la grande humanité de la chairman et son immense talent pour régler les problèmes des autres, tout spécialement quand il s'agit de la rubrique «dépenses».

lorées et ne plus s'ouvrir avec la même amplitude qu'auparavant.

Avant de nous quitter, les avocats demandèrent à
l'auteur sa collaboration pour la rédaction de la circulaire;
ils sollicitèrent cette aide parce qu'il s'agissait d'un professeur qui maîtrisait parfaitement l'anglais et d'un témoin-
chroniqueur tout à fait impartial. Ce que d'ailleurs tous les
autres étaient puisque, ne connaissant pas les méandres
intimes du différend, ils n'avaient d'autre possibilité que
celle de raconter ce qu'ils avaient vu.

CHAPITRE XIII

La circulaire

Pour quelque raison étrange, les avocats, comme tous les autres d'ailleurs, donnèrent carte blanche à l'auteur. C'était comme si les avocats, devant l'épuisement des fonds, avaient aussi épuisé leur capacité d'action et leur énergie spirituelle. Quant aux professeurs, en particulier les femmes, une fois émoussé l'attrait de la nouveauté, ils semblaient lassés de toute cette affaire quoique, l'auteur en est convaincu, ils continuaient à attendre en secret la suite des événements. Se disant sans doute qu'en «eau trouble, gain de pêcheur», chacun attendait une succulente tranche spirituelle de l'Idée. L'abattement gagna également les deux intéressés; devant la tournure que prenait leur cause, ils rentrèrent leurs queues qui commençaient à se décolorer. Placés devant l'obligation d'avoir recours à une circulaire reproduite à des centaines d'exemplaires — ce qu'on ne pouvait pas précisément appeler un «best-seller» —, ils se sentaient frustrés dans leurs espérances diffuses[1].

---

1. J'avais déjà annoncé ma participation à la rédaction de la circulaire dans la note 2 du chapitre IX. Je voudrais simplement ajouter que je

L'auteur rédigea une brève version préliminaire de la circulaire et, par honnêteté, il la montra aux belligérants. Ces derniers, fort bien éduqués, félicitèrent l'auteur pour la qualité du style mais il signalèrent tous deux avec pédanterie qu'en dépit des suggestions faites par les avocats, tout à fait fondées d'un point de vue légal, et de l'habile adjectivation de l'auteur quant à l'Idée, l'importance de ladite Idée, son éclat et son génie n'avaient pas été suffisamment mis en relief.

Profitant de la circonstance, l'auteur fit une dernière tentative pour essayer d'en savoir davantage sur l'Idée. Sous prétexte de posséder de meilleurs fondements pour la rédaction de la circulaire, mais tout en reconnaissant et en acceptant les objections des belligérants, il leur demanda quelques informations supplémentaires sur l'Idée.

Avec une amabilité toute glaciale (anglaise?), Masque Aztèque, qui aimait bien faire étalage de sa connaissance des expressions idiomatiques et des proverbes de la douce langue de Cervantes, surtout quand ces expressions avaient un certain relent technique moderne, me

---

suis habituellement incapable d'écrire sur un sujet auquel je ne crois pas. C'est pourquoi, quand j'étais à court d'idées, je faisais appel au pouvoir rhétorique de Paco. Chaque fois que j'avais besoin de lui, je devais aller le chercher à la salle à manger des professeurs où je le trouvais en train de prendre une bière avec la Valkyrie. Comme tout le monde le savait, il y avait longtemps que le Galicien «avait un œil sur elle». Mais tout le monde se doutait aussi que Paco n'avait pas encore eu le courage d'entreprendre sa conquête: il était probablement intimidé par la masse de la Valkyrie, une masse telle qu'elle faisait craindre des profondeurs insatiables et inassouvissables. Le Mendocinien, normalement silencieux quand on ne lui demandait pas son avis, mais incisif quand il parlait, fit un jour ce commentaire: «Le pauvre Galicien, il s'en va tout droit à l'échec dans sa tentative de conquérir la Valkyrie. Aucun revenu, encore moins le salaire d'un professeur d'université, ne pourrait suffire à payer toute la bière qu'il faudrait pour la saouler au point de pouvoir la renverser, ouverte, prête à l'assaut.» Mais poursuivons afin que le lecteur puisse maintenant se rendre compte des effets immédiats de la rédaction de la circulaire.

répondit: «Tu t'es mis le doigt dans le ventilateur. Comme tous les hommes d'aujourd'hui, éclectiques et incrédules, imbus de pragmatisme, la Foi te fait défaut, et la Foi est l'une des conditions fondamentales pour pouvoir accéder à l'Idée. Je t'en ai déjà assez dit, peut-être même trop.» Et après un très anglais «*thank you*» (je te remercie ou je vous remercie, selon le cas), que les Anglais emploient quand ils veulent se débarrasser de quelqu'un, il se tut et partit sans même me saluer.

Le Pygmée, en revanche, peut-être bien à cause de son caractère latin, se montra beaucoup plus ardent. Devant mon insistance à en savoir plus sur l'Idée, après un «contente-toi de savoir, coquin, que...» fort peu académique et qui surprit l'auteur, il répondit que «l'Idée, il l'avait développée en harmonie totale avec la pensée moderne — mais sans oublier pour autant les enseignements des sages et des philosophes de l'Antiquité qui, après tout, ont pensé avant nous — et que, pour parler concrètement, l'Idée 'en soi' se voulait une conception totalisante et catalysante de l'héritage culturel de l'humanité». Puis, soudain furieux, comme s'il regrettait d'avoir tant parlé, il traita l'auteur d'anglophile («pour ne pas dire raciste», ajouta-t-il) et il l'accusa de favoriser ouvertement Masque Aztèque: «Toi comme lui, en fidèles adeptes de Shakespeare (il laissa tomber le premier *e*; et, pour ne pas être en reste, il voulut faire étalage de ses connaissances sur le dramaturge), vous croyez que 'ce n'est pas du vol mais une victoire que de piller les autres auteurs comme un tyran'.»

Devant une attaque aussi injuste, l'auteur se contenta de lui signaler avec ostentation que, bien qu'historiquement il s'agisse d'une erreur, l'usage avait imposé la prononciation du premier *e* dans Shakespeare. Et qu'en plus, bien que l'immortel dramaturge n'était lui-même pas très catholique quant au respect des sources — dans le sens moderne où l'on entendait les droits d'auteur —, la citation qu'il avait utilisée pour insulter l'auteur, avec la suffisance venimeuse d'un érudit, n'avait pas été écrite en référence à

Shakespeare: c'était l'un des biographes de Ben Johnson qui l'avait forgée pour l'appliquer à ce dernier. L'auteur lui sortit la citation exacte et considéra l'incident comme clos. Et, malgré le peu d'égards qu'on lui avait manifesté, il promit même aux deux belligérants qu'avec l'aide de Paco (et l'autorisation de la chairman), il allait «forcer la note». Tous les deux exigèrent de voir la version finale et l'auteur leur promit qu'il le ferait, avec plaisir, s'il le pouvait.

S'aventurer dans le bureau de la chairman en ces jours-là, c'était comme pénétrer dans l'antre d'une lionne blessée dont les lionceaux — fidèles à la loi universelle et scientifique de l'Œdipe — s'obstinaient encore à vouloir téter. Cette année-là, la réduction du budget de la faculté des Arts, dont dépendait le département, avait été si draconienne que la chairman, avec son imagination débordante, craignait de se retrouver elle-même sans travail. Si on ajoute à cela les protestations des étudiants contre le Pygmée et Masque Aztèque qui ne cessaient d'interrompre leurs cours pour annoncer la venue d'une nouvelle Idée, la pénurie (tout à fait néfaste pour l'image du département) de publications de la part des professeurs (y compris de la chairman bien qu'elle oubliait de s'inclure dans le groupe) et encore un certain nombre d'autres choses, il n'y a donc pas de quoi s'étonner que la chairman fût tout à fait hors d'elle-même[2].

---

2. Pour un Américain ou un Canadien (qu'on peut ou non distinguer, selon le cas), les tracas de la chairman pouvaient être facilement compréhensibles. Il lui aurait suffi de penser en termes d'affaires et d'imaginer les responsabilités d'un gérant d'entreprise pour pouvoir se mettre immédiatement à la place de la chairman. Le Latino-Américain, par contre, encore sous l'emprise d'un système d'enseignement archaïque (même s'il peut avoir une idée de ce que signifie une coupure budgétaire draconienne), pourrait difficilement comprendre l'inquiétude et la fureur de la chairman. C'est pourquoi il me faut apporter certains éclaircissements. Tout d'abord, je dois signaler que les universités du Nord sont des institutions privées et indépendantes et que leur fonctionnement (pour ne pas dire leur survie) dépend tout

autant du nombre d'étudiants qui les fréquentent que des subventions gouvernementales accordées pour chacun de leurs étudiants. Le système d'enseignement n'est pas fondé sur la réalisation d'un programme strict et spécifique mais plutôt sur le nombre de crédits obtenus pour chacun des cours que l'on a suivis et réussis dans le cadre de telle ou telle orientation. Par exemple, pour obtenir un diplôme de médecine, un étudiant doit accumuler 150 crédits (approximativement). Il commence modestement en suivant le cours d'anatomie, privilège qu'il a dû payer, et s'il obtient la note de passage, on lui accorde alors 5 crédits. Et ainsi de suite, jusqu'à ce qu'il ait atteint le nombre de crédits suffisant. Ce système jouit d'un grand avantage par rapport au système d'enseignement latino-américain (ou par rapport à celui de certains autres pays en voie de développement). Comme il apparaît inconcevable dans les pays du Nord que quelqu'un ait payé pour quelque chose et que ce quelque chose ne lui serve pas, ne lui soit pas utile, l'étudiant en médecine peut obtenir ses 150 crédits en accumulant aussi les points obtenus dans d'autres disciplines ou il peut réorienter sa carrière en utilisant les points accumulés en médecine. Ce système a pris une telle importance que, dans la pratique, lorsque quelqu'un postule un emploi, on ne lui demande plus quel diplôme il a obtenu mais bien le nombre de crédits qu'il a accumulé. C'est pour cette raison que certains critiques mal intentionnés appellent les universités du Nord des «*Credit Stores*» (agences ou magasins de crédits). Ils citent toujours en exemple la célèbre Université de Stanford, de réputation internationale, où quiconque peut accumuler des crédits en étudiant le golf ou le tennis, dans la mesure évidemment où il suit ces cours avec un professeur reconnu par l'institution et qu'il en défraye les coûts. Quoi qu'il en soit, aussi inutile que puisse paraître ce système, l'étudiant peut cependant être assuré qu'un jour ou l'autre, tout comme il dépose ses économies dans un compte d'épargne, son investissement portera fruit. Mais je me rends compte que je me suis éloigné de mon sujet: l'explication des inquiétudes de la chairman. J'y reviens. La faculté de médecine fourmille d'étudiants: les gens n'échappent pas à la maladie et finissent toujours par mourir. Aussi, être médecin, même si l'on obtient son diplôme avec des crédits accumulés en jouant au golf, signifie la richesse assurée. Même si faire ses humanités repose sur le même système (notre département offre le B.A. en espagnol — 70 crédits — et la maîtrise en espagnol — 35 crédits), dans ce cas cependant, la situation est loin d'être la même. Personne en effet ne devient malade d'un problème linguistique ou du problème de l'expression lyrique dans un poème médiéval, à l'exception de ceux pour qui, comme c'est le cas des universitaires, ces problèmes peuvent être rentables. Si donc, en plus des coupures

Aussi, quand l'auteur se présenta à son bureau pour connaître son opinion sur la version préliminaire de la circulaire, il se contenta, sans dire un mot, de lui tendre le brouillon qu'elle lui arracha violemment de la main. Elle le lut attentivement et, quand elle eut terminé, il se produisit exactement ce que l'auteur avait craint: posant la feuille sur une pile de dossiers qui menaçaient de se renverser au moindre mouvement, à l'aide d'un épais crayon feutre, elle se mit à rayer précipitamment certaines parties du texte qu'elle considérait comme de «stupides exagérations». Et quand l'auteur lui dit qu'il jugeait nécessaire de demander l'avis des intéressés, elle lui défendit formellement de consulter «ces imbéciles» et elle ajouta: «Je ne comprends pas pourquoi tu fourres ton nez dans quelque chose qui ne te regarde pas.» Et elle mit un terme à l'entretien par des propos que l'auteur n'attendait pas du tout: «Toi aussi, d'ailleurs, tu as tendance à te prendre pour un autre!»

Se dirigeant vers son bureau, l'auteur jeta un coup d'œil sur les phrases que la chairman avait biffées. Les références relatives à la compétence académique et à l'honnêteté professionnelle des belligérants — tout à fait logiques si l'on tient compte de la présumée importance de

---

budgétaires (coupures qui n'avaient pas permis cette année-là de faire la promotion d'un programme dans les langues à la télévision), le département voyait diminuer son prestige en raison de l'attitude des belligérants et voyait décroître le nombre de ses étudiants par suite des plaintes et de la mauvaise publicité que ceux-ci lui faisaient, il est facile de comprendre qu'étaient justifiées non seulement les coupures budgétaires (moralement) mais aussi (d'un point de vue pratique) la réduction de l'aide gouvernementale, puisque cette aide était accordée *per capita*, c'est-à-dire au *prorata* des étudiants «dûment inscrits» dans les fichiers de la haute bureaucratie. Humainement parlant (je ne suis pas humaniste pour rien), je crois que cela est plus que suffisant pour comprendre l'état d'esprit de la chairman qui, selon Paco, voyait en chaque étudiant un œuf de cristal qui, couvé avec soin, donnerait plus tard naissance à la future poule aux œufs d'or: l'étudiant diplômé pour lequel on touchait des subventions beaucoup plus substantielles.

l'Idée — avaient été rayées. L'auteur avait commis une erreur tactique: quand on veut obtenir quatre, il faut demander huit. Même au risque de provoquer une crise cardiaque chez la chairman, il aurait dû, dès le départ, forcer la note encore davantage.

La dernière remarque de la chairman avait irrité l'auteur. Aussi, sans tenir compte de ses ratures, après des retouches mineures, l'auteur mit au propre la circulaire. Il ne consulta plus les belligérants — il n'était donc pas toujours en désaccord avec la chairman — et, malgré la confiance qu'il avait dans sa maîtrise de l'anglais, il passa la copie finale de la circulaire à une collègue du département de la langue de Shakespeare qui, au grand plaisir de l'auteur, la trouva impeccable.

Quant aux avocats, selon ce qu'ils me dirent, ils se contentèrent de signer la circulaire et leurs secrétaires firent le reste: les photocopies et l'expédition aux quatre points cardinaux[3].

---

3. Voici le texte de la circulaire:
   «À un juge d'un tribunal de quelque endroit que ce soit
   «Excellence,
   «Avec l'autorisation de la Cour suprême de la nation (autorisation no 3872, page 15, paragraphe 14), nous, les docteurs Aeden Brown et John Smith, avocats, au nom de nos clients respectifs, les illustres universitaires, le docteur... (le Pygmée) et le docteur... (Masque Aztèque), qui ont rendu d'inestimables services à leur pays, nous nous adressons à Votre Honneur pour demander que soit entendu dans votre prestigieux tribunal un cas hautement délicat et d'une extrême subtilité.
   «Les universitaires ci-haut mentionnés ont eu une prise de bec au cours de laquelle, malheureusement, ils en sont venus aux mains, incident qu'ils regrettent et qui, grâce à Dieu, n'a pas eu de conséquences fâcheuses, à l'exception pour chacune des parties de la perte d'un certain nombre de dents, naturelles ou artificielles selon le cas.
   «Le motif de l'altercation et de la perte des dents n'est cependant pas encore réglé: il s'agit de déterminer la propriété d'une idée encore inconnue. Mais, tenant compte de l'aptitude professionnelle, de l'intelligence, de la respectabilité et de la bonhomie des universitaires,

tenant compte aussi que tous deux sont candidats au titre de *primus inter pares*, il ne fait aucun doute que ladite Idée ne peut être qu'exceptionnelle, qu'elle ne peut être que remarquable et tout à fait digne d'intérêt. Aussi, si le différend actuel n'est pas tranché par l'intervention d'un juge — et comme les professeurs en cause refusent, à moins d'un arbitrage légal, de révéler l'Idée —, cela pourrait s'avérer une perte des plus regrettables, sinon pour l'humanité tout entière, à tout le moins pour ceux qui désireraient la connaître et éventuellement la mettre en application.

«Si Votre Honneur trouve que ce différend présente un certain intérêt et croit que l'audition d'une cause aussi inextricable que celle-ci puisse faire rejaillir un certain prestige sur le tribunal que vous présidez et sur votre illustre personne, nous vous prions de communiquer avec nous, pour de plus amples renseignements, soit par écrit à l'adresse ci-dessous indiquée, soit directement par téléphone.

«Veuillez accepter, Votre Honneur, les salutations respectueuses des signataires de la présente.

Smith et Brown»

CHAPITRE XIV

Un rayon de lumière apparaît

C ombien de temps s'est-il écoulé entre l'envoi de la circulaire et la réception d'une réponse? L'auteur n'en sait rien. Il n'est pas maniaque des dates et, d'ailleurs, dans un pays comme le Canada aux saisons tellement tranchées, ce sont des phénomènes très visibles qui correspondent aux cycles de la nature qui marquent le temps qui passe.

Chose certaine, à l'ouest, on avait déjà rentré les récoltes et la ville avait changé de visage. Les femmes qui se promenaient dans les rues d'Ottawa ne portaient désormais plus de «shorts», ni de bikinis, ni de robes transparentes. Les professeurs étaient de retour des vacances (faute d'argent, le Pygmée et Masque Aztèque avaient dû rester chez eux) et ils avaient commencé à préparer leurs cours pour la rentrée scolaire. Les cours avaient débuté à l'ombre des arbres colorés par les épais coups de pinceau de l'automne. Quelques jours encore et les feuilles tomberaient et le long hiver ferait son apparition. Mais la réponse d'un juge arriva juste avant que les feuilles ne se mettent à tomber: ce devait être au milieu de septembre.

C'était l'agitation fébrile des premiers jours de classe (il s'agissait bien, comme disaient les Anglais, d'une université française, latine: totalement désorganisée): la confusion des horaires, la détermination du nombre d'étudiants dans chaque cours, l'invasion des *part time* réclamant du travail, les morsures de la Petite Vipère, les petites histoires d'amour, etc. C'est au milieu de ce désordre que les avocats débarquèrent, agitant un bout de papier et cherchant les plaignants. Quand on les eut trouvés et avertis, ils se présentèrent au bureau de l'auteur. La chairman, heureusement, était en train de donner un cours. Paco et le Mendocinien se glissèrent à l'intérieur avant qu'on ne referme la porte et aussitôt les délibérations commencèrent.

On apprit que le bout de papier que les avocats agitaient était rien de moins que la réponse d'un juge à la circulaire. La réponse était écrite d'une encre noire, très foncée, mais par traits nets, légèrement gothiques, sur un épais feuillet qui rappelait les anciens parchemins. Sous un blason (imprimé en haut à gauche) qu'accompagnait l'épigraphe: «Tribunal d'Erewhon», tous purent lire ce que disait le juge:

«Messieurs,

«Je suis disposé à entendre votre cause.

William Wilson
Juge d'Erewhon»

L'auteur, le Mendocinien et Paco se regardèrent, manifestèrent leur assentiment d'un signe de tête et laissèrent tomber quelques commentaires: «Enfin!» «Nous allons en finir une fois pour toutes avec cette historiette!» «En marche!» Ils se préparaient à quitter les lieux quand, devant le silence furibond et renfrogné du Pygmée et de Masque Aztèque, et devant la visible nervosité des avocats, Paco demanda: «Merde, qu'est-ce qu'on fait maintenant?» Les plaignants firent un signe vers les avocats comme s'ils avaient l'air de dire: «Qu'ils nous le disent eux: c'est pour ça qu'on les paye!»

Alors les avocats parlèrent: la lettre était une insulte, une farce de mauvais goût, et ils ne l'avaient pas jetée au panier parce qu'ils avaient l'obligation de la montrer à leurs clients, lesquels, de leur côté, voulaient toujours demander l'avis de leurs collègues pour qu'on ne vienne pas dire par la suite qu'ils «se prenaient pour d'autres». «Abrégez!» intervint sèchement le Mendocinien, toujours pressé. Bon, l'affaire était que, lorsqu'ils avaient reçu la lettre, les avocats avaient essayé d'entrer en contact téléphonique avec le juge pour fixer un rendez-vous, pour vérifier de quelle manière ils devaient présenter les démarches, quels formats ils devaient respecter, quels étaient les coûts, les redevances, etc.[1] Mais ils avaient découvert que ni le tribunal ni le nom du juge ne figuraient dans le bottin téléphonique; n'en croyant pas leurs yeux, ils avaient communiqué avec la compagnie de téléphone qui leur confirma officiellement qu'aucun de ces deux noms n'était inscrit sur leurs listes. Aussi, horrifiés, ils en étaient arrivés à la conclusion que ledit juge n'avait pas le téléphone[2]!

---

1. Ce sont des «aspects» qu'il faut inévitablement prévoir car, dans un pays comme le Canada, un régime fédéraliste (comme les États-Unis) et une démocratie absolue, il n'y a pas seulement les lois fédérales qui diffèrent (de province en province) mais aussi les lois municipales (de village en village, si misérable soit-il): on trouve même le cas de deux municipalités dans la même ville. De la sorte, ce qui est légal d'un côté de la rue peut être illégal de l'autre côté. Un humoriste canadien notait à propos de ce fouillis administratif: «Quand une personne, dans un accès 'spontané' de colère, veut donner un violent coup de pied dans le derrière ou dans les testicules de quelqu'un, elle fait mieux de se demander d'abord dans quelle municipalité elle se trouve pour savoir si elle est autorisée à le donner par devant ou par derrière.» Certains, à tort ou à raison, appellent cet état de choses de l'anarchie ou du nihilisme déguisé.

2. Pour que le lecteur ait une idée (je préférerais ne pas employer ce mot, *idée*, pour le moment; que le lecteur l'oublie et le remplace par un *pâle reflet*) de ce que signifie le fait de ne pas avoir le téléphone dans

Et ce n'était pas tout! Sans abandonner, avec la ténacité qui les caractérisait quand il en allait de l'intérêt de leurs clients, ils avaient étudié une carte de la région dans l'intention de se rendre personnellement sur les lieux, évidemment avec l'autorisation de leurs clients; mais... imaginez, messieurs! la localité n'apparaît sur aucune carte ni sur aucun index des localités du pays. Ils reprirent leur souffle. «Putain, mais comment le juge a-t-il reçu la circulaire?» Bien, voilà: en fin de compte Erewhon et le William Wilson en question existent bien — ils figurent sur la liste des tribunaux et des juges du territoire national — et c'est ainsi que nos secrétaires ont pu faire parvenir la circulaire à ce juge. Évidemment — «nous ne sommes pas fous» —, ils s'étaient informés aux Postes où on leur avait confirmé l'existence d'Erewhon, sinon comme localité, à tout le moins comme adresse postale, située à 101 milles d'Ottawa; mais, en raison des règles de confidentialité, ils s'étaient refusés à dire dans quelle direction. «Tout ceci est tout à fait irrégulier et c'est ce qui nous porte à croire, comme nous l'avons déjà dit, que ce n'est rien d'autre qu'une farce de mauvais goût.»

Dans la mentalité dynamique et moderne (contemporaine) des avocats et, pourquoi ne pas le dire, de certains

---

les pays civilisés, je vais lui raconter une histoire. Il y a quelques années, un millionnaire excentrique qui s'ennuyait dans la vie, comme il y en a toujours, eut une idée: donner un prix d'un million de dollars au Nord-Américain ou au Canadien qui n'aurait aucune des choses suivantes: une pelouse bien tondue, une dette, une carte de crédit, un téléviseur, de la bière dans le réfrigérateur, et enfin, le téléphone! Évidemment, il y avait une série de règlements qui éliminaient plusieurs candidats possibles (je ne sais pas si les Noirs étaient du nombre). De toute façon, comme il fallait s'y attendre, personne ne gagna le million et la Commission des droits des consommateurs, s'appuyant sur des sociologues et des psychanalystes réputés, après avoir accusé le millionnaire de «créer de fausses attentes» et de «perturber l'ordre et l'harmonie des esprits», déclara que les habitants de ces pays étaient «des êtres normaux en pleine possession des idéaux de l'humanité».

des collègues de l'auteur, les plaignants y compris (eux qui avaient pourtant bien d'autres choses «derrière la tête»), l'absence de téléphone était tellement inconcevable qu'elle produisit chez eux une grande perturbation mentale: cela équivalait pratiquement dans leur esprit à l'inexistence du juge, du tribunal et du village.

L'expérience de l'auteur, originaire d'un pays en voie de développement, permit d'entrevoir une solution. S'en tenant aux règles les plus élémentaires des manuels d'art oratoire nord-américains — qui conseillent, pour détendre l'atmosphère et permettre ainsi une meilleure communication avec les auditeurs, de commencer toute causerie, toute conférence ou tout cours par une blague —, l'auteur commença par un trait d'esprit: «Messieurs, faute de téléphone, on mangera de la galette. Mon expérience personnelle me permet d'entrevoir une solution. Comme vous-mêmes et certains de mes collègues le savent, dans les pays en voie de développement (c'est ce qu'on appelle un 'phénomène de culture'), le dénominateur culturel commun, c'est-à-dire la 'norme', c'est de ne pas avoir de téléphone. Et, bien que l'on sache que la brusque transplantation d'expériences d'un pays à l'autre, en raison du choc des cultures, se termine d'habitude en désastre, dans ce cas-ci, ayant à l'esprit d'autres cas similaires, je me risque à proposer cette solution.» L'auteur s'interrompit pour reprendre son souffle et comme il constata que l'intérêt de l'auditoire commençait à baisser, il poursuivit rapidement. «Faute de téléphone, on mangera de la galette, ai-je dit. Dans le cas qui nous intéresse, on ne peut nullement soutenir qu'il n'y a pas eu contact, et l'expérience similaire à laquelle je faisais référence était celle du courrier. Aussi, je suggère, si mes respectables collègues (y compris, évidemment, les intéressés) ne s'y opposent pas, que ce qu'ils voulaient tirer au clair (les frais, conditions, date probable du procès, etc.) par le biais de cet accessoire moderne erronément appelé téléphone, qu'ils le fassent par la même voie ou par le même canal qu'ils ont utilisé pour la circulaire, c'est-à-dire par le courrier; et cette fois-ci, en adressant la lettre directement au juge. Si d'ici un mois (fixons-nous ce délai) nous n'avons toujours pas de réponse, nous pourrons définitivement mettre de côté l'offre de William Wilson.»

Paco et le Mendocinien, ajoutant quelques commentaires hors de propos ici, approuvèrent rapidement. Les plaignants et les avocats acceptèrent aussi, mais de mauvaise grâce comme en faisaient foi leurs soupirs et leurs «oufs». Quand tous se furent retirés, l'auteur se sentit seul, plus seul que jamais. Seul à cause du vide réel, physique et tangible, mais à cause aussi d'une immense solitude spirituelle. Personne, absolument personne ne s'était rendu compte du caractère hautement symbolique des noms et du nombre dont il avait été question durant cette très courte réunion: la distance, le numéro 101[3]; le nom du lieu, Erewhon[4]; le nom du juge: William Wilson[5]!

---

3. Additionnez un mille au chiffre de la note 3, chapitre XII. J'avais déjà souligné dans cette note le caractère pythagorico-magique du chiffre 100. Or voilà, en ajoutant 1, la note apparaît encore plus pertinente, on renforce le caractère magique de ce chiffre qui passe de pair à impair et devient 101, qu'on le lise en commençant par la gauche ou par la droite.

4. Ici, je me sens tout à fait en terrain sûr. Mon ample connaissance de l'anglais et de la littérature universelle, le fait de ne pas avoir vécu cantonné dans mon champ d'étude ni dans ma tour de marbre, comme un érudit atrophié, firent que je fus le seul à me rendre compte de la signification réelle du mot Erewhon qui désignait dans ce cas une localité. C'est un anagramme du mot anglais «nowhere» qui, traduit en français, signifie «nulle part»: donc une réponse contraire à ce que demandait justement la circulaire: un juge de «quelque endroit que ce soit». Erewhon est de plus le titre d'un roman de Samuel Butler, important précurseur de la science-fiction moderne. (Note à cette note: le mot *Erewhon* ne se trouve dans aucun dictionnaire.)

5. Les remarques de la note 4 de ce chapitre valent aussi pour celle-ci. Je ne comprends pas que mes collègues ne soient pas restés figés de peur quand ils entendirent le nom du juge. J'ai soupçonné sur-le-champ, et j'en ai trouvé la confirmation à la bibliothèque, que c'était le

titre d'une nouvelle d'Edgar Allan Poe. C'est la très sinistre histoire
(un classique dans la littérature des «doubles») de deux hommes portant le même nom: l'un, incarnation du bien, et l'autre, incarnation du
mal. Lequel des deux se révélera être William Wilson? J'imagine que
le lecteur, tout comme moi, doit déjà trembler de peur.

CHAPITRE XV

La réponse et la réunion finale

Celui qui écrit ces mots ne connaît pas le texte de la lettre que les avocats rédigèrent et envoyèrent au juge. Il imagine (peut-on supposer autre chose?) que la demande d'information relativement aux frais et aux lois qui avaient cours à Erewhon devait être imprégnée du jargon typique des avocaillons. Par contre, ce qu'il eut effectivement en main — motif de la troisième et dernière réunion dans le bureau de la chairman (avec les mêmes personnes que les autres fois) —, ce fut la réponse du juge. L'auteur eut l'honneur de la lire. Rédigée sur le même papier parchemin que la première lettre, écrite à la main (le juge n'avait même pas de machine à écrire), elle disait ceci:

«Les documents requis et les conditions pour la tenue du procès sont les suivants:

1) L'envoi par courrier recommandé des dossiers de chacun des demandeurs. Joindre à ces dossiers:

a) Les déclarations des témoins signées par par chacun d'eux;

b) Un test d'intelligence récent de chacun des plaignants;

c) Le dossier judiciaire des plaignants (provenant de la RCMP)[1];

d) Les preuves matérielles des pertes encourues par chacune des parties;

e) Les plaignants doivent, chacun de leur côté, sur une feuille de format-lettre, esquisser dans ses grandes lignes l'Idée en litige. Chaque version devra être placée dans une enveloppe séparée avec les noms et prénoms des créateurs au dos de ladite enveloppe. Les deux enveloppes avec les versions de l'Idée doivent ensuite être placées dans une autre enveloppe (plus grande, évidemment) en présence d'un greffier qui verra à la sceller et à l'authentifier.

2) Le jugement sera rendu oralement. La présence de représentants des médias (presse écrite ou parlée, télévision) est strictement interdite. La Cour n'acceptera que la présence des avocats de chacun des plaignants et la présence des témoins; ah! j'allais oublier les plaignants[2].

---

1. Royal Canadian Mounted Police, connue dans les pays latino-américains sous le nom de «police montée». Rappelez-vous la délicieuse histoire de notre enfance, «Ted, de la police montée». Pour de plus amples renseignements sur la RCMP, voyez l'étude des éminents professeurs Antonio Harque et Juan Claudio Simord: «Le rôle du chien de Ted, de la police montée, et sa place dans la paralittérature américaine», *Revue Histeramérica*, dirigée par Rebeco Satanowsky, no 18.

2. Si l'une ou l'autre des personnes présentes avait noté ce lapsus apparemment amusant du juge (je ne viens moi-même que de le remarquer à l'instant), nous aurions tout compris. Et personne, de toute évidence, n'aurait accepté de se présenter au procès.

3) Tenant compte que cette lettre parviendra aux intéressés entre le 26 octobre et le 5 novembre, et tenant compte que les documents sollicités me seront envoyés avant le quinze novembre, et considérant le temps nécessaire pour étudier le dossier en détail, la date du procès est fixée au 21 décembre[3], à 16 heures, au tribunal d'Erewhon.

4) Il sera considéré que l'envoi des documents signifie l'acceptation des conditions posées pour la tenue du procès et l'acceptation du jugement qui s'ensuivra. Quand les documents auront été expédiés, tout ce que feront ou diront les intéressés pourra être retenu comme preuve contre eux.

5) L'absence injustifiée de l'un ou de l'autre des assignés, ou l'absence de tous, en cas de tempête de neige ou autres supposés empêchements, donnera lieu à l'annulation automatique du procès, qui ne pourra plus être entendu dans aucun tribunal de la nation, et un jugement par défaut sera rendu contre les intéressés.

6) Étant donné que le village d'Erewhon ne possède pas de succursale bancaire, les frais de courrier, d'estampillage et le coût du procès devront être remis en espèces sous pli séparé. Le montant total des frais s'élève à 48 (quarante-huit) dollars et 30 (trente) cents.

William Wilson
Juge d'Erewhon
(Date et estampille)»

Comme si le juge savait qu'Erewhon n'apparaissait pas sur la carte, un plan joint à la lettre donnait des indications précises pour se rendre au tribunal. À 99 milles

---

3. Date étrange et suggestive: la nuit la plus longue de l'année.

d'Ottawa[4], par la route ouest, les personnes se rendant au procès trouveraient un panneau indicateur qui les conduirait à l'endroit exact.

Tout comme le fait que le juge n'avait pas le téléphone avait amené les avocats à douter du sérieux de la première lettre, de la même façon, l'absence de succursale bancaire vint raffermir leur conviction[5]. Ils auraient

---

4. Je continue à insister sur les significations occultes des nombres. Ce 99, impair et symétrique, n'attire-t-il pas aussi l'attention du lecteur?

5. Ceux qui ont déjà eu la chance d'être en contact avec la réalité d'un monde civilisé saisiront immédiatement les inquiétudes et les déductions des avocats mais, par contre, ceux qui vivent dans notre monde hispanophone sous-développé s'étonneront des conclusions apparemment précipitées des défenseurs. C'est que les valeurs (si tant est qu'il en reste) morales, culturelles et historiques ont changé. Après mes explications, le lecteur comprendra facilement; je cite: «Si la conquête des territoires du Nord s'est réalisée en fondant une église pour trois colons, la conquête du monde et de l'espace a inversé les valeurs: pour chaque personne qui émigre vers un autre pays, ou pour chaque astronaute, on fonde trois banques. En aucun cas, il ne faudrait voir là que d'élémentaires ou vulgaires impératifs économiques comme le prétendent plusieurs courants philosophiques. La capsule spatiale (l'échelon ultérieur à l'avion, symboliquement associé à l'auto et aux autres véhicules) a remplacé le ventre maternel; et le développement subséquent du fœtus sur la Terre, sans crainte et avec assurance, ne prend désormais plus place sous les ailes protectrices de la mère (génitrice du néfaste Œdipe) ni sous la férule menaçante de Dieu ou du diable, créations du pasteur ou du curé de toutes les églises, mais bien sous la bannière de «l'esprit d'indépendance» dont la banque est le fondement et le point de référence. L'adolescent de 16 ans, dans nos sociétés (les sociétés développées), est en mesure de «voler de ses propres ailes». Le jour même de son seizième anniversaire, il se rend à la succursale bancaire la plus proche de son domicile et il mène à bien la cérémonie de son initiation: il ouvre son propre compte bancaire avec son propre argent qui, jusqu'alors, était administré par ses parents. Il devine en ce lieu l'existence d'un autel secret, la chambre forte, qui veille sur lui, c'est-à-dire sur son argent, ce qui revient au même; et il découvre que — contrairement aux exigences de toutes sortes, aux menaces et aux châtiments avec lesquels il est

accueilli le dimanche par le pasteur de son église —, le grand prêtre de la banque, le gérant et les prêtres et prêtresses mineurs, les employés, les caissières, le portier, tous le reçoivent affectueusement, dans une ambiance chaleureuse, sans chercher à fouiner dans son moi, dans ses désirs secrets, sans le violer dans son intimité, lui parlant à voix basse, avec pudeur, comme on se doit de le faire quand il s'agit des choses les plus aimables de la vie: la sécurité, l'argent, et les désirs que cet argent peut satisfaire. Sans qu'il soit nécessaire de nommer certains autres aspects gratifiants de notre société, le jeune initié découvre que, contrairement à l'anarchie et au désordre qui règnent dans certaines sectes prêcheuses et avares de possessions matérielles, contrairement à la discipline inflexible et menaçante des religions et d'un certain nombre de foyers (désignés par l'appellation de *Child abuse*: les enfants maltraités), contrairement à l'éclatement et à la perte d'identité des foyers et des familles modernes (ce père divorcé trois fois, cette mère séparée trois ou quatre fois, mes frères ceux-là? Qui est mon père? ma mère? Qui sont mes frères et sœurs?...), le jeune initié découvre donc qu'il règne à la banque une harmonie solide, fruit d'une longue tradition fondée sur des règles du jeu clairement établies, et qu'il peut compter sur l'aide et l'appui des prêtres; et, en se trouvant une nouvelle religion (entendue non dans son sens religieux mais dans sa signification de re-lier), il se rend aussi compte que le fait d'avoir quitté le ventre maternel (le traumatisme de la naissance), de s'être libéré de *sa mère*? n'a pas été aussi néfaste ou aussi dangereux que ne le lui murmurait son inconscient. Ma conception tout à fait moderne de la banque a été magistralement anticipée par Samuel Butler dans son roman *Erewhon*, plus précisément dans le chapitre sur les banques musicales où se profile une vision chantante et conservatrice de la tradition. En conséquence, et devançant l'une de nos conclusions, il nous faut signaler que, dans son élan actuel vers la conquête de l'espace, l'homme ne doit pas négliger les éléments de sécurité et de protection qu'il trouve sur la Terre, et plus spécifiquement ici, dans l'institution bancaire. Or, voilà...» Extrait de la conférence «L'Œdipe et le traumatisme de la naissance à l'ère spatiale», prononcée au Congrès Freud de l'an 2000 (tenu aux Bahamas en janvier 1978) par l'éminent psychanalyste et freudien orthodoxe, le docteur Charlot Fatherstowne. Pour plus de renseignements sur le sujet, voyez «Apport fondamental sur les problèmes de 'change' et de 'comptant' dans les banques spatiales», David Macarthur, revue *Economical Problem*, n⁰ 108, Yale University. Le lecteur, en particulier celui qui vit éloigné des grands centres du savoir et qui veut se mettre à jour, peut consulter, pour un traitement plus complet de toute cette question, l'étude suivante: «Les intégraux et les opérateurs accepté avec un esprit plus ouvert, comme une idée plus moderne, le «quoi faire d'une église quand il y a la banque». Mais l'absence de succursale bancaire (même si les avocats ont été caricaturés par la littérature de toutes les époques comme des voleurs, des sots ou des bureaucrates) conduisit les avocats à des conclusions qui n'étaient pas nécessairement stupides mais plutôt surprenantes et peut-être même incontestables. S'il n'y avait à Erewhon ni téléphone ni banque, il ne faisait aucun doute qu'il n'y avait pas non plus de distributrices automatiques, de Coca-Cola, ni de McDonald[6], ni de supermarchés, ni rien

connexes de Cauchxi dans le lancement dans l'espace des distributrices automatiques de Coca-Cola et autres boissons gazeuses; les dérivés et problèmes de la pression interne dans le vide», de John Mactheny, revue *Technical Problem and Progress*, subventionnée par la Ford Foundation.

À quel galimatias avons-nous abouti? Pardonne-moi, lecteur, cette divagation impertinente et contradictoire teintée de l'ironie moqueuse de l'«esprit du temps». À tout le moins, que cela te soit de quelque profit! Mais je dois admettre que lorsque je me mets à penser aux choses que je lis, j'en arrive à croire que j'ai «le cerveau mal timbré». Et alors, il me revient toujours en mémoire, comme la piqûre douloureuse d'une seringue épointée, l'horrible définition que donne The Lord dans son dictionnaire:

> *Universitaire*: Personnage qui, n'ayant pas d'idées en vivant dans l'erreur et l'illusion, se préoccupe des idées des autres en s'imaginant qu'ils en ont.

Et alors, pour ne pas se mettre à pleurer, quiconque ressent une folle envie d'entrer à la banque en courant ou de se ranger aux solides opinions de ses avocats.

6. Il est évident que les avocats font ici allusion aux McDonald canadiens. Ils ne connaissent pas les McDonald américains où le plat principal est le hamburger: des espèces de porcheries-cantines, toujours pleines de Nègres du seul fait qu'on y mange à bon marché. Par l'architecture de leurs établissements et par leur conception du service, les McDonald des deux pays sont exactement identiques. Il existe toutefois des différences fondamentales qu'il faut absolument signaler

qui aurait pu définir un monde civilisé, «notre civilisation et notre style de vie». Vivement désolés, les avocats confessèrent que cette situation leur créait un sentiment de

et expliquer. D'abord, il n'y a pas au Canada autant de Nègres qu'aux États-Unis et les personnes originaires des pays latins, de l'Inde ou du Pakistan ne réussissent pas à venir assombrir la propreté et à souiller les McDonald canadiens. Ceci, évidemment, quand et si l'on considère que le foncé est nécessairement noir et sale. La nourriture que l'on sert dans les établissements des deux pays est la même, mais avec une différence importante toutefois: les hamburgers américains font trois millimètres d'épaisseur pendant que les canadiens en font quatre. Malgré les critiques contre ces établissements (dans un article de la revue semi-pornographique *Penthouse*, on prétendait prouver «scientifiquement» que six mois d'alimentation continue dans ces établissements mènent à un état de sous-alimentation, et qu'au bout d'un an, par suite du manque de vitamines et de certains autres éléments indispensables dans la nourriture et dans les boissons que l'on y sert, le consommateur débouche sur une mort certaine), malgré les critiques, disions-nous, les McDonald possèdent un charme qu'il faut savoir apprécier. Il est clair que pour que ce charme ne «s'évanouisse» pas, il ne faut pas y aller à chaque anniversaire, et je ne vois pas non plus pour quelle raison (surtout dans un pays démocratique) il faudrait y aller tous les jours, comme le suggère ladite revue, à moins que l'on n'ait pas d'argent pour s'offrir quelque chose de mieux. Un état d'esprit négatif permanent (tout comme la révolution permanente) empêche de profiter et de jouir de la vie dans tout ce qu'elle offre. Je ne veux pas accabler le lecteur avec des détails, je veux seulement lui dire que s'il a par hasard l'occasion de se rendre à l'un ou l'autre de ces établissements (ils pousseront bientôt comme des champignons dans toute l'Amérique latine), qu'il le fasse avec un esprit ouvert, comme je l'ai fait moi-même, et il aura la chance de vivre une expérience nouvelle et de jouir d'une aventure exaltante. D'un point de vue moral, ce sont des établissements irréprochables: on n'y sert aucune boisson alcoolique et les serveuses n'exhibent pas leurs parties honteuses pour attirer la clientèle; au contraire, leurs ravissants uniformes, à la coupe presque militaire, et l'activité fébrile qu'elles déploient suggèrent l'intérieur d'une navette spatiale. Finalement, le simple fait de manger avec les mains (pour des raisons d'économie, il n'y a ni fourchettes ni couteaux) des hamburgers dégoulinant d'une sauce jaune ou des patates frites graisseuses, et de se lécher les doigts ensuite, peut être vu (du moins symboliquement) comme un retour à l'état paradisiaco-primitif.

détresse, de peur, presque de terreur... et ils se refusèrent à poursuivre ce qu'ils appelaient «la parodie sinistre d'un monde inexistant». Tous restèrent étonnés de l'inspiration poétique des avocats.

Un silence embarrassant et intolérable suivit cette déclaration. Le sentiment de détresse et de malaise des avocats gagna les autres personnes qui assistaient à la réunion, mais entremêlé chez ces derniers d'une petite pointe de curiosité. Toutefois, l'auteur surprit un sourire de satisfaction sous la barbe des plaignants, là où leurs bouches édentées se plissaient comme les lèvres d'un bébé exprimant ses premières manifestations de contentement.

La chairman, s'adressant aux plaignants, leur demanda: «Et vous, que pensez-vous de cette affaire?... s'il vous arrive parfois de penser.» Les deux se calèrent d'abord dans leurs fauteuils puis ils s'avancèrent ensuite et dirent simultanément: «Eh bien...» Et ils se regardèrent. Nous craignîmes un autre combat. Mais, au contraire, d'un geste aimable de la main, ils se cédaient l'un à l'autre la parole. La chairman désigna de l'index le Pygmée et lui ordonna énergiquement: «Commence, toi!»

«Ce... eh bien... hum... eh bien... avant cette réunion, j'ai parlé à mon avocat... Nous étions tous deux d'accord sur le fait que les conditions de monsieur William Wilson sont non seulement ridicules mais aussi inhumaines et insultantes. Nous demander un test d'intelligence, par exemple, à nous des docteurs! Et notre dossier judiciaire à nous!... nous qui pouvons exhiber avec orgueil n'importe quelle carte de crédit qui a cours sur le marché. Mais le plus effrayant dans les conditions du juge, c'est son refus d'accepter la présence des représentants des médias. Ceci équivaut à nier le monde, à nier la réalité: c'est — sans que je pense en termes de rivalité et de propriété de l'Idée — passer par-dessus la tête de l'auteur originel, nier la possibilité de faire connaître et de diffuser une idée brillante, géniale, dont la portée est encore inconnue. En un mot, il veut nous plonger dans l'anonymat.»

Pendant que le Pygmée parlait, Masque Aztèque approuvait d'un signe de tête chacune de ses phrases. La chairman, se mordant les lèvres et tapotant des doigts le seul petit coin de son bureau resté vide, signala: «Il n'y a aucun autre tribunal qui veut se charger de l'affaire.»

Le Pygmée sourit comme se disant: «Je m'en suis bien rendu compte déjà»; et, avec l'enthousiasme d'Archimède sortant de sa baignoire et courant nu par les rues en criant «Eurêka», euphorique, éclaboussant tout le monde, il s'exclama: «J'ai une idée.» «Une autre?» hurla la chairman. Le Pygmée se dégonfla et poursuivit, humblement, en murmurant: «Bon, disons qu'il m'est passé quelque chose par la tête.» «Et bien, quoi?» fit la chairman en continuant de pianoter sur sa table. Devant l'attitude de la chairman, l'auteur doit confesser qu'il admira la bravoure du Pygmée. En pareille situation, l'auteur n'aurait pu ouvrir la bouche, même pas pour respirer.

«Devant les énormes difficultés qui surgissent, commença le Pygmée, je propose une approche plus respectueuse de la tradition. En ma qualité de catholique apostolique romain, je ferai appel au Saint-Père pour qu'il intervienne dans le différend ou, s'il ne peut le faire, pour qu'il nomme un médiateur pour le représenter, par exemple l'évêque d'Ottawa. Mon ex-collègue... pardon... mon collègue, qui est protestant, pourrait présenter un appel semblable à Billy Graham pour qu'il tranche le différend lors de l'une de ses présentations publiques télévisées[7].

---

7. Le pasteur protestant Billy Graham tient ses cérémonies dans les fameuses «arénas*», ces stades couverts où l'on joue des parties de hockey, de basket-ball, et où se tiennent diverses expositions: il y fait la présentation des convertis à la religion de sa secte et la propagande de ses livres — des recettes pour vivre heureux; il y prononce des jugements moraux sur la marche du monde; il y présente le bilan annuel des millions de dollars dépensés par son organisation «au nom et à la gloire du Seigneur Jésus-Christ».
    * Le mot «arena» désignait au départ l'ancien cirque romain.

Si, finalement, pour des raisons religieuses (comme mon collègue est protestant et que je suis catholique), le Saint-Père et Billy Graham refusaient d'intervenir, il nous resterait comme recours, suggéré par les avocats, de mobiliser à nouveau les 'forces vives', cette fois pour 'discrimination religieuse' (laissant de côté l'OEA, le Canada n'en faisant pas partie), et de demander l'intervention du Conseil de sécurité des Nations unies. Voilà, j'ai terminé.»

Le Pygmée se tut mais, s'il avait porté ses lunettes et s'il avait pu voir l'expression du visage de la chairman, il se serait probablement tu bien avant. On put encore entendre Masque Aztèque bafouiller d'une voix tremblotante: «Je suis d'accord avec...» et voir aussi les avocats qui approuvaient sans grande conviction quand ils reconnaissaient les sigles internationaux dans le discours en espagnol du Pygmée.

Le pâle visage de la chairman prit une couleur bleuâtre. Ensuite, une fois passé le danger de la crise cardiaque, son visage s'incendia du rouge de la colère. Elle souleva ses larges fesses de la chaise et... et elle les reposa. Elle respira profondément et se leva; criant presque, elle demanda en anglais aux avocats: «Y a-t-il quelque empêchement légal à ce que le procès se tienne à Erewhon? Oui ou non?» Bien qu'ils étaient habitués, comme tous les avocats du monde, à répondre par oui ou non (malgré l'existence de lois précises), les deux avocats se regardèrent quelque peu effrayés et l'un d'eux bégaya: «A-a-ppar-parrem-paremment aucun. Ce... ce qui se... se pass...» «Merci!» laissa tomber la chairman en jubilant. Et fermant à demi ses yeux qu'elle riva sur les belligérants, elle rugit, telle une furie: «Assez! Je ne suis pas idiote. Crét... pour qui vous prenez-vous? Faites ce que vous voulez. Allez vous faire fout... où vous voudrez avec vos avocaillons. Mais... si vous n'acceptez pas le procès de Erewhon, dès maintenant, considérez-vous comme congédiés. Et je veux la réponse im-mé-dia-te-ment!» Et là-dessus, elle s'assit, soufflant et écumant de colère[8].

Un observateur accidentel aurait pu croire que le bon sens avait finalement triomphé. C'était maintenant au tour du Pygmée et de Masque Aztèque de pâlir. La mort civile se profilait devant eux et ils prirent tellement peur que leurs pensées en furent complètement obnubilées. Il ne leur vint même pas en tête l'idée de s'excuser auprès de la chairman (qui, en fin de compte, n'était pas si méchante[9]) et de la remercier de son aimable intervention et de l'intérêt qu'elle leur avait manifesté, ils ne pensèrent pas à donner congé à leurs avocats et à jurer, en un geste solennel, qu'ils oublieraient pour toujours cette affaire.

Aussi, leurs queues bien repliées, ils acceptèrent le procès à Erewhon. Les avocats, peu importe leurs raisons, ne réitérèrent pas leur refus. On éclaircit certains points, on désigna l'auteur comme témoin de la cérémonie du scellé de l'enveloppe dans laquelle on mettrait les deux versions de l'Idée et, exception faite de l'auteur, tous les autres se retirèrent.

---

8. À l'époque où la chairman menaça les belligérants de congédiement, la situation de l'emploi chez les professeurs universitaires était catastrophique. À titre d'exemple, à l'occasion de l'ouverture d'un poste sans importance à l'Université XXX des États-Unis, 350 candidats (avec doctorats et titres honorifiques internationaux) postulèrent. D'ailleurs, «le marché d'esclaves» (*Slave market* ou *Slave trust*) que l'on organise chaque année à Chicago ou à New York sous le patronage de la M.L.A., l'Association nord-américaine des langues modernes, est déjà bien connu dans le monde universitaire. Y assistent sept ou huit mille professeurs, d'illustres universitaires, et les postes dans les universités s'y négocient durant les moments libres entre les différentes communications et conférences. On raconte que dans les corridors de l'hôtel, face aux portes des salles de conférences, on trouve de nombreux mendiants. Tous savent que ce sont des professeurs d'université déguisés en clochards.

9. C'était la *vox populi* qui, tout au fond d'elle-même, aimait bien les plantes et les animaux.

Paco, qui se trouvait dans la salle à manger avec la Valkyrie, raconta par la suite qu'il avait vu arriver les deux belligérants et qu'il les avait vus se saouler ensemble et finir dans les bras l'un de l'autre comme deux incompris. Mais faut-il croire ce que raconte Paco?

La chairman et l'auteur restèrent un moment de plus ensemble, commentant certains autres points. Après que la chairman, dans une mitraille verbale toute cubaine, se fût soulagée par une dégelée de jurons (certains non répertoriés par l'Académie royale espagnole), nous convînmes tous deux que cela suffisait plus qu'amplement pour cette journée-là[10].

---

10. J'ai beaucoup réfléchi avant d'écrire cette note. Mais mon étendard est toujours celui de la vérité. Durant cette brève causerie, la chairman m'avoua que ce qui l'avait mise en colère, ce n'était pas tant la prétention du Pygmée et de Masque Aztèque de vouloir solliciter l'intervention du Pape, de Billy Graham ou du Conseil de sécurité, mais plutôt le fait qu'elle avait été effrayée et même prise de panique à l'idée que l'un ou l'autre aurait pu éventuellement accepter (elle en était certaine) la requête et qu'il soit finalement intervenu. «Et alors... qui aurait pu les supporter, ces deux-là?»

CHAPITRE XVI

L'attente ou l'interlude

C omme si on avait poussé une pierre sur une pente abrupte ou comme si on voulait s'enlever une épine du pied, tout le monde se plia à chacune des exigences et des conditions posées par le juge William Wilson. Sous prétexte qu'il s'agissait de dossiers «confidentiels et privés», la police montée (RCMP) refusa de remettre le dossier judiciaire du Pygmée et de Masque Aztèque aux avocats, s'engageant toutefois à le faire parvenir au juge. Ce fut là le seul contretemps[1].

Les tests d'intelligence furent passés au Département de psychologie de l'université. À la grande joie du Pygmée et de Masque Aztèque, ils obtinrent des résultats dépassant toutes leurs espérances, des résultats qui, selon eux,

---

1. L'attitude de la police montée fut louable. Ce qui semblerait confirmer ce que disait un philosophe connu dont le nom m'échappe (comme m'échappe de quel «lieu de La Manche» il était question dans Cervantes): «À l'exception de la mort, l'homme ne se pose aucun problème qu'il ne soit en mesure de résoudre.» Il y a toutefois certains centres (où l'on porte l'uniforme) qui incluent le problème de la mort dans leurs activités quotidiennes.

étaient dignes de n'importe quel président ou de n'importe quel premier ministre des pays industrialisés de l'Occident. Et ils avaient probablement raison.

Il ne restait qu'une seule formalité: sceller l'enveloppe en présence d'un greffier public. Cette condition du juge fut largement discutée et commentée. On proposa mille solutions mais on retint finalement celle des avocats: l'enveloppe contenant l'Idée serait remise à celui qui sortirait vainqueur du procès. Le Pygmée et Masque Aztèque, amaigris et pâles, comme s'ils venaient d'assister à leur dégradation militaire, se présentèrent légèrement en retard à l'étude du greffier. Tous deux lui remirent leur enveloppe et celui-ci, avec beaucoup de solennité, comme s'il s'agissait du changement de la garde personnelle de la reine, alluma une bougie, mit les enveloppes blanches dans une grande enveloppe brune, la cacheta, fit fondre la cire, en laissa tomber plusieurs gouttes sur l'enveloppe et termina la cérémonie en y apposant le sceau: une couronne et un bouclier ceignant un lion impérial à la langue pendante, comme s'il était fatigué ou à bout de souffle. Les avocats prirent l'enveloppe; ils allaient s'occuper des autres formalités. C'était le 10 novembre.

L'auteur de ce récit était la seule personne qui manifestait de l'impatience et qui comptait le nombre de jours pendant lesquels on devrait encore attendre. Tous étaient retournés à leur travail et les belligérants, comme deux galériens qu'on aurait battus, ramaient infatigablement, à tel point qu'ils exaspéraient leurs collègues avec leur désir de se rendre utiles, débordant de suggestions et de «petites idées»; et pour bien laisser voir leur modestie et leur réceptivité, ils embêtaient tout le monde, y compris les *part time*, avec leurs questions.

Les jours passaient. Vers la fin de novembre tombèrent les premières neiges. Cette neige qui serait là jusqu'au printemps suivant. La Terre tournait sur son axe et le jour de la nuit la plus longue de l'année approchait. Personne ne parlait de l'affaire, pas même les belligérants qui semblaient avoir déposé les armes.

L'auteur doit toutefois reconnaître qu'il se trompait. Si personne ne parlait, c'était simplement par peur; la peur devant ce qu'on désire, devant ce qu'on veut et qu'on craint en même temps; la peur de l'aventure, de l'inconnu; et une autre peur, une peur étrange et indéfinissable, comme si c'était une révélation qui se rapprochait: la peur de la vérité.

L'auteur insiste: que se passait-il au juste dans la tête de chacun? Sa plume est bien malhabile pour expliquer ces choses; il peut simplement décrire ce que son propre esprit pouvait percevoir. L'auteur, lui, était inquiet au sujet des notes qu'il avait prises, il se demandait si l'ébauche originale qu'il avait tracée allait être contredite par la suite des événements. Mais, dans un moment de lucidité, il se rendit compte que ses craintes n'étaient pas fondées, qu'il avait été continuellement fidèle à la vérité: il n'était rien d'autre qu'un modeste chroniqueur. Et il pouvait être fier de lui, comme un Juif ou un Nègre peut être fier d'être Juif ou Nègre parce qu'il ne peut pas être autre chose. Enfin, il se rendit compte que cette peur était la réplique de la peur que nous ressentions tous à l'intérieur de nous[2].

Deux jours avant le procès, on frappe à la porte du bureau de l'auteur et, avant même qu'il finisse de dire «Entrez», la porte s'ouvre et Paco apparaît avec un sourire nerveux que ses jurons de Galicien, comme nous avions l'habitude de le dire, n'arrivaient pas à cacher: «Merde,

---

2. J'ai oublié de mentionner un détail très important à propos du premier chapitre, «Introduction». Dans les nombreuses études que j'ai publiées tout au long de ma carrière universitaire, je n'ai jamais employé l'hypocrite «nous» qui, comme chacun le sait, laisse continuellement entendre à quel point l'auteur est modeste; l'hypocrite «nous» qui lui permet aussi de se dégager de sa responsabilité. Cette remarque étant faite, j'emploierai aussi dorénavant la première personne du pluriel, me pliant de la sorte à la réalité: en effet, sans que les personnes concernées par le procès s'en rendent compte, il s'était créé une sorte de confraternité anonyme devant l'inconnu qu'il fallait affronter. Merci, ami lecteur.

putain, trève de conneries, c'est après-demain que nous
aurons droit à notre petit bal.» L'auteur, tout en sachant
parfaitement à quoi il faisait allusion, feignit de ne pas
comprendre[3]: «Quoi? Déjà Noël? Comme le temps passe!»
dit-il innocemment. «Mais non, voyons! Je parle du... du
jour du jugement.» Les paroles de Paco traduisaient parfaitement l'état d'esprit général. Personne ne voyait le
procès comme une étape et une expérience inévitables;
chacun le ressentait plutôt comme quelque chose qui
venait perturber l'ordre universel. D'autres attitudes, en
plus de celle de Paco, semblent confirmer cette opinion de
l'auteur. La chairman, par exemple, qui était toute une
femme et astucieuse en plus, une femme qui ne se trompait jamais et qui savait toujours ce que l'on devait faire,
demanda à l'auteur: «Dis... quels vêtements crois-tu que je
devrais porter pour le procès? Sais-tu si d'autres personnes que nous assisterons au procès?» La question du Mendocinien, qui fuyait comme la peste tous les embête-
ments, qui désirait seulement qu'on lui fiche la paix, fut
des plus éloquente: «À ton avis, combien de temps durera
le procès? Éternellement[4]?» Le Viking, qui avait été peu

---

3. Je sais bien que mes ennemis diraient que c'est là une chose qui
m'est plutôt facile.

4. Quelques mots encore (indispensables) au sujet du Mendocinien.
Son surnom lui vient de Mendoza dont il est originaire: c'est une province de la République Argentine réputée pour son soleil, son bon vin
et pour la Cordillère des Andes. Je donne ces informations pour lui
rendre justice car si, dans ses agissements, il apparaît quelque peu,
comment dirions-nous, comme une sorte d'être extrême, cette conduite disparaît après le premier verre de vin, surtout quand il est bien
rempli, c'est-à-dire humain. Avant de «lever le coude», il disait d'ordinaire: «Si elle vient de Mendoza, embrasse la bouteille!». À cette
époque, il était sous l'emprise de ce que, dans les milieux qui «luttent
et travaillent pour le progrès de l'humanité», on a coutume de nommer
«l'hystérie des publications». C'est une maladie qui, comme chacun le
sait, n'est pas le privilège des «seuls académiciens humanistes mais
bien de tous les membres de la communauté universitaire, les scienti-

impliqué dans l'affaire mais qui figurait néanmoins comme témoin, ne fit aucun commentaire; il voulut seulement savoir comment se ferait le voyage. À en juger par ses suggestions, on avait plutôt l'air de préparer une invasion de l'Angleterre qu'un simple voyage pour se rendre à un procès. Paco, lui, en réponse aux questions inquiètes de la Chilienne et de la Valkyrie: «Devons-nous porter des bottes ou des talons hauts?» «Des manteaux de fourrure ou non?» «Est-ce qu'il va faire froid?» «Le juge sera-t-il jeune ou vieux?» «Au tribunal, y avait-il un endroit où les femmes pouvaient se refaire une beauté?» Paco, donc, leur répondit: «Merde, quant à moi, venez toutes nues. En fin de compte, nous n'avons rien à voir là-dedans. Si quelqu'un doit être pendu, ce seront ces deux-là.»

Soit en raison de la méthodologie utilisée, soit à cause de son attitude générale face à la vie — «ne s'étonner de rien» —, toujours est-il que l'organisation du voyage se concentra autour du bureau, de la table de travail et de la personne de l'auteur. Pour des raisons évidentes (le coût, la solitude, le désir d'une compagnie, etc.), on ne prendrait pas chacun sa propre auto; au contraire, on se répartirait par groupes dans le plus petit nombre d'autos possible. Les avocats refusèrent de faire le voyage avec leurs clients dans la même auto. Ils déclarèrent qu'ils

---

fiques y compris». Pour un traitement plus élaboré de ce sujet, je renvoie au dictionnaire de The Lord (*ibidem*, chap. XII):

> *Publication*: Recherche académique née d'un besoin compulsif de se faire un nom; on réalise ces travaux soit pour se trouver du travail ou soit encore, ce qui est pire, pour conserver celui que l'on a. Ne pas publier régulièrement, ne pas écrire quoi que ce soit sur n'importe quoi n'importe où (que personne, d'ailleurs, ne réclame ni ne lit, et qui n'intéresse même pas celui qui l'a fait), cela équivaut à une mort académique qui engendre une sorte de *shock* hystérique facile à confondre avec la ménopause masculine, ou féminine si l'on parle de ménopause académique.

n'étaient pas des sardines et qu'il n'y avait aucune raison qu'ils se donnent des airs d'humilité et de modestie parce que Erewhon ne disposait ni du téléphone ni d'une succursale bancaire. Ils ajoutèrent que nous pouvions, quant à nous, faire ce que nous voulions mais qu'ils iraient, eux, chacun de leur côté, dans leur propre auto et qu'ils amèneraient évidemment leurs clients respectifs qui payaient d'ailleurs pour ça. Personne n'eut la moindre objection[5].

De notre côté, nous allions entreprendre le voyage comme suit: dans l'auto de Paco, qu'il conduirait lui-même, prendraient aussi place l'auteur, le Viking et le Mendocinien; dans l'auto de la chairman, qu'elle conduirait elle-même: la Chilienne et la Valkyrie. Les autres membres du «staff» du département resteraient là, morts d'envie et rongeant leur frein en attendant notre retour. En particulier les *part time* qui, pour ne pas se compromettre, avaient refusé d'être cités comme témoins (parce qu'ils n'étaient pas protégés par le syndicat et parce que, comme Langue Morte, «ils étaient très occupés et n'avaient pas le temps»). Et maintenant, ils tournaient autour de nous comme des mouches. Mais, nous le regrettions, les conditions du juge étaient formelles et sans appel[6].

Le plan bien arrêté, nous nous donnons rendez-vous le 21, à midi juste, à la salle à manger, trois heures suffiront amplement pour respecter l'horaire que nous nous

---

5. Il ne pouvait non plus en être autrement. Le Pygmée et Masque Aztèque ne possédaient plus d'auto: ils avaient dû la vendre à la hâte pour payer les frais du procès.

6. La rumeur courut même que les *part time*, dirigés par la Vipère, voulurent faire parvenir une note de protestation au doyen sous prétexte qu'on les avait exclus d'un voyage d'études au cours duquel, s'ils avaient pu y participer, ils auraient acquis une expérience dont aurait bénéficié l'université. Je ne saurais dire si tout cela a effectivement eu lieu. Après la promesse de la chairman d'«allonger» de quelques heures supplémentaires le temps d'enseignement de la Vipère, les rumeurs se dissipèrent.

sommes fixés, même en supposant l'éventualité de quelque crevaison que personne ne croyait désormais possible: avec les progrès de la technique, les pneus n'éclataient plus, ils s'usaient.

CHAPITRE XVII

Le prélude du voyage

L e jour du procès, l'auteur hésita longuement avant de
faire ce qu'il fit. Avant de se présenter au rendez-vous
à la salle à manger, il était monté à son bureau pour s'occuper de quelques détails de dernière minute et, comme
Hamlet devant la tête de mort, il se retrouva plongé dans
une longue méditation sur un ravissant magnétophone de
poche, merveille de la technique. Allait-il l'emporter avec
lui? Bien qu'il avait interdit l'entrée aux représentants des
médias, c'est-à-dire les diffuseurs publics, le juge William
Wilson n'avait rien spécifié concernant un enregistrement
privé. Mais l'auteur craignait de manquer ainsi de respect
au juge William Wilson qu'il admirait au fond de lui-même
(même s'il ne le connaissait pas). Toutefois, il était tout à
fait absurde de se priver d'un tel enregistrement, d'un
témoignage tangible sur l'un des procès les plus étranges
dont on ait jamais entendu parler; un témoignage qui, par
sa valeur documentaire, lui serait sans aucun doute d'un
grand secours dans la tâche qu'il s'était proposée. De plus,
l'auteur n'était pas un journaliste, il était au-dessus de leur
fausseté et de leurs mensonges quotidiens. Il ne faisait

aucun doute que ce juge si extraordinaire, justement parce que c'était un juge, le comprendrait. De toute façon, il pourrait toujours lui demander son autorisation. Il mit le magnétophone dans sa poche.

Quand il arriva à la salle à manger, tous étaient déjà là. Il tomba au beau milieu d'une altercation au sujet de l'organisation du voyage: «Les hommes dans une auto et les femmes dans l'autre.» Cette répartition des passagers sur la base du sexe avait créé une rébellion teintée de féminisme chez les professeures qui y voyaient une basse attitude «sexiste». L'exclamation de Paco, «Merde, ceci n'est pas un party», lancée avec une agressivité inhabituelle de sa part, donnait une idée de la nervosité générale. La Chilienne lui fit une réponse délicieuse: «C'est justement pour ça...» Totalement désarmé, Paco se frappa le front et il ouvrit les bras dans un geste de démission. L'argumentation du clan des femmes n'était toutefois pas encore terminée. La Valkyrie lança: «Il y a des loups ici.» Paco désigna l'auteur et s'écria: «Le seul loup que je connaisse à cent milles à la ronde, c'est celui-ci.»

Un éclat de rire général détendit l'atmosphère. L'auteur, rouge comme une tomate, remarquant que le Viking était celui qui riait le plus, la carcasse secouée de spasmes tel un idiot, l'auteur, donc, eut une idée. Il proposa que le Viking, s'il n'y voyait pas d'objection, fasse le voyage dans l'auto des dames: tenant compte de sa taille, on pouvait facilement le compter pour trois hommes. Les dames, tout comme le Viking, acceptèrent la proposition. À ce moment-là, l'auteur ne voulut pas profiter du fait que, juste pour être de l'excursion, celui-ci aurait accepté d'y aller en courant à côté des autos ou même en voyageant sous les jupes de ses tantes ou de sa grand-mère s'il le fallait.

Nous rapprochons quelques tables et, après être passés à tour de rôle par le répugnant service automatique (une insulte à la dignité de n'importe quel professionnel), nous commençons à manger. L'allégresse générale, qui

avait duré quelques minutes, disparut. Les bouches rem-
plies d'aliments que la mastication obligeait à rester clo-
ses, voilà peut-être ce qui favorisa une réflexion de
laquelle même la mauvaise qualité de la nourriture n'arrivait pas à distraire[1].

---

1. Je ne saurais dire si l'observation suivante est juste. Pour la première fois dans l'histoire de l'humanité, se serait produit, et je le dis
sans détour, ce qui n'a jamais eu lieu: que des gens préfèrent penser
plutôt que de boire et de bouffer. Toutes mes excuses, lecteur, pour
l'irrévérence de mes propos. Tout bien considéré, je me rends toutefois compte qu'il est bien possible que, faute de preuve, le lecteur
demeure perplexe devant mon observation. Aussi, à titre d'information, je lui offre la citation suivante, tirée de l'introduction du livre Cuisine et esprit (sous-titré: «Dis-moi ce que tu manges, je te dirai qui tu
es»), de James IV Murchison; ce dernier était le fournisseur — en saucisses et hamburgers faits à la main — de la maison royale de Sa
Majesté, le roi ou la reine d'Angleterre. Voici cette citation: «Plusieurs
me demandent comment je réussis à maintenir la qualité de mes saucisses (les hamburgers ont été introduits tout récemment dans ma
ligne de production et je les prépare à la demande expresse de rois et
de ministres qui sont toujours pressés). Ils me demandent, disais-je
donc, comment je réussis à maintenir la qualité de ces saucisses que,
dans les débuts du XVIIe siècle (au cours duquel Shakespeare écrivit
son immortel Macbeth), mon arrière-arrière-grand-père fabriquait
dans une modeste charcuterie à l'ombre du palais de Buckingham.
Quand je réponds à cette question: 'La qualité de mes saucisses pro-
vient de l'esprit', les gens sourient, incrédules, ils pensent que je plai-
sante, ou que j'escamote la vraie réponse, ou encore que je cache
quelque secret. Déçus, privés de la réponse toute simple qu'ils attendaient, de la fameuse 'recette', au lieu de chercher à approfondir le
sujet, ils préfèrent continuer à 'dévorer' mes saucisses qui, face aux
saucisses fabriquées à la chaîne à l'aide d'ordinateurs, semblent dire,
gonflées d'un rose orgueil et d'exubérantes fragrances: 'Mangez-moi!'
   «Ainsi, manger mes saucisses devient une expérience enivrante et
un sujet de conversation pendant les repas. C'est une merveilleuse
aventure que de visiter l'antique boutique de mon arrière-arrière-
grand-père James I, après avoir connu ma manufacture moderne (et
acheté quelques-unes de mes saucisses) où je veille religieusement à
sauvegarder l'esprit. Il ne sert à rien que je conseille de ne pas conserver mes saucisses au congélateur: on me prend alors pour un imbécile
qui ignore les acquis de la civilisation.

«Certains beaux parleurs ont l'habitude de dire, comme s'ils disaient quelque chose de nouveau et de spectaculaire, qu''il n'y a rien de nouveau sous le soleil'. Je pourrais moi-même l'affirmer et je pourrais même le prouver. Mon arrière-arrière-grand-père se plaignait (comme il le signale dans son *Journal*) de ce que le martèlement des sabots des chevaux qui galopaient sur les pavés de la cour du palais de Buckingham coupait son inspiration et faisait fuir l'esprit; de la même manière, je peux me plaindre du fils adolescent de la reine qui, dans son souverain ennui, fait gronder dans cette même cour le tuyau d'échappement de son auto sport dernier modèle, ou encore me plaindre du bruit infernal de l'autoroute construite au mauvais endroit: en plus de produire sur moi les mêmes effets que sur James I, cela est en train de me rendre à bout de nerfs. Cependant, bien qu'elles soient la clé de toute la philosophie orientale, les analogies sont dangereuses. Le problème que nous discutons est beaucoup plus délicat et complexe.

«Pour les raisons déjà signalées, mon livre, *l'Histoire et l'évolution de mes saucisses à travers les âges*, est en même temps l'histoire de la décadence du palais, du goût, et de l'Occident tout entier, coupé de sa foi et de ses idéaux. Métaphoriquement, je ferai tourner le monde autour de mes saucisses.

«Mais, pour que le lecteur ne perde pas patience, je vais lui livrer dès maintenant un 'secret' (entre guillemets); un secret qui n'est rien d'autre que le fruit de l'étude, de l'observation et de quelque chose tellement malmené et décrié de nos jours: la tradition.

«Dans la boutique de James I, aujourd'hui transformée en musée, sous une vitrine fermée à clé, on trouve d'inestimables exemplaires de livres de cuisine, des incunables du XVIIᵉ siècle dont se servait mon arrière-arrière-grand-père autant pour la préparation de ses repas que comme source d'informations pour l'amélioration de ses saucisses. Dans ces incunables figurent les recettes de nombreux plats (la plupart aujourd'hui oubliées parce que trop compliquées ou parce qu''elles demandent beaucoup de travail'), recettes au cœur desquelles vivait encore l'esprit. Parler ici de l'élaboration de mes saucisses (c'est un procédé très compliqué et, de plus, le sujet de mon livre) ne ferait qu'embrouiller le lecteur. (Le lecteur impatient peut jeter un coup d'œil sur le chapitre XIV, 'Le triomphe des saucisses faites à la main'.) Ainsi, à titre d'exemple, nous prendrons un élément connu de tous, un simple et vulgaire œuf. Voyons ce qu'il en est. Nous ouvrons le livre *Cuisine royale* (Édition Calligan — fournisseur du parchemin de Sa Majesté —, Londres, 1612) et, à la page 38, nous trouvons la recette suivante: 'Œuf à la coque'. Je sais déjà que le lecteur doit sourire... Peu importe! Son sourire pourrait bien être une preuve de son ignorance ou, pis encore, un indice de la prétention de celui qui 'croit

qu'il sait'. Même si au XVIIe siècle, *grosso modo*, le procédé de préparation de l'œuf à la coque consistait aussi à le jeter dans l'eau bouil-
lante, de subtiles différences existent entre les deux époques. Pendant que sur la scène de Blackfriars, à Londres, le jaloux Otello étran-
glait Desdémone, la maîtresse de maison de cette époque, lorsqu'elle
avait faim, n'ouvrait pas le réfrigérateur pour prendre un œuf dans le
compartiment aménagé pour les œufs, un œuf à la coquille de plastique pondu par une poule inconnue et anonyme. Non, elle connaissait sa poule, ou son canard, ou son oie, elle savait avec quoi elle la
nourrissait, elle connaissait ses bobos, ses rébellions, ses plaintes,
etc. Et quand elle 'spoliait' la petite poule de l'œuf qu'elle avait pondu
cette journée-là, elle lui demandait pardon pour le 'vol', elle la conso-
lait et l'assurait que bientôt, à sa grande joie, elle en pondrait un autre.
En un mot, elle établissait avec sa poule une relation animiste (de nos
jours, on dirait psychanalytique ou pathologique, comme il vous
plaira) presque spirituelle: et voilà comment on était près de l'esprit. À
partir de ses connaissances traditionnelles (la tradition), transmises
de génération en génération, la maîtresse de maison savait préparer
un œuf à la coque. Si elle ne se souvenait plus du procédé exact, elle
avait recours à la recette que nous signalons et dans laquelle, à la
suite des indications préliminaires, évidemment importantes aussi
(quelle maîtresse de maison, de nos jours, se préoccupe de savoir, ou
sait, si l'œuf vient d'une poule qui a été fécondée: elle se contente de le
submerger dans des eaux infectes, contaminées par le chlore), on
pouvait lire: '[...] et quand l'eau est en ébullition, submerger l'œuf lentement et dire:

> Pour un petit œuf (*small size*): un Ave Maria.
> Pour un œuf moyen (*medium size*): un Credo.
> Pour un gros œuf (*king size*): un demi-Ave Maria et un Credo
> complet.
> Pour un œuf d'oie (*one size*): deux Ave Maria et deux Credo.
> Pour un œuf de phénix (*fits all*): lire tout le livre de *La Genèse*.'

«Oui, c'est cela qu'on appelle laisser place à l'esprit! La question de
savoir si elle priait trop vite ou trop lentement est sans pertinence.
Magistralement intuitive, la maîtresse de maison du XVIIe siècle ne se
trompait jamais. L'intuition féminine actuelle n'est rien d'autre qu'une
légende née en ce siècle-là. Par contre, il pouvait arriver qu'elle ne
sache pas lire, un fait fréquent en ces temps-là; toutefois, comme le
prouvent de nombreux témoignages de l'époque, elle trouvait toujours
une comtesse ou une duchesse à l'âme charitable, ou encore le propre
curé du village, qui acceptait de lui rafraîchir la mémoire.

«Comme preuve irréfutable de ce que j'avance (quant à l'aspect
spirituel de la cuisine), il n'y a qu'à voir que nous trouvons des recettes

Après tout, l'affaire n'était peut-être pas si compliquée, il aurait peut-être suffi d'un simple regard posé sur le Pygmée et sur Masque Aztèque, assis à côté de leurs avocats respectifs, vêtus tous les quatre comme s'ils allaient être promus ministres, pour que quiconque en ait les larmes aux yeux: ils tournaient et retournaient dans leurs bouches édentées la purée et la viande hachée jusqu'à en former une boule pâteuse qu'ils se risquaient alors à avaler. Deux patriarches vieillis par des siècles de littérature et par le poids d'une idée géniale dont personne ne parlait plus!

Que pouvait bien penser chacun de nous? L'auteur l'ignore. Il ne se souvient même pas de ce qu'il pensait lui-même, absorbé à observer les autres professeurs qui devaient assister au procès. La chairman, qui chaque fois qu'elle mangeait «trichait sur son rigoureux régime», avait mis une robe longue et un manteau de fourrure pour se présenter devant le juge. Paco avait revêtu son fameux «habit de gala» qui pouvait passer pour une parodie aussi bien de l'uniforme des «marines» américains au Viêt-nam que de celui des guerilleros vietnamiens. Le Mendocinien, comme toujours quand une situation lui déplaisait, portait

semblables dans d'autres civilisations. La civilisation arabe, par exemple, plus sensuelle et plus érotique, a élaboré la recette suivante pour la maîtresse de maison: 'Œuf à la coque: faire bouillir l'œuf pendant le temps qu'il faut pour faire l'amour avec le voisin.'

«L'introduction finit ici. Il ne reste que quelques mots à ajouter avant de passer au premier chapitre de mon gouvernement: 'Élection de l'animal'.

«Jamais la langue n'a eu une définition aussi juste que celle qui lui sert à définir les saucisses d'aujourd'hui: 'Chiens chauds'. Hamburgers et chiens chauds servis dans des fast food et qui jappent jusqu'au point d'éloigner l'esprit quand ils ne le tuent pas à coups de dents. En mangeant ces produits, l'homme ne peut que ressentir de la tristesse et de la frustration, ne peut que se sentir dévalorisé et humilié. Peut-être que devant ces plats, l'homme préférera se mettre à penser. Si tant est qu'il n'a pas oublié pour toujours ce mécanisme!

«Ce livre est un essai...»

une cravate et un complet foncé tout froissé; certains
disaient qu'il le froissait exprès, juste pour piquer sa
femme en faisant bien voir à tout le monde qu'elle s'occupait peu de lui. À côté de son assiette reposait un livre qu'il
avait apporté, comme tous savaient, pour «gagner du
temps», profitant du moindre moment libre pour y jeter un
coup d'œil. Quant à la Chilienne, il n'y avait rien à en dire:
qu'elle se mette n'importe quoi (ou même rien du tout,
comme aurait dit Paco), elle avait toujours la même allure.
En revanche, la Valkyrie (époustouflante) avait mis une
robe de lainage qui moulait et faisait ressortir toutes ses
protubérances. C'était peut-être surtout cela qui excitait
Paco[2].

Nous finissons de manger. Il était une heure moins
cinq. À une heure précise, nous étions au terrain de sta-
tionnement. Paco ouvrirait le cortège, suivraient la chair-

---

2. Je dois faire un aveu sûrement très «humain» et donc facilement
compréhensible. La Valkyrie me plaisait bien à moi aussi. Comme
j'étais célibataire, il est évident que mes intentions face à elle pouvaient être plus sérieuses que celles de Paco. Mais comme je fus très
pris par l'organisation du voyage, et que le travail que je publie maintenant m'occupait constamment l'esprit, je ne me préoccupai pas de la
possibilité de faire le voyage avec la Valkyrie dans l'auto des dames. Il
est bien connu que les orages électriques, tout comme l'obscurité, l'intimité, et les voyages avec leurs fantaisies latentes, aiguisent les sens.
Or, si ni la Chilienne ni la chairman ne possédaient les qualités nécessaires pour m'attirer, même si les circonstances ci-haut signalées les
avaient excitées, il n'en allait pas de même avec la Valkyrie. Aussi,
j'aurais eu là une excellente occasion de me rapprocher de ses jambes
tournées comme des colonnes, de ses seins exubérants mais fermes.
Sa corpulence, qui d'ordinaire faisait plutôt peur, aurait paru moins
imposante sur le siège de l'auto de la chairman, un siège qui, rendant
grâce, sans même demander d'explications, nous aurait rapprochés
et «collés». Mais je dois le reconnaître, je n'aurais peut-être pas pu éviter ce qui est arrivé au Viking: devoir faire le voyage à côté de la chairman. Il est bien possible, cher lecteur, que tout cela n'ait rien à voir
avec ma présente recherche mais je te l'ai déjà signalé plus haut que
c'était une simple affaire humaine.

man et ensuite les avocats qui, égayés par les bières qu'ils avaient englouties (ils en étaient sûrement à la limite du test d'ivressomètre), ne s'objectèrent pas à fermer la marche.

Avant de refermer la portière, l'auteur entendit l'ordre que la chairman adressa au Viking: «Toi, assieds-toi ici!» L'auteur referma la portière et, se guidant sur les indications du juge, il commença à établir le plan de route. Paco régla le «millomètre» (comme il disait) à zéro et, avec un «Quel bonheur! Merde, enfin nous y allons!» il démarra.

Deuxième partie

CHAPITRE XVIII

Le voyage

L'après-midi était ensoleillé. Il n'y avait pas le moindre vent et il faisait deux ou trois degrés sous zéro: on pouvait dire que c'était une journée chaude et agréable si l'on tient compte que durant l'hiver, sous ces latitudes, 20 degrés sous zéro est une température normale. Dans la mesure, bien sûr, où l'on peut savoir, comme en toutes choses, où se situe la «normalité». Vers les quatre heures, les nuages gris qui se dessinaient à l'horizon, du côté ouest, seraient probablement au-dessus de nous ou nous serions au-dessous d'eux.

La caravane des autos avec ses passagers, silencieux mais guettant l'apparition du panneau de signalisation dont avait parlé le juge, traversait l'immense paysage enneigé qui, comme une nappe blanche s'étendant de la frontière des États-Unis jusqu'au pôle Nord, abritait le repos de la terre. La caravane avançait sur la route, cette blessure de la terre, une veine vidée de son sang, débarrassée des obstacles par la magie de la technique dont les machines gigantesques comme des monstres extraterrestres repoussaient la neige, la trituraient, la chargeaient dans des camions et épandaient du sel et du sable pour empêcher que la chaussée ne se recouvre de glace. Un traitement rapide et complet comme celui qu'on applique à un malade aux soins intensifs: ce que certains appellent le progrès. Nous passions à côté de l'un de ces monstres jaunes qui épandait du sel en prévision de la chute de neige annoncée pour l'après-midi; le Mendocinien s'exclama: «Et pendant ce temps, le pays progresse.» Personne ne le contredit.

À l'exception de quelques autos qui de temps à autre nous croisaient ou nous dépassaient et de la fumée de quelque cheminée lointaine, aucun autre signe de vie ne venait perturber la plaine blanche. La désolation du paysage, amplifiée par le reflet aveuglant de la neige, convenait parfaitement à la précédente exclamation de peur de la Valkyrie: «Il y a des loups ici.»

En effet, comme pour défier ces êtres humains qui se croyaient en sécurité, des loups avaient fait leur apparition dans les environs d'Almonte, une localité située près d'Ottawa. On en avait vu deux (ou trois? ou quatre?), chose qui ne s'était pas produite depuis l'hiver 1956; les médias présentèrent cet événement comme un record[1].

---

1. Afin de ne pas distraire l'attention du lecteur, je ne voulais pas revenir sur certaines caractéristiques de la société de consommation. Je me rends compte maintenant que c'est impossible; en conscience, je ne peux laisser le lecteur dans l'ignorance. A priori, je ne doute pas que le lecteur sache ce que signifie le mot record. Toutefois, la citation suivante élargira sa compréhension de ce concept et lui donnera une idée approximative de la manière dont il fonctionne dans l'esprit des individus et dans le milieu social: «Si la qualité de certains produits typiques de ces sociétés est évaluée en termes d'objectifs théologico-numériques, pour établir la signification ultime du chiffre record, il faut encore y ajouter un contenu métaphysique: derrière le chiffre record, il y a un Dieu qui nous sourit, approuvant nos actes. Un record de quelque chose, de n'importe quoi, peu importe que ce soit la chose la plus inconcevable, est la confirmation de la marche triomphale de l'humanité, du progrès, la confirmation que quelque chose avance, même si ce quelque chose avance en sens contraire et en vient à faire la preuve que deux et deux ne font plus quatre.»

Un exemple concret: grâce aux enquêtes de deux spécialistes (pour augmenter l'impact métaphysique des records, il y a toujours des spécialistes et des experts qui, tels des prophètes, interviennent pour en authentifier le résultat), nous avons sur notre bureau quelques chiffres records de l'année passée. L'un des spécialistes a établi que, dans «notre pays» (les États-Unis), de la frontière du Rio Bravo jusqu'à celle du Canada, il s'est vendu tant de millions de gallons de Coca-Cola et tant de tonnes de patates frites, deux produits considérés comme *junk food* (nourriture-ordure); les deux chiffres sont des records qui n'avaient jamais été dépassés. L'autre spécialiste nous révèle un autre record (conséquence du précédent): durant cette même année, «notre pays» en est arrivé à un nombre record, jamais atteint auparavant, de personnes sous-alimentées et de personnes obèses. Comme ce phénomène se produit dans le pays le plus avancé du monde et que ce chiffre record est supérieur à celui de beaucoup de pays sous-développés (qui se caractérisent précisément par la sous-alimentation de leurs habitants), nous pouvons nous sentir orgueilleux de les avoir dépassés, nous sentir bouche bée d'admiration, ébahis et fascinés devant ce «chiffre record».

Il convient de noter que cet effet numérique paralysant se nomme aussi l'effet «Titanic», du nom du transatlantique qui en son temps fut le plus grand, le plus puissant, le plus sûr; il fut le Dieu fait fer.

Les États-Unis détiennent les records dans tous les domaines. En même temps que les records constituent pour eux un objet d'orgueil national, ils écrasent tous ceux qui ne peuvent arborer quelque record que ce soit. N'importe quelle réalisation, n'importe quelle création, si elle n'établit pas un record, passe pour une insignifiance, un grain d'engrais infime dans le tas de fumier universel. C'est pourquoi les mots sont remplacés par des chiffres et les présentations sociales ne se font plus en disant: «Permettez-moi de vous présenter monsieur Johnson, amant fidèle, grand chasseur et voyageur infatigable», mais plutôt: «Tel que vous le voyez, cet exemplaire humain a à son actif 4 800 fornications, il a abattu 349 éléphants et a couvert 1 200 000 milles en avion: compte tenu de son âge et de son espérance de vie, ce sont là des exploits qui en font, selon les statistiques, un 'être' record.» Parfois, pour réussir à imposer un record, on a recours aux statistiques; comme chacun le sait, les statistiques sont comme les bikinis: elles laissent tout voir sauf l'important. «Le mécanisme occulte qui...» (de *Record, Statistics and Progress*, collaboration d'auteurs, Édition Bhird, New York, 1978, 220 pages).

Dans le cas des loups, selon les statistiques, on avait pu établir depuis combien d'années on n'avait aperçu même le plus petit louveteau. Aussi, il est légitime de se demander si on avait effectivement

Comme Almonte se trouvait à cent cinquante milles d'Ottawa, selon le calcul empreint de terreur de la Valkyrie et des autres femmes, il fallait donc supposer qu'à Erewhon, situé à une distance de 101 milles, le nombre de loups devrait normalement doubler. Même si l'on ne précisait pas le nombre exact de loups repérés dans les environs, il n'en demeurait pas moins que la distance, l'éloignement, l'endroit inconnu, le mot lui-même, «loup» (chargé de multiples significations et de nombreuses associations liées à des lectures comme Jack London, Ted de la police montée), avaient créé une certaine peur dans la conscience primitive de ces hommes modernes, une conscience primitive si souvent niée mais jamais abolie, et que seul un esprit spontané, intuitif, féminin, pouvait accepter de révéler au grand jour sans crainte du ridicule. Nous foncions vers l'inconnu sans avoir réglé nos comptes avec nous-mêmes.

Nous voyagions, je le répète, dans le plus profond silence. Les réflexions notées ci-haut, favorisées par le silence de mes compagnons (il est bien connu que le silence est créateur), naquirent à ce moment-là. L'affaire terminée, désormais en possession d'une vision plus globale des événements, je peux maintenant compléter ces réflexions[2].

battu un record. Avait-on vraiment établi un nouveau record? Que le lecteur tranche la question si ça lui chante! Il a en mains tous les éléments pour le faire. Pour ma part... je ne suis pas le Chaperon Rouge et je ne m'intéresse pas aux loups errant dans le bois mais bien aux loups intérieurs. De sorte que je retourne à l'auto.

2. Pendant que les véhicules poursuivaient leur marche, je profitai de l'occasion pour terminer la note 2 du chapitre XVI au sujet de la première personne du pluriel et de la forme impersonnelle de la troisième personne. Quand je terminai d'écrire les trois dernières lignes qui m'ont incité à rédiger cette note, ma plume se figea tout à coup et je me rendis compte avec surprise que j'avais, sans m'en apercevoir, utilisé la première personne du singulier. Les autos avançaient et ma plume restait toujours suspendue en l'air; je réfléchis et je me suis tout de suite rendu compte de ce qui s'était passé: entre la première per-

sonne du singulier et la première du pluriel, peu importe s'il est question de millions, la différence n'est toujours que de 1 (un); en d'autres
mots, un plus un égalent deux et deux moins un égalent un. Aussi,
l'irruption dans mon discours de la première personne du singulier
s'explique presque par elle-même. Par fidélité au principe nietzschéen
«Donne ta version de la vérité et que le diable emporte le reste», et
aussi parce que cette irruption s'est produite spontanément, je ne l'ai
pas corrigée et je m'en tiendrai dorénavant dans mon écriture à la plus
totale liberté. Bien que la pensée puisse voyager aussi vite que la
lumière, et bien que ma pensée ne s'était pas figée en même temps
que ma plume, le lecteur peut cependant imaginer que je ne tenais
plus ma plume en l'air. C'était peut-être bien la fatigue, peut-être aussi
qu'il n'y avait jamais eu de plume. Si le lecteur juge ou «sent» que ces
observations sont plus ou moins inutiles, il peut en interrompre la lecture ici et retourner au voyage pour arriver plus vite à Erewhon. Mais
s'il veut approfondir les choses, aller plus avant dans la compréhension de l'histoire, qu'il me suive dans cette digression et je le conduirai
en chemin sûr pour enfin le ramener plus éclairé dans l'auto. Les
réflexions qui me vinrent ensuite à l'esprit avaient précisément trait à
la plume comme métaphore servant à occulter la réalité et à entretenir
l'illusion. À l'exception de quelques notes pour lesquelles j'utilise un
crayon — ce qui me rappelle des souvenirs d'enfance — ou encore un
stylo bille — qui me met en contact avec le monde contemporain —,
j'écris mes travaux (le brouillon et la version définitive; la version définitive: une autre illusion) avec une puissante IBM à boule qui, lorsque
j'appuie sur les touches, tourne et danse en cadence comme une
geisha fidèle et obéissante, imprimant les lettres, les syllabes, les
mots qui composent mon texte. Aussi, il serait bien difficile que quelque chose puisse demeurer suspendu en l'air, à moins que je ne sorte
la boule et que je la brandisse comme un satellite artificiel. Ma IBM
reste simplement là, attendant que je caresse ses touches et qu'ainsi
je la caresse indirectement. Il faut signaler que la IBM, une machine
coûteuse, n'est pas d'un usage très répandu; il y a toutefois d'autres
machines à écrire beaucoup moins coûteuses ou de bonnes secrétaires qui, suant sang et eau, mettent au propre d'incompréhensibles
brouillons.

En fin de compte, ce que je veux d'abord signaler, c'est que l'utilisation de métaphores comme: «cette œuvre que nous devons à sa
plume» (comme si le créateur n'avait rien à voir dans l'affaire; d'ailleurs, il en est généralement ainsi), «une plume brillante» (comme si
elle était faite d'acier inoxydable», «il brandit sa plume» (comme si
c'était une épée), «une plume agressive» (comme si c'était une mitraillette), «il le mit en pièces avec sa plume» (comme s'il lui avait flanqué
une volée), je disais donc que l'utilisation de telles métaphores — des

Paco était un excellent conducteur. Preuve visible de son hédonisme et de son amour de la vie, son ventre assez volumineux, qui frôlait la courbure du volant, paraissait une sorte de garantie supplémentaire de la solidité de la Volvo qu'il conduisait. Aussi, quand à l'occasion il lâchait le volant pour se palper la mâchoire ou se gratter la tête sous les cheveux coupés à la prussienne, nous n'y attachions aucune importance; en revanche, quand il était pris de l'une de ses quintes de toux habituelles, il s'accrochait des deux mains au volant.

De temps en temps, le Mendocinien, qui ne disait mot mais s'agitait comme un vrai paquet de nerfs, jetait un coup d'œil par-dessus l'épaule de Paco à l'odomètre et je faisais alors de même. De notre position, il était impossible de distinguer les chiffres profondément enfoncés dans le cadran, de sorte que l'on s'en remettait aux paroles de Paco: «Merde, connerie de connerie, nous n'y sommes pas encore!» répétées tant de fois que lorsqu'il dit: «Attention!» nous sursautâmes: sous les effets conjugués du roulement régulier de l'auto, de la chaleur agréable à l'intérieur, de la confiance en Paco, nous nous étions en réalité assoupis et nous avions presque oublié le motif du voyage. «Mille 98», annonça Paco. Je sortis le plan. Je le défroissai et le balayai du revers de la main: geste bien inutile mais je ne voulais commettre la moindre faute. «Mille 98,5», j'étudiais le plan, «Mille 98,7», «Mille 98,9», «Mille 99!» hurla Paco; et il freina si brusquement devant l'auto de la chairman, qui nous talonnait de près, suivie de

métaphores liées à l'oie, par exemple, même si l'oie qui donnait la plume est disparue (ou presque) de la face de la Terre — continue à entretenir les illusions des universitaires et des écrivains, comme si la «plume», synonyme d'intellect, pouvait servir à quelque chose. Cette histoire aurait été bien différente si le Pygmée et Masque Aztèque, au lieu de s'arracher à mains nues les plumes de leurs barbes, avaient utilisé pour se battre ces stylos bille aussi grands que des parapluies. Je crois que cela suffit; pour respirer une bouffée d'air frais, le lecteur peut reprendre la route et poursuivre le voyage.

celles des avocats, qu'il faillit provoquer un carambolage monstre, le genre d'accident typique des routes et des autoroutes du Nord[3].

Paco s'exclama en soupirant: «Putain, mille 99!» Comme un écho, nos soupirs répondirent à celui de Paco. Et stupéfiés de notre réaction, nous restâmes figés sur place, sans que personne ne dise quoi que ce soit ni ne fasse le moindre geste qui aurait pu annoncer une quelconque décision. Les coups de klaxon de la chairman et les jurons que nous crûmes entendre nous firent réagir. Nous regardâmes dehors. «On ne voit même pas l'ombre d'un panneau de signalisation», fit remarquer le Mendocinien. En effet, on ne voyait aucun panneau, de sorte qu'il aurait été bien difficile d'en voir l'ombre. Adoptant une attitude qu'on pourrait qualifier d'idéalisme philosophique, comme si notre désir pouvait faire surgir le panneau, nous dîmes en cœur: «Jetons un coup d'œil!» Et nous regardions mais... rien!

Et nous continuâmes à regarder pendant que Paco démarrait lentement. Et regardant, et regardant, nous atteignîmes le mille 101, là où devait se trouver le panneau de signalisation d'Erewhon, mais Erewhon n'apparaissait nulle part[4]. Paco, enfreignant les règlements du

---

3. Le plus célèbre se produisit aux États-Unis (toujours l'Amérique du Nord!), à Los Angeles, sur l'une des plus grandes autoroutes du monde. Une femme qui roulait à une vitesse folle fut prise d'un violent éternuement qui l'obligea à fermer les yeux un instant et, quand elle les rouvrit, elle avait déjà embouti l'arrière de l'auto qui la précédait et les deux mille autos qui venaient derrière allaient à leur tour s'écraser l'une contre l'autre. Chiffre record, difficile à battre! Mais le Canada ne doit pas perdre ses espoirs.

4. On ne devient pas un scientifique parce qu'on a beaucoup lu de science-fiction; toutefois, c'est bien un fait prouvé que la quatrième dimension existe. (Voyez «Expériences extrasensorielles sur la quatrième dimension, fondées sur la théorie d'Einstein», du célèbre expert Andrew Machalsky.) Je continue à insister sur l'éventuel sens caché des chiffres et des numéros. Comme on le sait, bien des chiffres se

code de la route, effectua un virage en U et les autres derrière nous firent de même; nous revînmes sur nos pas jusqu'au mille 98; le Mendocinien crut voir quelque chose et nous fîmes un autre virage en U. Cette fois, nous avançions lentement. Le Mendocinien risqua une question: «Galicien, est-il possible que ton odomètre soit détraqué?» «Nom de Dieu! Oser mettre ainsi en doute les acquis technologiques de toute notre civilisation. Ce serait bien assez pour que je perde le peu de foi qu'il me reste.» Et, comme si la question avait malgré tout semé quelque doute dans son esprit, il se mit à étudier l'odomètre mais, avec toutes ces allées et venues, nous ne savions plus très bien à quel mille exactement nous pouvions nous trouver. Toutefois, le Mendocinien avait visé juste: peut-être un peu avant ou un peu après le mille 99, il y avait un panneau, deux planches croisées dont l'une, en forme de flèche et pointant vers l'extérieur de la route, disait: «*To Erewhon's Tribunal*» (Tribunal d'Erewhon). Après quelques commentaires: «Quelle farce! Tu parles d'un panneau!» «Ça ne m'étonne pas que nous ne l'ayons pas vu!» «Personne ne regardait?» nous en vînmes à la conclusion que personne n'avait surveillé la route et que ceux qui venaient derrière nous suivaient comme de vrais moutons.

Nouveau coup de klaxon de la chairman. Tout le monde s'est probablement dit: celle-là, pour donner des ordres... Nous regardâmes dans la direction où pointait la flèche: environ deux milles plus loin s'élevait un groupe de collines et la route qui y conduisait se laissait plutôt «deviner» que voir sous la neige qui la recouvrait. Nous aperçu-

---

brassèrent durant les allées et venues de Paco. Or, voici que je me demande si par hasard toutes ces allées et venues, ces difficultés, ces distractions significatives, n'auraient pas été, si elles ne pouvaient pas être le passage insensible vers la quatrième dimension? Erewhon ne se trouvait-il pas par hasard derrière ces allées et venues qui altéraient le temps et courbaient l'espace? Bien sûr, si nous prenons en considération la fin de cette histoire, ce fait n'a pas beaucoup d'importance mais il convenait quand même de le signaler.

mes des traces qui partaient du panneau et qui allaient dans la direction qu'indiquait la flèche; d'étranges pistes... de cheval... de personnes... nous ne savions le dire: aucun de nous n'était guide. Personne ne parlait. S'aventurer sur cette route qui n'avait pas été déblayée depuis la première neige de l'hiver au risque de s'y enliser, de ne plus pouvoir ni avancer ni reculer, au risque aussi que la température baisse subitement à vingt degrés sous zéro (statistiquement possible bien que cela ne se soit jamais produit à cette époque de l'année), tous savaient que cela pouvait vouloir dire mourir de froid.

Mais ce n'est pas sans raison qu'on appelait Paco le Galicien: la tête dure, courageux, tenace jusqu'à la témérité, peut-être irrité aussi à ce moment-là par les coups de klaxon de la chairman, il passa en première et, comme si la Volvo avait été un tracteur, il tourna et ouvrit une piste sur la route. Les autres suivirent derrière[5].

---

5. En théorie, à partir du moment où Paco avait quitté la route asphaltée, selon les indications du juge, il restait deux milles pour atteindre Erewhon. En pratique, chacun des passagers de l'auto aurait affirmé que nous étions égarés. Malgré son esprit critique inlassable, l'expression de Paco, «mettre en doute les acquis technologiques de toute notre civilisation», sous-entendait une admiration de cette même civilisation: aussi, son «millomètre» ne fonctionnait pas encore assez mal pour lui faire perdre le «peu de foi» qu'il lui restait. Cependant, que nous ne sachions plus où nous étions confirmerait en partie l'hypothèse que nous étions passés dans la quatrième dimension (voyez la note 4 de ce même chapitre). Si le lecteur qui nous accompagne veut savoir avec exactitude où nous nous trouvions, il peut consulter les notes 3 et 3 des chapitres XII et XIV, additionner et soustraire les milles parcourus par Paco, et après quelques calculs, crayon et papier en main, il a peut-être quelque chance de nous retrouver ou de se retrouver. Toutefois, la proximité d'Erewhon, un événement qui suscitait des attentes et cachait des mystères, nous révélait une «vérité» en même temps qu'elle en estompait d'autres. Une partie du mystère reposait dans les chiffres pythagorico-magico-symétriques (pairs ou impairs) des millages 99-100-101. Cependant, si ces milles sont convertis en kilomètres, nous obtenons des chiffres avec virgules et fractions, asymétriques et franchement ridicules, et la

Paco ne réussisait pas à passer en deuxième: les roues de la Volvo s'enfonçaient dans l'épaisse couche de neige (selon les bulletins météorologiques, quinze centimètres de neige tombée lors des quatre dernières chutes de neige, soit approximativement 5-3-2-5; je ne saurais dire s'il s'agit d'un record).

Nous avions parcouru environ cent cinquante mètres quand nous entendîmes des coups de klaxon et des cris qui se propageaient dans la plaine et rebondissaient sur les collines. Hors de lui, Paco appliqua les freins et descendit de l'automobile, fin prêt à se mesurer à la chairman. Mais les cris et les coups de klaxon (personne n'avait pensé un seul instant qu'il était possible que ça ne vienne pas des femmes) n'étaient pas ceux de la chairman ni du groupe qui l'accompagnait. Malgré la piste ouverte par Paco, les autos des avocats avaient glissé dans le fossé à quelque trente mètres derrière nous.

Leurs porte-documents à la main, les pieds chaussés de mocassins qui s'enfonçaient dans la neige, les avocats, leurs clients respectifs tirant de la patte derrière eux, s'amenèrent en bondissant jusqu'à la Volvo. Eux qui croyaient au progrès harmonieux de l'humanité et qui pensaient que ce progrès n'avait oublié aucun coin de la Terre, ils n'avaient pas pris soin de chausser leurs autos de pneus d'hiver. Ils étaient fous de rage. Ils auraient dû le savoir! Que pouvait-on attendre d'un village qui n'avait ni

---

signification occulte alors se perd. Sincèrement, je ne sais pas quoi en penser; il vaut peut-être mieux laisser pour toujours ce mystère au monde intérieur de chacun. Je vais faire une chose que ma conscience abhorre: donner un conseil qui constitue peut-être une solution à ce mystère. Mais, comme le conseil sera en réalité double, laissant ainsi une liberté de choix, ma culpabilité et ma répugnance en sont d'autant amoindries. Si le lecteur est un esprit «scientiste» et «rationaliste», qu'il fasse ses propres calculs sans plus; pendant ce temps, les membres de l'expédition poursuivent leur marche. Mais si le lecteur veut aller au-delà des significations apparentes, qu'il mette de côté crayon et papier et qu'il nous suive.

téléphone, ni banque? Une chose pareille! Qu'une municipalité ne possède même pas de machinerie et qu'elle ne se
préoccupe pas, à la pelle s'il le fallait, de déblayer la neige
de la route! Comment peut-on penser au progrès, comment peut-on aller de l'avant de cette manière? Paco dit
«Merde» en espagnol et il ajouta en français: «Moi, je peux
parfaitement continuer à aller de l'avant.» Avant même
que je n'aie eu le temps de le faire, le Mendocinien avait
traduit en anglais la dernière phrase de Paco.

Les avocats ne saisirent pas ou ne voulurent pas sai-
sir l'ironie de Paco. Dans une position quelque peu incon-
fortable et un tant soit peu ridicule (sautant d'un pied sur
l'autre pour combattre la gelure), ils nous prièrent ins-
tamment d'abandonner l'entreprise qu'ils considéraient
comme une folie dépassant le bons sens et dérogeant à
toutes les règles. Avec l'aide des «forces vives» et de l'«opinion publique», ils se chargeraient de déjouer les perverses
intentions du juge qui menaçait de rendre un jugement par
défaut si nous ne nous présentions pas au rendez-vous.

Face à l'adversité, le Pygmée et Masque Aztèque
firent front commun et ils se rangèrent (en anglais, s'il
vous plaît!) aux arguments de leurs avocats: «Qui peut
savoir ce qui nous attend là-bas?» «Ils veulent nous décon-
certer.» «Ils nous humilient et nous maltraitent.» À leur
tour, les avocats adhérèrent aux arguments de leurs
clients: «Précisément! Ils nous humilient et nous maltraitent. Et puis, justement, qui peut savoir ce qui nous attend
là-bas? C'est effrayant: nous ne savons même pas si nos
polices d'assurance prévoient *toutes* les situations qui
peuvent nous y attendre.» «C'est ça exactement ça», répli-
quèrent leurs clients[6].

---

6. Le lecteur s'étonne peut-être de l'allusion de l'avocat à sa police
d'assurance dans une situation aussi étrange. Dans les sociétés de
consommation, et particulièrement aux États-Unis, il y a des assurances pour tout et tout est régi par les règles de l'assurance: la santé, la
vie, la mort, la propriété (auto, maison, maison de campagne), les

incendies, le travail, et même les visiteurs que l'on reçoit à la maison doivent être assurés. Le père de famille s'assure au bénéfice de sa femme et de ses enfants, ou de ses frères, de ses oncles, de ses grands-parents. Les progéniteurs peuvent aussi assurer leurs enfants et se désigner comme bénéficiaires. Selon une étude antérieurement citée (*Ibidem*, note 1, chapitre XVIII), réalisée par des experts et des spécialistes, le Nord-Américain dépense 30% de son salaire en assurances.

Je me trouvais, en certaine occasion, dans la salle d'attente du cabinet d'un médecin; je m'y étais présenté pour un examen général exigé par une compagnie d'assurances (je voulais contracter une police d'assurance au bénéfice de mes neveux qui vivent dans un lointain pays de l'Amérique du Sud). Pendant que j'attendais, je me mis à lire l'une de ces revues destinées à faire patienter les clients impatients. Je la feuilletais distraitement quand un article intitulé «Alerte permanente» attira mon attention. Croyant qu'il y était question de la future guerre nucléaire que les États-Unis et le Canada soutiendraient contre la Russie, un sujet toujours nouveau, je me mis à lire cet article. On y disait ce qui suit: «Malgré ce qu'on peut croire et ce qu'on peut dire, il est bien certain que la présumée froideur américaine, héritière supposée du flegme britannique, n'est rien d'autre qu'un mythe. Il y a plus: on peut affirmer, sans crainte d'exagérer, que le profond intérêt des gens les uns pour les autres, la fixation obsessive et permanente sur l'autre, est une constante dans notre culture. Ce n'est pas sans raison que, nous inspirant des alertes anti-aériennes, nous avons intitulé notre article 'Alerte permanente'. Étant donné la grande diversité des polices d'assurance, il y a toujours quelqu'un, à tout instant, en train de penser à la mort de quelqu'un d'autre, en train de s'inquiéter pour la vie de l'un de ses semblables. Cette inquiétude se manifeste tout particulièrement (dans le domaine de la vie privée) dans l'attitude des pères face à leurs enfants. Je ne crois pas que l'on puisse trouver dans notre société un père assez radin et sans-cœur pour ne pas doter son fils ou sa fille d'une police d'assurance: c'est tout simplement inimaginable quand on sait qu'on peut contracter une assurance pour la modique somme de un dollar et demi ou deux dollars, soit à peine un paquet et demi de cigarettes. Avec cette somme, selon une échelle statistique préparée par des spécialistes et des experts, le père prévoyant qui aime ses enfants les assure contre toutes les éventualités: pour la perte d'un doigt de son fils, le père prudent reçoit 50 dollars et, pour les doigts qui restent, le multiple de cette somme; pour un pouce, il reçoit 100 dollars; pour un poignet ou un pied, 500 dollars; pour un bras ou une jambe, 2 000 dollars. Et ainsi de suite jusque pour la mortalité, phénomène biologique pour lequel le père reçoit son fils dans un linceul vert, de 20 000 dollars, ou même plus, selon l'en-

«Merde! Quelle déclaration de principes!» dit Paco et il se gratta la mâchoire. La situation risquait de prendre l'allure d'une cérémonie religieuse tibétaine au cours de laquelle, au lieu de jeter des tables de prière dans le Zamzara, on lançait des phrases dans le vide. Les avocats et leurs clients nous regardaient en silence, comme s'ils attendaient de nous quelque suggestion. La décision avait l'air de reposer sur nos épaules. Je suis presque certain que tous, au fond, étaient tentés de suivre les conseils des avocaillons. C'est ce que laissait supposer le long silence qui avait suivi leur intervention.

Un violent coup de klaxon, qui se propagea dans la plaine enneigée comme les ondes dans l'eau, nous saisit

vergure de la compagnie où son fils est assuré. Or voilà, notre compagnie, 'votre compagnie...'»

Le lecteur peut facilement imaginer que je n'ai pas poursuivi ma lecture. Pendant qu'en mon for intérieur, je me réjouissais, imaginant mes neveux pensant sans cesse à moi, j'en arrivai à la conclusion que la chose était loin d'être aussi simple, que l'article exagérait, que ce n'était rien d'autre qu'une subtile propagande sentimentaliste au bénéfice de la compagnie XXX. Bien que je ne sois pas un expert en cette matière, je pense que les compagnies d'assurance nord-américaines (et plus particulièrement les compagnies américaines) sont loin d'être aussi ingénues et stupides que nous le croyons, nous les Latino-Américains, avec notre tendance à généraliser. Pour encaisser les 20 000 dollars, ou quelque montant encore supérieur, le décès doit répondre à une série d'exigences et de conditions: pour commencer, la mort ne doit pas être intentionnelle: par exemple, comme cela s'est déjà produit à l'occasion, des parents qui empoisonnent leurs enfants ou les jettent d'un dixième étage. Par contre, je ne sais pas si l'assurance paye dans le cas d'un enfant tué par l'une de ces bandes qui rôdent par ici; je ne sais pas non plus ce qui se passe dans les cas d'une mortalité résultant de ce que l'on appelle l'«abus de mineurs». Il se peut bien que tout ceci soit sans intérêt; l'important, c'est de comprendre et d'expliquer l'inquiétude des avocats, lesquels, tout hommes de loi qu'ils étaient, ne se rappelaient pas toutes les clauses (en petits caractères) de la police qu'ils avaient signée. Et mourir dans des circonstances non prévues par leur police d'assurance, cela aurait signifié pour eux une mort gratuite.

jusqu'à l'os. La portière de son auto entrouverte, emmitou-
flée dans son manteau de fourrure, l'une de ses ravissan-
tes bottes enfoncée dans la neige, la chairman, comme si
l'espace infini qui nous entourait était une gigantesque
salle de classe et que nous y étions en examen, nous cria
avec une énergie suffisante pour réveiller toute une armée:
«En auto, tout le monde, et en route!» Elle ajouta quelques
commentaires sur notre incapacité de prendre des décisions, souleva sa botte et rentra dans son auto.

Les avocats, sans qu'on ait besoin de leur traduire en
anglais l'ordre de la chairman, comprirent qui était le «maître du jeu». Soit à cause de l'ordre lui-même, soit parce
qu'ils craignaient de geler sur place — se retrouvant sans
auto et les pieds tout mouillés parce qu'ils n'avaient pas
pensé à mettre des bottes —, les avocats, accompagnés
de leurs clients respectifs, montèrent, l'un dans l'auto de
Paco, l'autre dans celle de la chairman.

«Enfin!» laissa tomber Paco et nous reprîmes la route.
Un sentiment de rage m'envahit soudain. Mais pourquoi
de rage? Je pensais à l'auto derrière nous, à cette cathédrale, la Valkyrie, et je ressentais de la jalousie et de la
rancœur (injustifiées, je dois le reconnaître, dans une
situation aussi dramatique) envers celui qui s'était assis à
côté d'elle. Avec une personne supplémentaire assise sur
le siège arrière de l'auto de la chairman, il n'y avait rien qui
puisse l'empêcher de se coller et de... Je me suis consolé
en pensant que la Chilienne saurait s'interposer entre la
Valkyrie et le chanceux qui s'était retrouvé sur le siège
arrière.

Le poids supplémentaire de l'avocat et de son client
augmenta la traction de l'auto et les pneus d'hiver mor-
daient davantage dans la neige. Paco accéléra et put passer en deuxième. Nous eûmes tous un soupir de soulagement; nous suivions la route dessinée par le renflement de
la neige et par ces étranges pistes dont j'ai parlé antérieurement. Nous nous rapprochions des collines; sur leurs
flancs, on avait planté des sapins qui, avec leurs branches

chargées de neige, avaient l'air de vieillards immobiles au milieu d'une immense demeure à ciel ouvert. Je frémis et, pendant un moment, je craignis que ces sapins ne soient les seules figures ayant quelque apparence humaine à des kilomètres à la ronde.

CHAPITRE XIX

Erewhon

Un mille, un mille et demi plus loin, entre deux collines où le chemin semblait s'évanouir, nous aperçûmes le clocher d'une église. Un clocher gris, effilé, et couronné d'une croix tellement rachitique qu'on avait l'impression d'une église habitée uniquement par les anges ou par les démons, mais, en fin de compte, à tout le moins habitée par quelque chose. Un autre signe de vie: une colonne de fumée, nous remplit d'espoir.

À mesure que nous avancions, la route devenait plus abrupte et Paco dut rétrograder en première; nous montions et l'église grossissait en bas de nous. Nous arrivâmes au sommet. À l'endroit où le chemin cessait brusquement sa montée se trouvait un panneau que nous lûmes avec grand étonnement: «Erewhon, 2,5 habitants». L'auto accéléra soudain comme si on descendait au fond d'un puits. L'église apparut tout en bas et nous nous retrouvâmes soudain au milieu d'une sorte de place entourée de quelques édifices. Paco, l'ineffable Paco, comme s'il l'avait deviné d'instinct, ou comme s'il l'avait su de toute éternité, conduisit l'auto vers le porche d'un édifice de bois et il s'immobilisa; en haut, sur la façade du porche, une inscription disait: «Tribunal d'Erewhon; juge de service: William Wilson».

Sincèrement étonné, le Mendocinien demanda: «Galicien, comment savais-tu que c'était ici?» «Très simple! À cause de la fumée et de tous les films que j'ai vus», répondit Paco et il mit le frein manuel.

En effet, c'était la seule maison (enfin, une maison... disons plutôt une cabane de bois rond) en bon état et la seule où l'on pouvait voir des signes de vie. Tant l'église que les trois ou quatre maisons qui l'entouraient, de même que le «*saloon*», la «*bank*», le «*post office*» et le «*mounted police office*», tous ces bâtiments sans exception, portes et fenêtres murées, étaient en très piteux état[1].

Nous descendîmes. L'avocat et son client, muets et butés, ne manifestèrent aucune intention de nous suivre. Nous nous dirigeâmes vers l'autre auto pour aider les femmes. Le Mendocinien demanda: «Qu'est-ce que ça peut bien vouloir dire cette histoire de 2,5 habitants?» «Bon Dieu de bon Dieu, quant au 2, aucun problème: deux habitants sont deux habitants; mais le 0,5 habitant... combien ça fait?» répondit Paco qui se trouvait déjà tout près de l'auto de la chairman. Je pus alors me rendre compte que la Chilienne, comme je l'avais espéré, était assise entre l'autre avocat et la Valkyrie que j'aidai gentiment à descendre. Une impardonnable négligence me fit

---

1. L'ensemble formé par les maisons et les autres constructions (l'église, la banque, etc.) pourrait correspondre à ce que, dans la littérature et dans les autres arts, on englobe sous la dénomination de «village fantôme». Mais, dans ce cas, utiliser cette dénomination aurait suscité une discussion inutile (une discussion scolastique, typique des universitaires, parmi lesquels je m'inclus et je m'exclus tout à la fois) quant à savoir ce que l'on devait entendre par «fantôme». La raison était évidente: selon l'indication du panneau, la localité ou le village comptait l'étrange nombre de 2,5 habitants (Était-ce un nombre record? Le plus petit village du monde?). L'un d'eux, il n'y avait aucun doute là-dessus, devait forcément être le juge. Il restait à découvrir celui ou ceux que le chiffre 1,5 englobait.

oublier la Chilienne; elle sortit d'un bond de l'auto et feignant de ne pas me voir, elle alla rejoindre la chairman et se mit à la seconder dans ses exclamations, ses expressions et ses observations imprégnées d'une forte teinte touristique: «Imagine-toi! Je ne connaissais même pas l'existence de cet endroit», et la Chilienne de répondre: «C'est charmant!» La chairman, soulevant sa robe longue de peur de la mouiller, fit quelques pas comme si elle gravissait les marches du palais de Versailles un soir de gala. Et elle dit en soupirant: «C'est fascinant. Personne ne voudra nous croire quand nous leur raconterons ça.» «Personne!» «C'est un peu étrange mais très pittoresque.» «Quel dommage que nous n'ayons pas apporté la caméra pour prendre quelques instantanés!»

«Franchement...» s'exclama Paco, avec une ambiguïté telle que chacun pouvait comprendre ce qu'il voulait bien. Quant à moi, je me rendis compte avec plaisir que la Valkyrie ne me quittait pas d'un pas, même si elle participait à l'émotion collective entretenue par la chairman avec ses commentaires directement tirés de brochures touristiques et ses allusions (fruit d'une lecture erronée) au *Paradis* de Dante[2].

Pendant que les avocats et leurs clients restaient toujours collés à leurs sièges, je pris les choses en mains: «Alors, messieurs! que faisons-nous? Nous disposons d'une demi-heure. Nous allons faire un petit tour des lieux

---

2. Cette femme aux dimensions aussi imposantes semblait se rapetisser et s'attendrir sous l'effet de l'excitation et de la terreur. Je pus m'en rendre compte quand je l'aidai à descendre de l'auto. Je tirais sur elle pour vaincre la force de gravité et, une fois dehors, se redressant sur ses jambes généreuses, elle poursuivit son mouvement initial et se laissa sensuellement tomber dans mes bras, menaçant de m'enfoncer dans la neige. Il convient de noter, et je ne le regrette pas, que ma conduite fut à tout instant irréprochable et que les frôlements, s'il y en eut, s'expliquent par les circonstances spéciales que nous étions en train de vivre. Je crains de ne pouvoir dire la même chose de certaines personnes que je préfère ne pas nommer.

ou nous entrons tout de suite au tribunal?» «Nous pourrions prendre quelques coupes au Saloon», laissa tomber le Mendocinien; et Paco: «Non, il serait préférable de faire une visite à l'église et de prier pour le salut de nos âmes perdues.» À l'instant où je commençais à dire: «Messieurs! je fais appel à la...», la Valkyrie lança un éclat de rire et, languide, elle s'appuya contre mon épaule.

Comme le lecteur averti et sérieux peut s'en rendre compte, l'auteur était le seul à prendre cette affaire avec un certain sens des responsabilités. Évidemment, l'attitude légèrement inconsciente de la Valkyrie, provoquée par les commentaires de Paco et du Mendocinien, cadrait plutôt mal avec l'appel à la réflexion lancé par l'auteur. Heureusement qu'il n'avait pas eu le temps de terminer cet appel. Mais la Valkyrie devait avoir complété mentalement la phrase laissée en suspens et cela avait suffi à refroidir son enthousiasme. L'auteur le nota avec désenchantement; la Valkyrie s'éloigna de lui et alla se placer entre Paco et le Mendocinien, une position stratégique, tous deux étant mariés. L'auteur doit reconnaître qu'il ne lui fut d'aucun profit d'avoir mis en évidence l'irresponsabilité des autres. Il eut la désagréable impression que ces derniers le regardaient narquoisement. Aussi, lorsqu'il dit sans détour, pour dissiper tout malentendu: «Messieurs, il est enfantin de chercher à cacher votre peur et votre ignorance en lançant des farces plates», le faux air de fête se dissipa aussitôt et tous prirent leurs responsabilités[3].

---

3. J'aurais aimé pouvoir dire qu'ils firent aussi preuve de maturité d'esprit. Mais non! Oh l'envie et les rancœurs! Oh humanité, quand donc assumeras-tu au moins ton adolescence? Quand atteindras-tu ta maturité (et je cite): «Mûris, mûris jusqu'à ce que tu pourrisses; et, s'il le faut, enferme-toi dans une chambre de fermentation pour accélérer ta maturation.»

Pour ma part, je suis au-dessus de tout ceci. L'explication de ce qui se produisit (quoique l'explication du pourquoi et du comment des événements et des actions, «c'est comme se retrouver au beau milieu d'un champ de bataille avec une épée fabuleuse qui, dans le feu de

L'auteur, qui n'avait pas l'intention d'empoisonner la vie de qui que ce soit, trouva l'occasion de détendre l'atmosphère. Comme je l'ai déjà dit, la température était agréable. À l'exception des avocats et de leurs clients qui attendaient comme des statues de cire, tous les autres, bien vêtus, étaient sortis des autos et se promenaient. Quand la chairman, les pointant de son doigt rondelet, demanda: «Qu'allons-nous faire de ceux-là?» avant que Paco ou le Mendocinien n'ouvre la bouche, l'auteur dit: «Éteignez les moteurs; le froid les fera sortir.» Tous sourirent et la chairman approuva: «Excellente idée.» Et Paco ajouta: «Nous pourrons ainsi économiser de l'essence, et probablement de bien meilleure qualité que celle qu'ils économisent en restant assis là.» Aussitôt dit, aussitôt fait; dès que Paco et la chairman eurent retiré leurs clefs, les avocaillons et les plaignants sortirent des autos et ils se réfugièrent sous l'auvent du porche pour ne pas se mouiller les pieds; et ils restèrent plantés là, dansant d'un pied sur l'autre comme des échassiers.

Même si la Valkyrie avait souri et paru hésiter (elle avait même fait un petit pas vers l'auteur; un pas involontaire?), de fait, elle ne revint pas à ses côtés.

Nous contemplions le tribunal. C'était une sorte de long bungalow en forme de L. Les pistes étranges que nous avions suivies à partir du panneau de signalisation

l'action, se transforme en épée sans lame» [proverbe arabe; voir *Annales arabes*, tome IV, page 108]) est tellement simple que j'ai presque honte de m'y attarder. La force de l'illusion chez l'homme est indestructible. Il n'accepte pas que l'introduction ou l'intrusion de la réalité dans son monde imaginaire ne vienne abolir l'éternel jeu d'une présumée sécurité et supériorité. Huizinga en fait la preuve dans son admirable livre *Homo ludens*; les groupes tolèrent le tricheur, le voyou sans scrupule qui les laisse gagner la partie et alimente ainsi leur illusion, mais ils n'acceptent pas celui qui détruit cette illusion par la vérité et par des rappels à la réalité. Ils appellent vulgairement un tel être un «trouble-fête». Ainsi me considérèrent mes collègues, le Mendocinien, Paco et la Valkyrie; ils préférèrent continuer à jouer leur dangereux petit jeu.

disparaissaient derrière l'édifice. La chairman regarda sa montre et elle ordonna à tout le monde: «Avant d'entrer, allons faire un petit tour aux alentours», sans préciser, évidemment, que l'idée du «petit tour» venait de l'auteur.

Tenant toujours sa jupe, la chairman ouvrit la marche et nous la suivîmes. On entendit le hennissement d'un cheval sans que l'on puisse savoir d'où provenait ce bruit. Nous continuâmes notre marche en silence; les commentaires de type touristique (utilisables pour n'importe quel endroit ou n'importe quel objet du monde, y compris pour une toilette érigée comme monument sur une place publique) avaient cessé. À notre silence s'était ajouté cet autre silence (particulièrement sensible dans le cas des tremblements de terre) qui précède tous les grands phénomènes météorologiques. Les nuages que nous avions aperçus à l'horizon lors de notre départ se trouvaient maintenant au-dessus de nous. Quand le groupe arriva à l'église, les premiers flocons se mirent à tomber. On entendit une autre fois le hennissement du cheval.

L'église était petite et en aussi mauvais état que les jouets d'un enfant négligent. Quand quelqu'un demanda: «Nous entrons?» nous nous rendîmes compte que non seulement les fenêtres mais les portes aussi étaient murées par des planches entrecroisées sur lesquelles on voyait de confuses inscriptions. Les escaliers craquèrent quand Paco et le Mendocinien montèrent; tous les deux, comme s'il s'agissait de manuscrits anciens, mirent leurs lunettes et se collèrent le nez aux planches. Ah! la déformation professionnelle! Ils déchiffrèrent les inscriptions; Paco traduisit: «Propriété privée de Dieu; Les touristes sont priés de passer leur chemin; Bienvenue aux voleurs repentants.» Et le Mendocinien à son tour: «Bingo le dimanche 30 mai à 4h P.M.», mais on ne précise pas l'année[4].

---

4. C'est toujours du pareil au même. Cette histoire ne se passe évidemment pas sur Mars mais dans une société de consommation typique. Si le lecteur ne comprend pas le sens du mot bingo, il lui sera

difficile de comprendre la signification passée, présente et future du panneau placardé sur la porte murée de l'église. Le bingo est un jeu assez semblable à ce qu'on appelle la loterie dans les pays latino-américains. Et, comme dans le cas de la loterie, le bingo se joue avec des cartes et des numéros que l'on tire d'un sac. Plus conforme aux exigences de la société américaine, le bingo est évidemment beaucoup plus simple que la loto et les résultats sont connus presque instantanément. Sur la carte de bingo, sous le mot de cinq lettres «BINGO», il y a une série de cases numérotées; le joueur n'a qu'à remplir cinq cases continguës dans n'importe quelle direction pour pouvoir s'écrier, joyeux: «Bingo!» et pour recevoir son prix, en argent ou en caramels ou en «Chiclets» (selon ce qui était convenu d'avance). Or voilà, les Américains, avec leur admirable mentalité, se sont habilement rendu compte des possibilités infinies du bingo, en particulier de ses possibilités éducatives. Avec les cartes de bingo, il est possible d'étudier non seulement les langues mais aussi les matières enseignées au secondaire et à l'université, et même la philosophie et la théologie. Ceci se fait très simplement: les numéros des cases sont remplacés par les noms des philosophes ou des théologiens les plus célèbres de l'histoire; en classe, le professeur tire un jeton du sac et lit le nom du philosophe qui y figure (par exemple, Socrate); l'élève qui peut reconnaître sur sa carte le nom de ce philosophe et quatre autres noms qui viennent former une ligne avec le premier, et qui est capable de mettre une fève sur chacun de ces noms et de crier «Bingo», reçoit un A+, la note la plus élevée dans les universités nord-américaines. Parfois, pour rendre ce jeu éducatif plus stimulant, on ajoute à la note (selon les principes de la récompense et du châtiment — les réflexes conditionnés — mis de l'avant par la théorie behavioriste) un paquet de biscuits. À mesure que l'étudiant progresse dans ses études, le bingo se complexifie. Le professeur présente à l'étudiant, comment dirais-je, enfin, il présente des cartes correspondant à des écoles spécialisées; par exemple: «saint Thomas et son école», ou «Aristote et son école», etc. L'explication détaillée de tout ceci serait fastidieuse et la pédagogie n'est pas mon fort. (Pour de plus amples renseignements, voir l'article de Charlie Batán, «Étude sur cartes de saint Thomas», revue *Teogonía*.)

Par contre, je voudrais m'arrêter brièvement sur la véritable signification de la pratique du jeu de bingo dans les églises (peu importe la religion); quand les âmes, ou les moutons, s'éloignent de la religion, le bingo devient un moyen pour ramener ces âmes (ces consommateurs, a dit une mauvaise langue) au bercail; c'est un moyen de faire le bien tout en ramassant des fonds. Malheureusement, l'inscription sur l'église d'Erewhon ne spécifiait pas en quelle année avait eu lieu ce bingo, ni même s'il avait effectivement eu lieu. De toute manière,

«Eh bien, eh bien, comme c'est étrange, comme c'est curieux, allons...» furent les seuls commentaires que l'on entendit; et, après avoir jeté un coup d'œil aux chaumières qui entouraient l'église, le groupe continua sa ronde.

Les autres édifices — le «*saloon*», la «*bank*», etc. — ne retinrent pas autant l'attention que l'église, quoique le «*saloon*»... Paco et le Mendocinien regardèrent entre les planches plaquées aux fenêtres pour essayer de voir ce qu'il y avait à l'intérieur; ils crurent apercevoir d'immobiles personnages, les figures «typiques» des «*saloons*» du Far West. Soit que l'esprit académique, tout particulièrement sceptique (c'est d'ailleurs ainsi qu'il doit être: il ne sert à rien de chercher à «se conter des histoires»), ne croit pas aux choses «typiques», soit parce que tout était, en fin de compte, comme à la télévision ou comme dans les films, rien que des choses déjà vues des centaines de fois, toujours est-il que nous retournâmes au tribunal et que nous nous réfugiâmes sous le porche aux côtés des avocats et de leurs clients qui maugréaient, sautillant d'un pied sur l'autre et tout grelottants.

Il était quatre heures moins dix de ce jour de la nuit la plus longue de l'année et l'obscurité commençait à tomber. «Les loups vont bientôt hurler», lança la Valkyrie qui continuait à se tenir à bonne distance de l'auteur. La simple allusion aux hurlements mais aussi la possibilité que

c'était une preuve d'activité et de progrès dans ce coin isolé du monde, même si les résultats n'en étaient pas très visibles.

(*Note de l'éditeur* à propos de la note 4 du chapitre XIX: L'illustre universitaire, auteur de l'excellente étude que nous avons l'honneur de publier, a négligé (un simple oubli, sans nul doute) d'ajouter un supplément d'information à la note qui précède. Nous sommes assurés qu'il nous saura gré de cette collaboration. Le joueur de bingo a le loisir de jouer avec plusieurs cartes à la fois. C'est un Nord-Américain, Robert A. Berg, de Pacific Beach, Californie, qui détient (avec orgueil, nous supposons) ce record: il joua simultanément avec 346 cartes! Date historique, cet événement se produisit le 16 novembre 1973. Quand donc le Canada et l'Argentine pourront-ils en faire autant? Pour plus d'informations, voyez le *Guinness Book of World Records*.)

les loups fassent réellement leur apparition firent naître de vifs et inquiets commentaires: fallait-il oui ou non entrer? devait-on oui ou non frapper à la porte? que devait-on faire? Il était évident, il fallait s'y attendre, qu'il n'y avait pas de sonnerie; il ne pouvait y avoir une sonnerie quand il n'y avait pas de lumière; pourquoi y aurait-il de la lumière quand il n'y avait ni téléphone ni succursale bancaire? Ça dépassait les limites, c'était un abus, une mauvaise farce. Le ton de voix montait et menaçait de devenir un désolant hurlement primitif quand la porte du tribunal s'ouvrit, comme la page d'un livre de Dickens, et qu'apparut l'un de ses personnages.

CHAPITRE XX

Le tribunal

Nous restâmes paralysés à la vue de ce personnage. Son visage paraissait enduit de talc et il était vêtu d'une espèce de blouse blanche au collet vaporeux et d'un veston noir. Alors que personne ne s'attendait à ce qu'un tel personnage soit capable de parler, il nous dit dans un anglais archaïque: «Veuillez entrer, s'il vous plaît.» Aucun de nous ne bougea. Le huissier, ou le secrétaire, répéta sa phrase.

Le lecteur devine-t-il qui furent les premiers à réagir? Sûrement. Quoique beaucoup plus déconcertés que nous tous, les avocats estimèrent que le temps était venu d'agir, que c'était «l'occasion de tirer la situation au clair». Comme de jeunes cadres énergiques et pleins d'allant — à l'image de ces gens que l'on voit sur n'importe quel panneau publicitaire faisant la promotion d'aspirines ou d'un quelconque laxatif —, ils saisirent leurs porte-documents et, fonçant sur le huissier qui dut se ranger en faisant un petit saut de côté, ils entrèrent dans le palais de justice. Beaucoup plus respectueusement et moins impulsivement, les plaignants et ensuite le reste du groupe entrèrent derrière eux.

Les avocats n'étaient pas allés très loin; nous les rejoignîmes et nous restâmes là, bouche bée, contemplant l'intérieur du palais de justice. Devant nous s'ouvrait une salle aux murs de bois rond. Les troncs vernis brillaient de propreté. Au fond de la salle rectangulaire s'élevait l'estrade du tribunal que couronnait un lourd bureau sculpté, derrière lequel trônait un fauteuil à dossier haut avec des bras de bois massif recourbés à leur extrémité; sur le mur, au-dessus du fauteuil, un austère crucifix de bois. Quand quelqu'un s'exclama: «Tout à fait ravissant! Nous faisons un tour pour voir?» tous répondirent par un «shhhhhh...» énergique. À chaque extrémité du mur, et entre les trois fenêtres dont les rideaux rouges se mariaient avec le dossier du fauteuil, s'élevaient des rayons de bibliothèque. Quelques tableaux représentant des scènes de la vieille Angleterre — de verts paysages, des chasses au renard, des intérieurs d'accueillantes tavernes (*pubs*) —, le poêle de fonte qui ronronnait sur la droite et le coucou sur le mur complétaient, pour ainsi dire, l'intime et chaude décoration de la pièce.

Il était quatre heures moins cinq. L'obscurité du dehors s'insinuait peu à peu à l'intérieur du tribunal et menaçait de plonger dans la pénombre les bancs des accusés près de l'estrade et aussi les chaises et les bancs au milieu de la salle, réservés aux témoins et au public. On entendait seulement le tic-tac du coucou. Léger comme un fantôme, le huissier commença à allumer avec des allumettes de bois les quinquets fixés aux murs.

Le groupe commençait lentement à sortir de sa stupeur. La température était agréable. Discrètement, je fis un signe à la chairman qui tenait toujours sa robe; elle la laissa retomber et elle se mit aussitôt à la tâche d'enlever son manteau de fourrure. Les autres l'imitèrent; nous suspendîmes nos pardessus au portemanteau près de l'entrée et nous déposâmes aux pieds de ce dernier nos couvre-chaussures et nos bottes. Paco aida la Valkyrie à garder son équilibre pendant qu'elle mettait ses souliers à talons

hauts; ainsi juchée, elle semblait presque toucher le plafond quand elle se redressa[1].

---

1. Bien qu'il s'agisse ici d'un travail académique, préférant privilégier
l'action, j'ai réussi à ne pas succomber à l'inévitable tentation de
décrire en détail l'intérieur du tribunal, plein de ces antiquités qui sont
aujourd'hui devenues ce que l'on appelle «des pièces ou des objets de
conversation» (*conversation piece*). Toutefois, puisqu'il s'agit là d'un
aspect très caractéristique de la vie moderne (c'est-à-dire de la moder-
nité), ce concept mérite qu'on s'y attarde plus longuement. Le lecteur
se souvient que, lorsque le groupe avait pénétré dans le tribunal,
quelqu'un s'était exclamé: «Tout à fait ravissant! Nous faisons un tour
pour voir?» Bon, il s'en souvient. Je lui signale que c'était une voix
féminine, que ça provenait donc d'une femme. Mais quand quelqu'un
dit le mot «femme», plusieurs pensent qu'on a tout dit! Me fondant sur
les théories littéraires d'Hemingway, prix Nobel de littérature, qui soutient que l'écriture doit être comme un iceberg qui cache sa partie la
plus importante sous l'eau (en d'autres mots, qui suggère plutôt que
de dire: «ne nomme jamais la rose quand tu veux parler d'elle»), le lecteur a le droit, si l'on s'en tient à cette théorie, d'imaginer ce qu'il veut
et de respirer l'odeur de la fleur qu'il aime le plus. Me fondant donc sur
cette théorie, je répète, je ne lui dirai pas laquelle des trois présences
féminines prononça cette phrase. (C'est là une bonne occasion pour
le lecteur de tirer ses propres conclusions.) Par contre, pour que le lecteur saisisse bien le sens du «shhh...» des hommes, en réponse à la
suggestion de faire un tour dans les lieux, voici la définition de «pièce
ou objet de conversation» telle qu'elle apparaît dans le dictionnaire
déjà cité (*ibid.*, 3, 12):

> *Pièce ou objet de conversation*: Après avoir rapidement
> épuisé les sujets de conversation usuels (maison, auto,
> maison de campagne, voyage à l'étranger, nouvelle auto,
> appareils électriques, toutes des choses qu'ils vont acheter:
> appareils électriques, nouvelle auto, voyage à l'étranger,
> etc.), les membres blasés de notre ennuyeuse société, s'ils ne
> veulent pas passer pour mal élevés en parlant toujours d'eux-
> mêmes (c'est la seule chose qu'ils font quand ils déballent la
> liste de leurs achats de sorte que personne ne les écoute), ont
> recours comme échappatoire à ces dites «conversation
> piece», inventées précisément à cet effet. Parmi les «pièces de
> conversation» les plus courantes, on peut citer la crise de
> l'énergie, l'inflation, les droits de l'homme, l'une ou l'autre des
> sempiternelles révolutions latino-américaines ou encore

quelque mouvement de libération à la mode. Mais d'habitude, ces «conversation piece» sont «des choses exclusives ou rares», trouvées à la campagne dans des maisons «occultes et secrètes» auxquelles l'initié a accès en se guidant sur des panneaux de signalisation qui le conduisent jusqu'à l'objet antique ou rare fabriqué à Hong-Kong ou à Taïwan. Quand la pièce est apportée à la maison de celui qui l'a acquise, on la place à un endroit où elle sera bien en évidence. Et la visite, avec des «oh!», des «mon Dieu!», ou des «waaw!», doit feindre avec spontanéité et surprise de venir de la découvrir. Et alors s'ouvre la conversation (plus ou moins longue selon le talent oratoire des interlocuteurs) sur la pièce en question: Merveilleux! Tu trouves? Ravissant! Tu le crois vraiment? Très original et absolument unique! (ces deux dernières observations révélant un talent spécial de notre époque: la capacité de découvrir la diversité dans l'unité). Et à ce point de la conversation, la maîtresse de maison (ou le maître de maison qui en tient lieu), convaincue d'avoir fait un achat extraordinaire, attend sagement la question finale: où l'as-tu achetée? Et il importe alors avant tout, quand on répond à cette dernière question, de bien faire ressortir «l'aventure excitante et merveilleuse que ce fut de découvrir la pièce et, chose encore plus importante, à quel prix d'aubaine on l'a obtenue et ce qu'on a ainsi épargné, parce que tu sais, ma chère, on te prend si facilement pour un imbécile, mais je ne me laisse pas avoir aussi facilement. Pour faire cet achat, nous avons dû parcourir tant de milles...»

Bien que le sujet soit des plus intéressants, je m'excuse auprès de mon collègue de devoir à regret lui couper la parole pour signaler que chaque objet dans le tribunal constituait une véritable «pièce de conversation». Et je me réjouis du fait qu'on ait pu couper court à l'emportement des femmes; je me réjouis aussi d'avoir résisté à la tentation de me lancer dans de longues descriptions puisque mon talent dans ce domaine, grâce à l'*Encyclopédie britannique*, aux suppléments du dimanche et à toutes les revues sur le sujet, peut être inépuisable. En terminant, je veux dire au lecteur que face au danger, je fais mienne l'attitude de sagesse d'un proverbe chinois millénaire qui, bien longtemps avant nous, anticipait notre ère néfaste de l'image: «Une image vaut mieux que dix mille mots.» Lecteur généreux, patient, et plein de bonté, prends un repos et assieds-toi avec nous sur les chaises qui nous attendent au milieu de la salle d'audience.

Nous prîmes place sur les bancs et sur les chaises: la chairman dans la seconde rangée et les autres derrière. Le premier tableau de la «représentation de la matinée», comme dit Paco, fut joué par les avocats. Quand ils eurent accroché leurs pardessus, ils oublièrent leurs pieds mouillés, arrangèrent leurs cravates, défroissèrent leurs vêtements et, d'un pas mesuré, balançant leurs porte-documents, ils se rendirent jusqu'à l'estrade pour... inscrire une protestation? Devant un juge qui... qui n'était pas là? Ils restaient là, comme des idiots, à contempler les objets sur le bureau: des chemises, une belle lampe à pétrole et d'autres objets qu'on distinguait mal. Impatients, ils commencèrent à se retourner, à piétiner sur place jusqu'à ce que l'un d'eux lance rageusement au huissier qui passait près d'eux, l'air occupé, comme s'il accomplissait quelque rituel: «Nous ne voyons le juge nulle part!» Le visage jusqu'alors impassible, le huissier le regarda avec surprise, regarda ensuite le fauteuil vide et répondit: «Exact, je ne le vois pas non plus.» Et laissant tomber un «Ah!», il se frappa le front et s'approcha du bureau du juge pour allumer la lampe.

Me mettant à la place des avocats, je peux comprendre que la réponse du huissier, d'une suprême imbécillité ou d'une suprême subtilité, était franchement irritante. L'avocat à qui le huissier avait fait cette réponse frappa le plancher du pied dans un geste infantile de colère et, regrettant son geste, il s'immobilisa aussitôt. Le coup de pied résonna comme une explosion dans le silence respectueux ou redoutable du tribunal. Les avocats reprirent leur calme et firent quelques signes à leurs clients à demi «cachés» parmi nous, comme pour leur dire qu'ils n'avaient rien à craindre, qu'ils s'occupaient de tout; puis ils s'assirent dans la première rangée, juste devant la chairman qui, ennuyée, commença à s'étirer le cou, comme si elle était au cinéma, pour regarder par-dessus leurs épaules. Ils se croisèrent les jambes et posèrent leurs porte-documents sur leurs genoux, prêts à intervenir à la moindre alerte. Il était quatre heures moins une. De nouveau, on n'entendait que le doux et hypnotique tic-tac de l'horloge et les pas du huissier sur le plancher de bois qui craquait par moments. La lampe allumée sur le bureau éclairait maintenant d'autres objets: un gros livre, probablement la Bible, un encrier de bronze, une plume provenant de quelque oiseau fabuleux, un marteau et, presque juste au centre du bureau, une enveloppe cachetée à la cire et les sachets contenant les dents et les fragments de dentier. Après avoir jeté un coup d'œil sur la salle, comme s'il regardait à travers nous, comme si nous n'existions pas, le huissier s'approcha en sautillant du poêle; il ouvrit la porte du fourneau, y introduisit quelques bûches, les plaça avec une pince et resta là, fasciné, à contempler le feu.

L'oiseau sortit la tête et lança son premier coucou; le huissier sursauta, ferma la porte du poêle, plac! et, presque à la course, il alla se placer à côté du bureau, le visage tourné vers nous, les mains derrière le dos, immobile comme une statue.

Le dernier cri du coucou de mauvais augure s'évanouit.

CHAPITRE XXI

Le juge

V ais-je oser reprendre cette vieille métaphore usée? Au risque de paraître peu convaincant, je vais quand même la reprendre. Ma plume tremble au moment d'évoquer William Wilson.

Après qu'eut résonné le dernier coucou, une porte s'ouvrit du côté gauche derrière l'estrade, une porte complètement dissimulée dans les troncs du mur, et un être apparut, oh mon Dieu!, un être portant une longue chevelure blanche semblable aux perruques des anciens magistrats, et drapé dans une longue toge noire. Un être qui ne pouvait être que William Wilson lui-même, juge du tribunal d'Erewhon.

Il ferma la porte derrière lui et d'un pas lent mais résolu, il se dirigea vers l'estrade. Paco, qui avait toujours quelque chose à dire, murmura: «Bon, attendons au moins qu'il arrive», et le Mendocinien, pour ne pas être en reste, ou pour se mettre en valeur, la Valkyrie étant assise entre lui et Paco, ajouta sur-le-champ: «Lentement mais sûrement.» Toutefois, leurs commentaires suivis de petits rires nerveux faisaient penser aux commentaires d'adolescents enivrés de Coca-Cola et de marijuana devant une scène dramatique d'une pièce de Shakespeare. L'auteur, qui s'était assis dans un coin, en position stratégique pour dominer la scène, remarqua que Paco et le Mendocinien devinrent tout rouges. Mais, si leurs chuchotements s'avéraient à peine agaçants, par contre, l'intervention des avocats résonna comme un coup de canon: alors que le juge s'approchait de l'estrade, ils sautèrent debout et crièrent de leurs voix discordantes: «Nous protestons!» Sa barrette dans une main et des papiers dans l'autre, le juge s'immobilisa, comme si le coup de canon avait éclaté à ses pieds, et de ses yeux bleus il les fixa froidement. Les avocats, bredouillant quelques mots qui devaient être des excuses, regagnèrent leur place.

William Wilson reprit sa marche; il gravit solennellement la marche qui conduisait à l'estrade, se plaça entre le fauteuil et le bureau, posa ses papiers, mit sa barrette — comme Napoléon se ceignait lui-même d'une couronne de lauriers — et, s'appuyant sur les bras du fauteuil, il s'assit candidement.

CHAPITRE XXII

Le procès commence

William Wilson prit son marteau avec lequel il se mit à jouer, pendant que ses yeux clairs et lumineux — des yeux pétillants d'ironie dans un visage creusé par les rides — parcoururent la salle, se posèrent sur les témoins, sur les avocats, sur les plaignants et se fixèrent à nouveau sur le bureau, puis sur nous, pendant que le silence et l'immobilité ne cessaient de s'intensifier. Un coup de marteau sec nous fit nous lever et la voix claire et étonnamment sonore du juge nous fit nous rasseoir: «Bienvenue, messieurs. Je déclare le procès ouvert.» Comme si le coup de marteau s'était abattu sur le levier d'un palan, à nouveau les avocats se levèrent d'un bond et, avant qu'ils n'aient le temps d'ouvrir la bouche, la voix du juge Wilson résonna: «Les plaignants.»

Tous, les avocats y compris, nous regardâmes le Pygmée et Masque Aztèque qui s'étaient levés comme s'ils avaient été mordus par une vipère — métaphore que j'emploie au lieu de celle de Paco où il était question d'un bâton dans le c... Et quand le juge leur dit: «Approchez-vous, s'il vous plaît», les avocats durent littéralement les pousser. Ils s'immobilisèrent en face de l'estrade, leurs défenseurs dans une attitude protectrice à côté d'eux.

Le juge posa une paire de lunettes sur la pointe de son nez légèrement aquilin et il se mit à détailler les plaignants avec une telle insistance, avec tant d'attention, qu'on aurait pu croire qu'ils étaient des êtres d'une autre planète. Rien n'échappa à son inspection, ni les souliers ni les calvities; il fixa particulièrement son attention sur leurs visages, avec une telle sérénité et une telle sournoiserie que les deux plaignants, comme le loup vaincu qui offre son cou à l'ennemi, baissèrent la tête et présentèrent leurs calvities au marteau du juge. La chairman s'agita sur sa chaise: en fin de compte, le Pygmée et Masque Aztèque étaient des oiseaux de sa basse-cour. Un étrange sentiment de malaise — de culpabilité? d'une inacceptable solidarité? — nous gagna tous. Quand plus personne ne put supporter les sentiments confus qui s'étaient éveillés et se chamaillaient en nous, quand le Pygmée et Masque furent sur le point de se mettre à genoux et de prier, William Wilson ferma les yeux, médita un long moment, les muscles du visage immobiles, laissa tomber un soupir et, retirant ses lunettes, il prit la Bible et fit prêter serment aux plaignants. Il déposa la Bible et remit ses lunettes; pendant que les avocats se mangeaient les lèvres et que leurs clients restaient toujours figés sur place, le juge lut l'acte d'accusation:

«En vertu de l'autorisation spéciale accordée par la Cour suprême de la nation, le 24 décembre 1978, relativement à la poursuite de monsieur (nom, prénom, domicile et profession du Pygmée) contre monsieur (nom, prénom, domicile et profession de Masque) et vice-versa, comparaissent devant moi les susdits et, en qualité de témoins, messieurs (noms, prénoms et domiciles de ces derniers). L'objet de la poursuite est l'agression perpétrée... et l'établissement du propriétaire original d'une idée... Les éléments mis en preuve au procès sont les suivants: un sachet de plastique contenant une prothèse dentaire cassée, étiqueté au nom de... un autre sachet de plastique contenant des dents artificielles et des dents naturelles, étiqueté au nom de..., une enveloppe qui renferme deux versions de l'Idée...; et, jointes au dossier, les pièces suivantes: les déclarations des témoins... le dossier judiciaire des plaignants fourni par la RCMP... deux tests d'intelligence dûment datés... etc., etc.»

Le juge termina la lecture de l'acte d'accusation et il déposa les documents sur le bout du bureau. «Messieurs les plaignants, veuillez prendre place au banc des accusés», leur enjoignit-il aimablement. Et s'adressant aux avocats: «Messieurs, je pense que vous alliez formuler une plainte; je vous écoute[1].»

---

1. Si ce n'avait été de la lecture de l'acte d'accusation, une simple formalité juridique qui eut cependant comme effet de me tirer de l'état de stupeur dans lequel m'avaient plongé tous ces faits nouveaux et de calmer le désordre de mes émotions, j'aurais commis une faute impardonnable et irréparable: j'avais failli oublier le magnétophone. Je regrette profondément de ne pas avoir eu l'occasion de demander au juge (personne ne me l'a présenté), pendant que plaisamment nous aurions échangé quelques mots et quelques idées, si j'avais l'autorisation d'enregistrer le procès. J'espère que le juge Wilson saura comprendre et me pardonner. Le magnétophone fut mis en marche juste au moment où le juge disait: «... contenant des dents artificielles et des dents naturelles...»

CHAPITRE XXIII

Le procès continue: la protestation

Les avocats s'avancèrent mais ils semblaient avoir perdu leur belle assurance du début, peut-être bien à cause du regard moqueur du juge ou encore parce que les hommes d'aujourd'hui, contrairement aux hommes de l'époque héroïque, ont le souffle bien court et que leur emportement ne dure que le temps d'un feu de paille. Ils s'immobilisèrent devant l'estrade comme deux sous-officiers devant leur général et ils commencèrent à formuler leur plainte par un «Votre Honneur...» simultané. Puis ils se turent aussitôt et, alors que d'un geste ils se cédaient mutuellement la parole, la Chilienne et la Valkyrie lancèrent un long éclat de rire. «La peau!» laissa tomber Paco, sans que l'on sache s'il se référait au sans-gêne des femmes ou à la situation dramatique des avocats.

Les liens symbiotiques qui semblaient souder les avocats l'un à l'autre comme des siamois furent finalement rompus d'une manière territoriale. Pendant que le juge attendait, un sourire compatissant se dessinant sous sa moustache blanche, l'un des avocats étendit une jambe vers l'arrière et, aussitôt dit, aussitôt fait, l'autre jambe rejoignit la première, entraînant avec elle tout le corps.

Ainsi, seul en territoire dégagé, l'autre avocat n'eut d'autre recours que de parler. La Valkyrie et la Chilienne eurent le bon sens de se fermer la boîte.

«Votre Honneur, ehem, hum, merci, oui, nous protestons, ehem, oui... depuis le début, il nous est apparu, et nous n'avons pas cessé de le signaler, que la procédure était tout à fait inhabituelle et, enfin, que le respect de la dignité humaine, pardon, je veux dire des droits de la personne, oui, c'est bien ça, que les droits de la personne ont été bafoués.»

L'avocat soupira d'aise et, comme un Sisyphe qui aurait réussi à placer une cale sous la pierre qui menaçait de l'écraser, soulagé, il se tut pour laisser la parole au juge qui, de son côté, attendait en silence la fin du discours.

On entendait le crépitement des bûches dans le poêle, le tic-tac de l'horloge et le craquement occasionnel d'une chaise ou d'une planche. Après un bref moment, l'avocat demanda timidement: «Votre Honneur ne dit rien?» «Non, je vous écoute attentivement. À moins que vous ayez déjà fini de protester...» L'avocat qui venait de parler se recula et celui qui s'était reculé agita les mains, s'avança à son tour et dit: «Mon collègue s'est peut-être exprimé en des termes un peu trop généreux mais il faisait spécifiquement référence aux conditions du procès en cours: par exemple, l'interdiction des médias qui, de fait, constitue une atteinte directe à la démocratie et une atteinte à la libre expression et à la diffusion des idées.» «Vous faites allusion aux idées en général ou à l'Idée (aux idées?) contenue dans cette enveloppe?» demanda le juge en martelant de l'index l'enveloppe cachetée à la cire qui se trouvait sur son bureau. On entendit un douloureux «Ughj...» L'avocat regarda son client et s'empressa de «parer le coup». «NON, NON, NON, je me réfère aux idées en général, ehem, Votre Honneur.» «Vous pourriez en préciser une?» L'avocat attaqua comme un chien enragé: «Avant de poursuivre, je vous prierais de bien vouloir répondre à la première accusation.»

Ce fut une adroite estocade de la part de l'avocat. Pour la première fois, le juge parut décontenancé: selon les termes de l'accusation, il avait l'air de faire fi de l'ordre ou encore d'adopter une attitude incongrue et tout à fait dépassée. Il médita un moment puis, avec quatre répliques cinglantes, il fit disparaître le sourire fanfaron de l'avocat, de son collègue, et de leurs clients qui se croyaient probablement déjà à l'abri de toute attaque: «Et alors? Y a-t-il quelque loi qui l'interdise? Pourquoi ne le ferais-je pas? Qu'est-ce qui va m'en empêcher[1]?»

----

1. Dans la note 1 du chapitre IX (et dans quelques notes additionnelles sur le même sujet), j'ai tenté de fournir au lecteur peu renseigné les références et les explications nécessaires à la compréhension de la société dans laquelle se déroule cette histoire. Après avoir entendu la magnifique réponse (ou les réponses) de William Wilson, je me rends maintenant compte que j'ai négligé certains aspects idéologiques touchant les relations quotidiennes entre les habitants de la planète «société de consommation» (ou société industrielle, ou société technologique, ou société bureaucratique de consommation; bah! trève de définitions). Pour que le lecteur puisse comprendre la très habile répartie du juge, je rapporte ici (en traduction) un extrait du livre *La dé-déification et la réification quotidienne*, du regretté Angelo Joyce, ex-pasteur irlandais, psychanalyste et essayiste. Voici ce qu'il dit: «Les relations quotidiennes entre les habitants de ce monde sont régies par un principe très simple: *tout* ce qui n'est pas défendu par la loi est *permis*. Ce principe *justifie* la totale disparition, la *libération* de toute norme et de toute règle de comportement (formelle ou traditionnelle), normes ou règles qui constituent les principaux facteurs de cohésion de toute société. Quand les frontières entre ce qui est permis et ce qui est défendu s'effacent (le sur-moi alors s'affaiblit), l'individu se sent libéré et il tient pour acquis, il s'imagine que tout est permis; et s'il n'a alors pas encore réalisé ses ambitions, c'est qu'il n'a eu ni la chance ni l'occasion de le faire. (Au fond, c'est un dépossédé dont le sur-moi social est désormais dominé par le sur-moi d'un ordinateur.) En conséquence, les comportements formels ou traditionnels (historiquement régis par les coutumes et par l'accord mutuel) doivent maintenant être expliqués, définis et réglementés par des lois. Il y a trente-deux ans, quand je suis arrivé aux États-Unis, par simple respect, personne, ni même le plus inconditionnel des athées, n'aurait eu

l'indécence de fumer dans une église — de quelque allégeance ou croyance qu'elle puisse être. Un jour, l'un de ces individus 'libérés', vêtu d'un jean, de bottes et d'un large chapeau de cowboy, un appareil photographique de type professionnel pendant à la hauteur de son nombril comme le troisième œil du Bouddha, alluma une cigarette devant le maître-autel de l'église dont j'avais la charge. Faisant appel à toute ma bonté et à ma compréhension chrétienne, et faisant comme si je me trouvais en Afrique en train d'évangéliser quelque impie, je réussis à contrôler mon envie de lui flanquer un coup de poing. Je le priai, au nom de Notre-Seigneur-Jésus, d'éteindre sa cigarette. Il me regarda avec l'indifférence et le mépris d'un pou qui se croirait le centre de l'univers et, souriant comme quelque haut dignitaire spirituel, il me répliqua: 'Pourquoi cesserais-je de fumer? Y a-t-il quelque loi qui l'interdise?' Il n'y en avait effectivement aucune. Toutes mes explications et toutes mes prières furent inutiles: c'était un consommateur et un citoyen (bon ou mauvais, qu'importe) qui payait ses impôts et qui avait donc le droit de faire ses propres expériences et de vouloir connaître les cultes exotiques qui se pratiquaient dans son pays. Et pourquoi ne pouvait-il pas le faire d'une manière agréable, en fumant, en buvant un Coca-Cola ou encore en mâchant sa 'Chiclets'? D'ailleurs, en plus d'être un consommateur et un citoyen, il était aussi le représentant de deux cents ou trois cents millions d'êtres possédant ces mêmes droits; et si ces êtres possédaient ces droits, pourquoi ne les aurait-il pas lui aussi?

«Ces quelques phrases qui remplacent les dix commandements — Pourquoi pas? (*Why not?*). Y a-t-il quelque loi qui l'interdise? (*Is there a law against it?*). Et alors? (*So what?*). Qu'est-ce qui va m'en empêcher? (*What's to stop me?*). Ce n'est pas mon affaire (*It's not my business*). Ce n'est pas ton affaire (*It's not your business*) — imprègnent toutes les relations de la vie quotidienne; on les prononce (ou, pis encore, on les formule dans la clandestinité de son esprit) dans toute situation qui puisse impliquer un engagement de notre part: pour esquiver une demande, un engagement émotionnel, pour refuser un appel à l'aide. Et si ces situations ne sont régies par aucune loi, tout alors devient acceptable, même la prostitution occasionnelle d'une femme, qu'elle soit ou non mère de famille, qui se trouve devant l'obligation impérieuse de régler les mensualités de ses emprunts ou de s'acheter une nouvelle jupe; à la condition, bien sûr, que la femme se prostitue dans les limites de la vie privée où le bras de la loi ne s'étend pas.

«Quelques psychanalystes ou néo-prophètes, partisans de la 'littération' et du renforcement du 'je' individuel, fondent leur attitude sur la citation d'une phrase de Jésus: 'Il faut rendre à César ce qui appartient à César et à Dieu ce qui est à Dieu.' Cette citation, tout comme d'autres, est traitée au chapitre 6, 'Le Nouveau Testament à la mode d'aujourd'hui'.

«Je crus au début (Mon Dieu, comme je me trompais!) que l'incident avec l'individu 'libéré' était un cas tout à fait accidentel. Toutefois, en raison du tourisme organisé, de l'expansion de la 'libération', de l'oisiveté moderne et du progrès, mon église fut bientôt envahie par une vague de visiteurs qui mangeaient des biscuits ou des patates frites, qui prenaient des photos et filmaient, et qui me demandaient ce que faisait ce *mister* tout là-haut. Et quand j'enseignais le catéchisme aux enfants, ces supposés champions de l'innocence, quand je leur parlais de Jésus et que je leur racontais ses miracles, ils me répondaient que Jésus ressemblait à l'homme bionique, mais en moins efficace, et qu'ils doutaient qu'il puisse seulement coûter six dollars — sûrement pas six millions, ce que coûtait l'homme bionique. Et quand, au confessionnal, les pécheurs se mirent à justifier leurs abominations avec des phrases de ce type et à discuter la pénitence comme une simple transaction commerciale, je me suis rendu compte que la fin du monde était arrivée sous la forme de l'enfer sur la Terre. J'en conclus que mon rôle de pasteur était inutile et que, exception faite des mensualités que je touchais, rien ne pouvait plus le justifier; aussi, j'accrochai mes habits sacerdotaux et j'érigeai mon propre temple, je me dédiai exclusivement à la psychanalyse.

«Le fait que l'on accroche aujourd'hui dans les églises des écriteaux qui disent: 'Défense de fumer', et qu'il existe une loi qui interdise de le faire, ne vient que confirmer ce que j'ai antérieurement signalé. Quand l'esprit est mort, ni le mot, ni même le verbe originel ne peut le faire renaître sinon seulement le parodier ridiculement. Oh mon Dieu, je te parle pour la dernière fois; ensuite je me tairai jusqu'à ce que je puisse te voir et te demander des explications dans l'autre monde. Comment t'expliquer que tout, dans ce monde, est un jeu, que tout est facilité? Comment t'expliquer que la vie et que le drame humain ne sont rien d'autre qu'un grand bassin d'eau gazeuse que l'on traverse aisément et en toute sécurité, munis de ceintures de sécurité et de polices d'assurance?) Ou sais-tu aussi... et... et... n'est-ce pas ton affaire?»

J'eus le privilège de rencontrer Joyce personnellement, à l'occasion d'un congrès international, peu de temps avant qu'il ne se suicide. (Certains commentaires mal intentionnés attribuent sa mort à une crise de *delirium tremens*, parce qu'il aurait beaucoup bu, en bon Irlandais qu'il était. De toute manière, je partage plusieurs de ses opinions (pas toutes): c'était un homme d'une grande profondeur de sentiments, non un vulgaire rationaliste de droite ou de gauche.

L'avocat leva le pied pour frapper le sol et il le redéposa doucement. William Wilson avait érigé une muraille de Chine contre laquelle son argument s'était réduit à néant, et contre laquelle tous les autres arguments pourraient aussi s'anéantir. Et l'avocat le savait: qui pouvait connaître toutes les lois existantes, et particulièrement celles d'Erewhon? À son honneur, si tant est que ces avocaillons ont quelque honneur, il faut reconnaître qu'il ne se rendit pas facilement. Changeant de tactique, il poursuivit: «Votre Honneur, j'accepte votre réponse mais ce n'est toutefois pas la seule chose qui me préoccupe. Votre Honneur, veuillez comprendre, j'en appelle à votre infinie bonté et à votre sagesse, qu'il convient, avant toutes choses, de mettre en évidence, et vous-même devez l'admettre, que nous n'avons pas obtenu entière satisfaction. Dans une lettre, nous vous avons demandé, mon collègue et moi, pourquoi il n'y avait pas de banque dans ce village. Vous n'avez jamais daigné nous répondre. Malgré cela, affrontant mille dangers, nous nous sommes humblement présentés au procès sans savoir si nos polices d'assurance nous couvraient; nous avons traversé de vastes étendues désertiques et glacées pour atteindre un endroit où il n'existe ni banque, ni téléphone, ni cafétéria, ni motel, ni McDonald; cela fait d'Erewhon un village fantôme et une planète peuplée de... (à cet instant, un hurlement prolongé surgit du fond de l'obscurité que les fenêtres découpaient) ... peuplée de LOUPS.» Et, comme si c'était là l'argument suprême, il se tut.

Le sourire de William Wilson s'accentua, laissant apparaître une rangée de dents blanches. Et comme si ce

---

Après une explication et des arguments aussi évidents, il ne reste rien à dire. William Wilson utilisa les mêmes armes et se servit des mêmes arguments que ceux que l'on invoquait chaque jour dans le monde d'où provenaient les avocats. Le défenseur coupa court à sa petite crise de nerfs devant la menace de se retrouver en contravention avec quelque loi.

sourire, avec les dents bien en évidence, eût été un appel de la forêt, les hurlements se répétèrent. La Valkyrie, assise entre le Mendocinien et Paco, choisit de chercher refuge auprès de ce dernier; Paco la rassura par quelques petites tapes affectueuses. Imitant la Valkyrie, la Chilienne se frotta contre ce dolmen qu'était le Viking mais celui-ci, tellement absorbé par le procès, ne s'en rendit même pas compte. La chairman, assise seule, regarda de chaque côté d'elle.

Le coucou sortit la tête de l'horloge pour sonner le quart d'heure: il était quatre heures et quart. Le juge demanda: «Avez-vous terminé?»

«Oui, Votre Seigneurie, j'ai fini, bien sûr, mais je voudrais établir clairement, au nom de mon collègue et de nos clients (les clients acquiescèrent aussitôt plusieurs fois de la tête), que nous avons mis toute notre bonne volonté pour régler un différend qui brouille deux distingués gentlemen, et qu'il est en votre pouvoir de résoudre ce problème d'une façon satisfaisante. Toutefois, je persiste à croire que mon collègue aussi bien que moi-même, que nos clients aussi bien que toutes les personnes ici présentes, nous méritons une explication même si ce n'était qu'une... une toute petite explication... une satisfaction, c'est ça, pour ce que nous avons souffert, pour ce que nous souffrons et ce que nous souffrirons encore. Rien de plus, Votre Seigneurie.»

CHAPITRE XXIV

La réponse ou les explications

L e sourire du juge s'effaça et son visage s'assombrit. Et comme s'il avait su depuis toujours ce que l'avocat allait lui dire, à peine ce dernier avait-il fermé la bouche que William Wilson commença à parler:

«À question idiote convient une réponse encore plus idiote. Pour régler un procès entre fous, il faut un juge fou ou peut-être bien sage car je ne connais pas la différence entre la folie, la sagesse et la stupidité. Intenter une poursuite judiciaire pour réclamer le paiement de l'arôme d'un plat succulent et rendre comme verdict que le tintement de quelque monnaie suffit amplement à en payer le prix, voilà un jugement qui a trouvé sa place, il y a quelques siècles, dans les annales de la jurisprudence. Celui qui cherche trouve et vous avez trouvé William Wilson: à vous d'en accepter les conséquences[1].»

---

1. Sans vouloir par cette remarque déprécier les merveilleuses qualités de William Wilson, les premières velléités littéraires du juge, d'ailleurs confirmées par la suite, pointent déjà ici. «À question idiote, etc.» est un proverbe anglais bien connu. «Pour régler un procès entre fous, etc.» est une variante du proverbe antérieur. Par contre, «celui

Le juge ouvrit le tiroir de son bureau et en sortit une blague de cuir et une énorme pipe. Il commença à la bourrer pendant qu'il parlait.

«Le tribunal rejette la protestation pour son absence de fondements mais il doit apporter quelques éclaircissements. Il y a des loups, bien sûr, tout comme il y a des loups plus près d'Ottawa et jusque dans cette ville elle-même. Toutefois, le hurlement que vous avez entendu peut aussi bien être celui d'un loup que celui d'un chien affamé qui réclame sa nourriture dans l'une des fermes environnantes; ou ce peut être encore la plainte d'un chien qui pleure la mort de son maître. En ce qui a trait au fait de signaler le danger que vous avez couru, c'est sans doute une tactique intelligente et efficace du point de vue de l'argumentation judiciaire mais une tactique idiote, pour ne pas dire stupide, du point de vue de la réalité. Quiconque connaît ce pays sait qu'il doit être toujours préparé à affronter une tempête de neige et qu'il doit porter des vêtements suffisamment chauds pour pouvoir marcher trois milles avant d'atteindre un refuge. À moins, évidemment, qu'il ne croise en chemin une meute de loups. Mais les avions aussi tombent, c'est là un fait qu'on oublie trop fréquemment. C'est aussi pour cette raison que je n'ai accepté de reporter le procès sous aucun prétexte. De plus, ne pas se préparer de façon à être prêt à se présenter

qui cherche trouve» est plus familier à l'oreille de l'hispanophone. S'il ne fait aucun doute que la Grèce et Rome sont le berceau de la civilisation occidentale, il est tout à fait probable que les deux premiers proverbes soient des inventions de cette dernière civilisation. Quant à la référence juridique utilisée par le juge (payer l'arôme avec le tintement...), l'ordinateur m'a révélé qu'on trouve la première allusion à ce cas dans *Gargantua* et *Pantagruel* de Rabelais. Enfin, en ce qui concerne la difficulté d'établir les limites entre la folie et la sagesse (la question de la stupidité doit être traitée avec certaines réserves), voilà un thème beaucoup trop connu pour qu'on puisse y voir quelque nouveauté.

au procès, c'est peut-être bien, au fond, la preuve d'un profond manque d'intérêt. Je termine en disant que toute protestation qui utiliserait cet argument, ou des arguments du même ordre, sera considérée comme une impertinence, un tapage inutile seulement destiné à attirer l'attention de la galerie. Mais ces dernières remarques constituent des interprétations légèrement subjectives qui n'ont pas leur place ici et qui sont presque indignes d'un juge dont l'obligation est de rendre la justice en ne s'en tenant qu'aux seuls faits objectifs. J'espère m'être bien fait comprendre sur tous ces points.»

Le juge fit une pause et termina de bourrer sa pipe; il enleva les brins de tabac en trop et prit une boîte d'allumettes de bois.

«Quant à l'absence de succursale bancaire, comme la question m'a été soumise par écrit, et réitérée verbalement, je vous dois une explication un peu plus élaborée, une petite histoire ou un bref conte, comme il vous plaira.»

Il sortit une allumette de la boîte et se mit à la tâche d'allumer sa pipe. Les femmes, et les hommes aussi, pourquoi pas, se frottèrent les mains, impatients d'écouter le récit de William Wilson, «auteur et narrateur». «L'affaire se présente bien», fit remarquer Paco. Profitant de l'intervention de Paco, des quelques remarques qu'ajouta le Mendocinien et du bruit que faisait l'assistance — toussotements, graillements, froissements du sac de cellophane dans lequel la chairman avait apporté des caramels —, je changeai la bande du magnétophone.

William Wilson termina enfin d'allumer sa pipe, déboutonna le collet de sa toge, enleva sa barrette et la posa sur le bureau; il s'appuya ensuite contre le dossier de son fauteuil et, après avoir tiré quelques bouffées, comme un aïeul compréhensif et plein de bonté, il se mit à nous raconter l'histoire suivante.

CHAPITRE XXV

L'histoire de la banque d'Erewhon (L'Âge d'or)

— Jours heureux d'un âge heureux que ces temps que nos aïeux nommèrent l'Âge d'or[1]. Je pourrais dire «il y a fort longtemps dans un lointain pays» mais il s'agit tout

---

1. À peine le juge ouvre-t-il la bouche (mes ennemis envieux diraient que je l'interromps) que se manifeste aussitôt la propension littéraire que je signalais à la note 1 du chapitre XXIV. Était-il nécessaire, d'un strict point de vue pratique, qu'il commence à raconter son histoire par cette phrase qui nous replongeait dans des siècles de rêves et d'espérances, dans des utopies infinies et irréalisables même pour le spécialiste le plus averti? Je le demande à nouveau: était-ce bien nécessaire? Un autre point très important: même le plus novice des universitaires sursautera devant ce chapitre, le qualifiant de «digression» ou de «roman dans le roman»; aussi, je me charge moi-même de le dire avant qu'un autre ne le fasse. Même moi, un universitaire expert en la matière, je me suis longuement demandé si je devais ou non l'inclure dans ce travail. Mais c'est chose faite; William Wilson nous a raconté cette histoire et je m'en fais le témoin et le chroniqueur. Il n'y aura pas d'autre note en bas de page durant le récit du juge; mais, par contre, le lecteur aura par la suite le plaisir de trouver un commentaire intitulé: «Vers une relecture de *L'histoire de la banque*».

au plus de quelques décennies (il est sans importance de savoir combien au juste) au cours desquelles les différences entre le tien et le mien, même si tous savaient départager l'un et l'autre, n'étaient pas très grandes. C'était les jours dorés où, en plus de l'argent et des biens, on partageait aussi la vie et la mort. En ces jours, prononcer le nom d'Ottawa, c'était presque parler du bout du monde; et un voyage au-delà de la capitale, cela signifiait pratiquement la mort.

«Erewhon comptait peu d'habitants. Juste le nombre suffisant pour pouvoir vivre du bois des forêts qui nous entouraient, des forêts peuplées d'esprits et serpentées de ruisseaux cristallins. Le tribunal où nous nous trouvons, tout comme l'église et les autres édifices abandonnés, furent bâtis avec le bois de ces forêts. Le bois nous procurait le gîte et la chaleur, les moutons nos vêtements, les chèvres le fromage, les vaches le lait et la viande, les abeilles notre sucre, et il suffisait de tendre la main pour cueillir les fruits des arbres; si on ajoute à cela les quelques graines que nous semions, nous avions plus que le nécessaire pour assurer notre subsistance. Tout ce que nous avions en surplus, nous l'échangions avec d'autres au lieu de le vendre. Il n'y avait ni police ni prison, seulement un juge, mon père, et le pasteur de l'église. Il n'y avait pas non plus d'école. Les enfants apprenaient à lire et à écrire soit à l'église avec le pasteur, soit au tribunal avec le juge. Ils étudiaient suffisamment pour comprendre la Bible et pour réciter des passages de Shakespeare, deux livres que l'on trouvait dans toutes les demeures. Ainsi était Erewhon. Nous avions du style et Noël était une grande fête.»

William Wilson interrompit son récit; il consacra presqu'une demi-minute à sa pipe et il poursuivit:

— Les habitants d'Erewhon, évidemment, ne dévastèrent pas les forêts; ils savaient que le bois constituait leur principale richesse, leur moyen de subsistance, et ils respectaient la nature tout comme ils respectaient Dieu, la nature étant pour eux l'incarnation de Dieu; deux choses aujourd'hui bien mortes et enterrées. Mais il se pourrait bien que le dicton populaire «Avoir un enfant et planter un arbre» soit erroné. Les habitants d'Erewhon plantèrent plus d'un arbre pour chacun des nombreux enfants qu'ils eurent, des enfants qui poussaient comme la végétation au printemps. Toutefois, les arbres ne se multipliaient pas avec autant de rapidité qu'augmentaient les enfants et bientôt la forêt fut épuisée.

«Que faire alors? À leur majorité, nombreux étaient ceux qui partaient à la recherche de nouveaux horizons. C'était là leur droit et leur départ constituait d'ailleurs un soulagement pour la communauté. C'était une solution partielle à ce que l'on nomme aujourd'hui la surpopulation. Mais, de ce grand nombre, trop d'entre eux, qui avaient échoué dans la recherche de leur destin, revenaient. Et quand ils revenaient (tout comme ceux — beaucoup plus rares — qui nous rendaient visite après avoir réussi), ils nous parlaient du monde merveilleux de là-bas, d'un monde étincelant, multicolore, réellement doré, un monde dans lequel on trouvait des inventions nouvelles pratiquement incroyables, des inventions qui donnaient réalité aux mythes anciens; ils nous parlaient d'autos, d'avions, et de la venue de choses inimaginables qui allaient révolutionner le style de vie de toute l'humanité. Pour la première fois, nous entendions parler d'appareils automatiques, d'ouvre-boîtes électriques et de médicaments miraculeux qui pouvaient guérir n'importe quelle maladie et pouvaient même contrer la mort.

«Certains — que ce soit mon père, ou le pasteur, ou encore ceux qui faisaient le commerce de nos produits à l'étranger, que ce soit même moi qui, quoique jeune encore, connaissais ce monde car j'avais fait mes études de bachelier à Ottawa — certains, donc, leur rappelaient avec bonté et avec un sourire que là-bas, dans cet autre monde, il y avait aussi des fléaux, des guerres, des vols et des assassinats et que, depuis des siècles, bien avant que cela n'afflige Erewhon, la justice et la morale y avaient disparu. Mais... peine perdue! Tout était inutile! Qu'est-ce que la morale? Un concept, une norme, une vérité qui ne correspond à rien dans la réalité. En revanche, les preuves de l'immoralité et du mensonge sont bien réelles, aussi concrètes, aussi palpables qu'elles le sont dans le péché de la chair; ce sont même des preuves qu'on peut mesurer en dollars.

«Les problèmes d'Erewhon étaient de plus en plus aigus; nous en vînmes même à interrompre le paiement des impôts (pourtant peu élevés) au vice-roi. Face aux difficultés et aux nuages qui s'accumulaient sur notre monde, le monde d'ailleurs, de là-bas, brillait d'un éclat toujours plus séduisant.

«Pour sauver Erewhon et pour nous sauver nous-mêmes, il fallait nous adapter, commencer à vivre avec notre temps, en accord avec les réalités du monde exté-rieur. Il n'y avait plus d'arbres et, bien que nous possé-dions la terre, nous n'avions ni les outils ni les graines pour la cultiver. Les réunions du pasteur et du juge avec les voisins, les longues discussions, les conversations et les intrigues n'aboutissaient à rien; c'était comme si nous avions oublié quelque chose, ou comme si quelque chose nous échappait, ou encore comme si quelque chose que nous ne connaissions pas avait germé parmi nous et nous dominait.»

La voix de William Wilson s'enroua.

— Jamais je n'oublierai ce jour. Bien sûr, nous con-naissions l'existence des autos, nous avions entendu parler de cette merveilleuse invention; quelques-uns parmi nous pouvaient même se vanter d'avoir déjà touché l'une de ces machines. Mais personne n'avait jamais vu une Cadillac. Un taureau d'or brillant sur la calandre, la Cadil-lac s'immobilisa devant le tribunal. C'était soit là, soit à l'église que nous tenions nos réunions. C'était l'automne, un jour froid d'automne, mais pas assez froid pourtant pour justifier le manteau de fourrure, plus fourni que celui d'un ours polaire, que portait l'homme assis derrière le chauffeur. Ce dernier, à peine avait-il stoppé l'auto, en descendit, vif comme l'éclair, et il ouvrit la portière arrière; enveloppé dans sa fourrure, l'homme roula dehors et les vapeurs de son parfum se répandirent aussitôt sur tout le village. Aimable, souriant, prenant bien son temps, après quelques bouffées de son cigare aussi long qu'un bâton, il se présenta: c'était E. Snopes, un banquier du Sud des États-Unis qui possédait des succursales bancaires dans le monde entier, y compris à Ottawa. Il avait été mis au courant par ses agents, dit-il, des sérieuses difficultés auxquelles étaient confrontés les habitants d'Erewhon qui, et c'était tout simplement incroyable, malgré les terres immenses et fertiles qu'ils possédaient, n'arrivaient pas à payer leurs impôts; aussi, il était venu offrir personnellement son aide pour que nous trouvions ensemble la solution: en somme, il était le sauveur moderne.

William Wilson nous regardait-il? Je ne saurais le dire. De temps en temps, ses yeux se posaient sur l'assistance mais je pourrais jurer qu'il ne nous voyait pas. Les pauses régulières pour tirer quelques bouffées sur sa pipe et le nuage de fumée qu'il lançait en l'air servaient à marquer les chapitres de son histoire.

— Au Moyen Âge, alors que régnaient la confusion mentale, l'incertitude quotidienne, les fléaux de toutes sortes et la peste, et qu'on craignait la fin du monde, les sauveurs et les faux prophètes abondaient. Notre époque présente les mêmes caractéristiques: sous mille masques, prenant mille visages, les sauveurs et les prophètes pullulent à chaque coin de rue ou dans n'importe quelle petite annonce de journal ou de revue. Le salut le plus économique à la portée de toutes les bourses, c'est le salut spirituel. Il suffit de remplir un coupon-réponse et de payer une quote-part minime pour que le sauveur ou le prophète, qui a toujours une idée lumineuse ou une solution définitive à proposer, nous reçoive les bras grands ouverts. Le plus embêtant avec le salut spirituel, c'est que, bien qu'on vous laisse entendre que la félicité et le soulagement de toutes vos misères vont se réaliser dès que vous aurez payé votre

première part, la récompense et le paradis ne s'obtien-
dront qu'après avoir payé de nombreuses parts et au prix
parfois d'immenses sacrifices quand ce n'est pas tout
simplement après la mort. Par contre, d'autres sauveurs
offrent des choses concrètes, un paradis terrestre accessible sur-le-champ et qu'on peut payer avec ses cartes de
crédit, ou avec un emprunt, ou encore avec son assurance-
vie. Snopes était l'un de ces prophètes.

    «Et les hommes d'Erewhon — soit parce qu'ils
enviaient ce monde doré de là-bas dont ils avaient tant
entendu parler, soit parce que le terrible hiver approchait,
ou encore parce qu'ils en avaient assez d'attendre la fin du
monde ou le sauveur véritable, ou simplement parce
qu'aucune autre solution ne se présentait — firent pression sur mon père et sur le pasteur pour qu'ils acceptent la
proposition de Snopes d'ouvrir une succursale bancaire à
Erewhon.

    «Les habitants d'Erewhon ne connaissaient du monde
que leur monde à eux. Les choses et les événements portaient un nom: l'aube et la tombée du jour, la vie et la
mort, le vent et la quiétude, la pluie et la neige, les ruisseaux des forêts qui s'étaient asséchés et les forêts peuplées d'esprits, tous ces éléments étaient leurs alliés. L'histoire de chaque famille s'imbriquait dans celle des autres
et les malheurs ou les joies des uns étaient l'affaire de tout
le monde. À cette époque, quand le tribunal siégeait, cela
voulait dire une réunion des clans, une rencontre entre
voisins à laquelle le pasteur assistait toujours: presqu'une
fête. Les cas qui se débattaient étaient toujours simples;
généralement, on élucidait les soupçons avant que l'affaire
en question ne prenne des proportions incontrôlables: si
la Paterson trompait son mari avec Peterson; si Hender-
son avait récolté plus de noix que MacKenzie; à qui appartenaient ces billes de bois laissées à la lisière de la forêt —
elles appartenaient en principe à celui qui les avait cou-
pées mais, si on n'en trouvait pas le propriétaire, on les
destinait à la fabrication des cercueils et au chauffage de

l'église ou du tribunal pendant les classes d'hiver. En un mot, dignes du roi Salomon, les jugements du tribunal se scellaient la plupart du temps devant une bouteille de cidre maison et un bon *roast beef.*»

En proie aux regrets et à la nostalgie, ou encore subjugué par son propre récit, le juge laissa échapper un soupir.

— On ouvrit la succursale bancaire et les premières demandes d'emprunt y furent présentées. Mais, nous aurions bien dû nous en douter, la banque ne prêtait pas de l'argent comme ça, sans autres formalités; au contraire, elle prêtait seulement aux propriétaires légitimes. Mais aucun habitant d'Erewhon ne détenait le moindre titre de propriété. Depuis les temps de la conquête, personne ne s'était préoccupé de dresser les actes de propriété des terres. La coupe du bois se faisait depuis toujours selon le même rituel et, comme la terre abondait, on ensemençait les champs autour des maisons sans s'inquiéter d'une ligne de démarcation bien nette: personne ne se préoccupait de quelques mètres de terre en plus ou en moins. Toutefois, à partir de ce moment, la tragédie commençait pour les habitants d'Erewhon: ils oublièrent le nom des choses et commencèrent à les mesurer et à les désigner par des numéros; «le tien» et «le mien» résonnèrent partout dans le ciel d'Erewhon et le vocabulaire de ses habitants s'enrichit de mots comme «droit», «propriété privée» et «progrès».

«Comme l'église et le tribunal se trouvaient dans le village et que les terres aux alentours avaient pris de la valeur grâce à la banque et à la promesse de 'progrès' qu'elle faisait miroiter, et comme mon père touchait son salaire du vice-roi et le pasteur de sa congrégation, on voulut, sous prétexte que tout le monde avait participé à la construction de l'église et du tribunal, les dépouiller de la propriété de ces édifices ou, à tout le moins, les obliger à payer à chacun la somme de travail qu'il y avait investi. Toutefois, mon père, en sa qualité de juge, et le pasteur étaient les seules autorités reconnues par le vice-roi et, selon les documents, ces terres étaient propriété de la Couronne. Tous les deux renoncèrent à quelque titre de propriété que ce soit mais ils intervinrent énergiquement pour régler toute cette affaire. Pressés d'être propriétaires, et déjà sous l'impression d'avoir été 'spoliés de quelque chose', il ne resta aux gens d'autre choix que celui d'accepter l'arbitrage de mon père et du pasteur. Sur la base de l'établissement des plus vieilles familles sur tel lopin de terre (mais non sans de nombreux désaccords), avec l'aide d'un 'expert' agronome, mon père et le pasteur cadastrèrent la terre et firent enregistrer les titres de propriété devant la Couronne, titres qui leur furent attribués par droit usufructuaire pour une période de trente ans. Une fois les titres établis, la banque accepta les demandes d'emprunt; les premiers prêts allaient servir à acheter du fil de fer pour clôturer les propriétés. Sans le moindre doute, l'essentiel était perdu.»

William Wilson se tut. Était-il, cette fois, accablé par ses souvenirs ou imaginait-il simplement la suite de son histoire? Tout ce que je peux dire, c'est que Paco, en faisant référence à la longue pause que le juge avait faite, fit remarquer quelques jours plus tard: «Ce juge doit être un stoïque. Je n'ai jamais eu de toute ma vie un pareil goût de prendre une bière.»

— D'une époque amère au futur incertain, on passa à une étape de progrès, de bien-être et de bonheur. Après la banque vint le *saloon* dont le patron (ce que personne ne savait à ce moment-là) était un homme de paille travaillant dans l'une des entreprises subsidiaires de Snopes; un *saloon* où l'on trouvait alcool, jeux et femmes. Et après le *saloon* vinrent ensuite le bureau de la police montée avec son *sheriff*, le bureau de poste et les bureaux de différents «experts» en droit, de médecins et de prophètes de toutes les religions. La banque se montrait très généreuse: il suffisait d'être propriétaire, de signer un papier, et on ressortait de la banque les mains pleines d'argent, de l'argent

qu'on flambait au *saloon* ou qu'on dépensait en rembour-
sant d'autres dettes. Trois ans après l'ouverture de la
banque, Erewhon s'était transformé en enfer. La démocratie, comme nous la concevons aujourd'hui, y était
encore inconnue; «Quiconque est présumé innocent jusqu'à preuve du contraire»: voilà la célèbre loi anglaise qui
alors gouvernait tout à Erewhon. La prostitution était
interdite, les femmes du *saloon* étaient des prostituées
mais... il fallait le prouver; on jouait avec des dés truqués
et des cartes marquées mais... il fallait le prouver; on vendait du whisky frelaté, et même en dehors des heures et
des jours autorisés par la loi mais... il fallait le prouver.
C'était la même chose à la banque, c'est-à-dire que tout s'y
faisait dans la légalité. Ni mon père, respectueux des lois
humaines, ni le pasteur, respectueux des lois de Dieu, ne
purent faire quoi que ce soit. Complices, les habitants
d'Erewhon refusaient de témoigner; quand on les interro-
geait, ils répondaient avec des arguments comme ceux-ci:
«Monsieur le juge, ou monsieur le pasteur, avant de parler
de ce sujet, il faudrait se demander ce qu'est au juste la
prostitution, ce qu'est le jeu. Il faudrait relire la Bible et
pouvoir expliquer pourquoi Salomon put avoir huit cents
femmes et qu'il m'est défendu d'en avoir plus d'une. Pourquoi pas au moins deux ou trois comme les Mormons, par
exemple? Pourtant, ces derniers aussi fondent leur
croyance sur la Bible et respectent le Seigneur. Pourquoi
Salomon serait-il plus important que moi alors que nous
ne savons même pas s'il s'est repenti de ses fautes? Pourquoi se mettre en colère contre les pauvres filles du *saloon*
qui gagnent leur vie comme elles le peuvent? Monsieur le
pasteur, rappelez-vous l'exemple de Jésus. Rappelez-vous
de Marie-Madeleine. Vous croyez peut-être que vous êtes
supérieur à Jésus?» Et ainsi de suite... Pendant ce temps,
avec la bénédiction de la merveilleuse loi, le *saloon* et la
banque, c'est-à-dire Snopes, faisaient des affaires d'or.
　　　Était-ce un effet de l'histoire elle-même ou du magné-
tisme de William Wilson? Sa voix douce, pausée, sans

être pour autant monotone, nous enveloppait comme les volutes de fumée qui enveloppaient son visage.

— Cinq ans après l'ouverture de la banque, les procès dont était saisi le tribunal augmentèrent considérablement; non seulement en nombre mais aussi en importance. Poursuites de la banque contre les propriétaires qui ne remboursaient pas leurs emprunts; poursuites des veuves de maris suicidés contre la banque; poursuites des assurés contre les compagnies d'assurance et vice-versa; enfin procès et querelles pour tout et pour rien. En un an, mon père fit résonner le marteau sur son bureau plus de fois que durant tout le reste de sa vie. Agissant toujours dans «la plus stricte légalité», la banque, autrement dit le sauveur Snopes, réussit à devenir propriétaire de quatre-vingts pour cent des terres d'Erewhon. Erewhon avait cessé d'exister: tous ses habitants travaillaient pour Snopes. Y compris mon père. Haï de tous, autant qu'il avait pu être aimé auparavant, épuisé par toutes ces séances du tribunal, il rendit l'âme et alla rejoindre ma mère; et moi, peut-être bien par tradition, ou encore parce que j'étais le seul à connaître quelque chose de la profession, j'héritai du tribunal.

William Wilson se tut. Pendant quelques secondes? quelques minutes? Il parut même avoir oublié sa pipe. Puis, enfin, il tira quelques bouffées et ses mots se frayèrent un chemin à travers les volutes de fumée.

— Étais-je jeune en ces années-là? inexpérimenté? Je n'en sais rien. Mais il est certain que ce que je fis peut être imputable à ma juvénile impétuosité, à mon inexpérience ou encore, comme je le crois, aux desseins de Dieu. À une certaine époque, je me suis senti inspiré par le Seigneur, je me suis senti l'élu qui devait sauver Erewhon. Cette inspiration me vint à l'occasion du premier cas pour lequel je dus siéger comme juge: le vol de banque d'Erewhon. Par un bel après-midi d'été, cinq minutes avant la fermeture de la banque, un cavalier masqué monté sur un cheval plus maigre que Rossinante, le cheval de Don Quichotte, déboucha «au grand galop» dans la rue poussiéreuse; il s'arrêta, sauta de sa selle et, revolver à la main, il pénétra en boitant dans la banque. Il s'était peut-être écoulé une trentaine de secondes quand on entendit un coup de feu et l'homme masqué sortit, le revolver encore fumant à la main; il monta péniblement sur son cheval et, sans que les gens qui se trouvaient devant le *saloon* ne réussissent à faire quoi que ce soit, il disparut dans le lointain, le cheval boitant encore plus que le cavalier.

«Évidemment, nous sûmes tous qui il était. Le voleur aurait eu beau se couvrir le visage avec le foulard de son épouse, il n'en restait pas moins que le seul boiteux du village était MacKenzie: couvert de dettes à la banque, incapable de subvenir aux besoins de son épouse et de ses enfants et de nourrir son cheval. Le *sheriff* vint me voir et j'émis un mandat d'arrestation contre MacKenzie. Le vol avait échoué; le malheureux n'avait réussi qu'à blesser légèrement le secrétaire du gérant, un individu particulièrement répugnant et haï de tous. Le pauvre MacKenzie n'était pas allé très loin et, pendant que le *sheriff* était parti à sa recherche, il rebroussa chemin et vint chercher refuge à l'église du village. Bien sûr, tous étaient contents de ce qu'avait fait MacKenzie puisque c'était ce qu'ils auraient souhaité avoir le courage de faire eux-mêmes. Certains allaient même jusqu'à regretter que le coup de feu de MacKenzie ait raté sa cible. Mais la loi c'est la loi et il fallait s'y soumettre. Une tentative de meurtre ne pouvait rester impunie; nous vivions à une époque civilisée, ce temps était terminé où les hommes pouvaient se faire justice eux-mêmes. Après trois jours de pourparlers avec le pasteur qui se refusait à le laisser entrer, le *sheriff* vint me voir pour obtenir un ordre de la cour l'autorisant à forcer l'entrée de l'église. Alléguant que les lois de Dieu n'entraient pas dans le champ de ma juridiction, je refusai de lui délivrer un tel ordre.»

Pour la première fois, des signes de nervosité se manifestèrent dans l'assistance mais uniquement chez les

avocats: les chaises sur lesquelles ils étaient assis craquèrent. Uniquement chez les avocats, je le répète. Les professeurs, quant à eux, restaient suspendus à la suite du
récit.

— Je vous ai dit tout à l'heure que je me voyais
comme le sauveur d'Erewhon. Comme toute cette affaire
ne pouvait plus durer, j'allai voir le pasteur avec ma petite
idée derrière la tête. Je lui exposai par le biais d'une question qui donna lieu, pour employer la terminologie actuelle,
à une «relecture» ou à une «révision» des textes sacrés.
Pendant plus de trois heures, nous cherchâmes des extraits de la Bible qui pouvaient servir de réponse à ma
question et permettre de passer de l'idée à l'acte. Chose
certaine, comme nous avions orienté nos interrogations
sur trois points en particulier, l'usure, le commerce et la
richesse, les textes (ou les directives, ou les opinions) des
prophètes s'avérèrent tellement contradictoires qu'il fut
impossible d'en tirer des conclusions irréfutables. L'âme
du pasteur, tout comme la mienne, était aux prises avec
le doute. Où était le mal? Que s'était-il passé? Nous ne le
sûmes jamais. Il y a quelque chose de pourri dans le
royaume du Danemark, s'était exclamé Hamlet quatre
cents ans auparavant. Mais il fallait prendre une décision.
Aussi, avec la bénédiction du pasteur et suivant l'exemple
de Jésus, un homme ou un Dieu plus porté vers l'action
que les autres prophètes (qu'on l'appelle «cadre» ou «militant», peu importe), je décidai d'expulser les marchands et
les pharisiens du temple. À la question: «Pourquoi arrête-
t-on et emprisonne-t-on le voleur de banque et tous les
endettés (qu'on dépouille en plus du peu qui leur reste)
alors qu'on n'emprisonne JAMAIS celui qui ouvre la banque qui sera la cause de tous les crimes?», je répondis par
l'action. Au grand étonnement du *sheriff* et de tout le village, je fis incarcérer le gérant de la banque et j'émis un
mandat d'arrestation contre Snopes.

William Wilson se tut et écouta en souriant, selon
toute apparence avec satisfaction, les «Ohhh!», les «Ahhh!»

et les «Mon Dieu! Quelle horreur!» des avocats stupéfaits et atterrés. Ils étaient tellement secoués qu'ils n'arrivaient même pas à formuler leur indignation. Bien entendu, à l'exception de leurs clients qui les regardaient pleins d'espoir, personne ne faisait attention à eux. Le pouvoir, l'esprit du récit s'était emparé des universitaires, plus sensibles et plus ouverts aux mille visages de la fiction et à la recherche des signifiants et des signifiés. William Wilson, comme un enfant content de son espièglerie, poursuivit:

— Mon action déclencha un terrible scandale qui prit des proportions internationales. Au moment où j'émis le mandat, Snopes se trouvait aux États-Unis et il ne pouvait donc plus fouler le sol canadien; le gérant croupissait en prison et la banque était fermée. La réaction de Snopes ne se fit pas attendre. Il intenta une action en justice contre moi sous les accusations suivantes: «abus de pouvoir», «attitude anti-démocratique» (ce qui vous a valu la chance que je puisse entendre votre cause), «folie démentielle». En plus de l'action en justice proprement dite, Snopes comptait sur quelque chose que je n'ai jamais pu obtenir: l'appui de l'opinion publique et des «forces vives», en l'occurrence la presse laïque qui me dénonça comme «anarchiste», «nihiliste» et «communiste», et la presse religieuse qui me stigmatisa comme «antéchrist». Fondamentalement, ni Snopes ni son gérant ne commirent quoi que ce soit de véritablement «illégal» à la banque d'Erewhon. Ma propre accusation était aussi faible qu'une toile d'araignée et, comble de malheur, elle avait un léger relent archaïque et biblique: «pédérastie monétaire et fornication fétichiste». Choses, somme toute, que la majorité admire et envie: avec plaisir et sans efforts, gagner de l'argent avec l'argent des autres. Avec l'aide de banquiers rivaux qui me fournirent les preuves de différentes malversations de Snopes, je pus avoir recours pour me défendre — et je dus le faire — à des ruses qui me répugnaient. Comme la divulgation de ces délits n'aurait pas sauvé Erewhon, je me contentai de le menacer — en d'autres mots, de le faire chanter —

de révéler ses péchés visibles, «matériels», s'il maintenait sa poursuite contre moi. Aussi, pour «sauver l'image de son entreprise», il la laissa tomber. Qu'advint-il de mon jugement et de mon idée? Je compris plus tard, beaucoup trop tard, que je ne gagnerais pas et que je n'aurais jamais pu gagner le procès contre Snopes et son gérant. Dans le cas d'une victoire, j'aurais établi un précédent juridique et d'autres magistrats ou d'autres juges auraient pu suivre mon exemple; d'ailleurs, c'est ce que j'espérais du fond du cœur en tant que «sauveur» d'Erewhon, rôle qui, par osmose spirituelle, s'étendait dans mon esprit à toute l'humanité. Si j'avais réussi à faire ce que je voulais, les piliers de la civilisation occidentale se seraient effondrés. Je découvris avec désenchantement que je n'étais rien d'autre qu'un Samson dont la force résidait dans l'esprit et dont l'arme était une idée. Aussi, à mesure que passait le temps et que je grandissais en sagesse, mes attaques contre Snopes s'affaiblissaient. Finalement, nous en sommes arrivés à une *impasse*[2] qui dure encore aujourd'hui. Bien que le mandat d'arrestation contre Snopes soit toujours en vigueur et que ses poursuites contre moi soient plus ou moins suspendues, tous les documents relatifs à ce cas, recouverts d'une épaisse couche de poussière, dorment du sommeil des justes et le fantôme de monsieur K... rôde silencieusement parmi eux. Je vieillis, Snopes mourut, et les «fornications monétaires», sanctifiées et sacralisées, continuent de plus belle.

William Wilson parut avaler de la salive; il se versa un verre d'eau de la jarre sur le bureau et le but. J'ai l'impression que les avocats, s'ils avaient eu le front de le faire, se seraient levés pour examiner le juge à la loupe, des pieds à la tête. Mais ils se dirent peut-être que l'ordre des choses était ce qu'il avait toujours été et ce qu'il devait toujours être et que le juge était le seul à venir perturber cet ordre:

_____

2. N.D.T.: en français dans le texte.

ils se contentèrent donc de s'accrocher à leurs chaises, les yeux exorbités, comme si le tribunal était un avion qui tombait en piqué.

— Et Erewhon commença à mourir. Auparavant, durant l'Âge d'or, il fallait un cataclysme ou l'invasion de hordes de barbares pour détruire une ville: aujourd'hui, la fermeture d'une banque y suffit. Snopes, le maudit, ne perdit pas grand-chose dans cette affaire. Je ne pus rien faire pour empêcher qu'il vende les terres à des spéculateurs. Les propriétaires d'Erewhon, les quelques-uns qui restaient, firent la même chose. Pendant un certain temps, pour tenir Erewhon à flot, nous acceptâmes et nous nous servîmes des ruses que la civilisation nous offrait. Ma folie, présumée ou réelle, l'assaut à la banque, le jugement contre Snopes, les fréquents incendies de leurs maisons par des propriétaires qui voulaient toucher la prime d'assurance, tous ces faits, largement amplifiés par les «mass media», attirèrent sur nous l'attention de touristes qui voulaient nous connaître, nous voir et nous toucher. J'avais remis en liberté le gérant de la banque mais, comme il était désormais stigmatisé, plus personne ne voulait l'employer de sorte qu'il continua à travailler comme prisonnier. Il passait ses journées au *saloon* à boire et à jouer aux cartes avec le *sheriff* et avec MacKenzie que j'avais aussi remis en liberté. Chaque fois qu'un groupe de touristes se pointait, pour que tout concorde avec l'histoire — en train de devenir légende —, chacun courait à son poste: le gérant s'enfermait dans sa cellule et MacKenzie se réfugiait dans l'église. Le *sheriff* servait de guide et, quand on me réclamait, mon assistant, celui même qui est ici, revêtait la toge et se coiffait de la barrette; et, le marteau à la main, il me remplaçait et se chargeait de la tâche de recevoir les touristes. Je dois admettre qu'il s'en acquittait parfaitement et les gens repartaient heureux et satisfaits, emportant avec eux l'image de l'idiot qu'ils avaient d'avance imaginé que j'étais. Encore une fois merci, Tom.

William Wilson et le greffier jusqu'alors impassible se saluèrent mutuellement d'une inclination de tête. Le juge tira deux bouffées sur sa pipe et poursuivit:

— Tout fut inutile. Erewhon agonisait. Selon certains, le seul remède aurait été un traitement homéopathique: ouvrir une autre banque. Je ne disais ni oui ni non; je me contentais de ne pas satisfaire à l'une des conditions qu'ils mettaient à l'ouverture d'une nouvelle succursale: suspendre le mandat d'arrestation contre Snopes.

William Wilson soupira.

— Erewhon agonisait, disais-je. Les filles du *saloon*, qui n'étaient déjà plus des fleurs du dernier printemps quand elles arrivèrent, vieillirent et le propriétaire du *saloon* ne réussissait pas à en recruter d'autres. Plusieurs des maisons et des hangars qui restaient à Erewhon furent brûlés et ceux qui n'étaient pas assurés, aucune compagnie d'assurance n'acceptant plus dorénavant de consentir de nouvelles polices, abandonnèrent simplement leurs maisons et s'en allèrent. MacKenzie mourut et sa famille retourna en Écosse. Désespéré, le pasteur organisa une partie de bingo à laquelle personne n'assista. Et, comme sa congrégation refusait de lui verser son salaire, son église s'étant vidée de ses brebis, fatigué de tout, il accrocha l'affiche que vous pourrez lire si vous allez à l'église et, les larmes aux yeux et vieilli, il prit congé de moi et partit. Quoique stigmatisé par le rôle qu'il avait joué dans cette affaire, le gérant de la banque reprit une vie normale grâce à un document dans lequel je suspendais toute accusation contre lui. Une fois disparu le seul «prisonnier» qui pouvait justifier ses fonctions, la R.C.M.P. transféra le *sheriff* à un autre district. Fréquenté par des vagabonds et par les hommes des environs qui s'échappaient furtivement de leurs foyers, le *saloon* survécut plus longtemps. Son propriétaire, l'homme de paille de Snopes, fit une dernière tentative pour «sauver» ou, plus exactement, pour ressusciter Erewhon. Un matin, il prit congé de moi et m'informa qu'il se rendait à Ottawa pour y régler certaines affaires. Son absence dura quelques jours et puis il revint, tout souriant, mais sans me dire quoi que ce soit. Une semaine après son retour, une auto décapotable, toute luisante, scintillante de couleurs, surgit à toute vitesse à Erewhon, soulevant derrière elle un nuage de poussière; elle s'arrêta en face du palais de justice. D'un saut, sans même ouvrir la portière, un jeune homme en descendit, dynamique, élégamment vêtu, à la main un porte-documents comme celui des avocats. D'un air décidé, énergique, mais sans violence, il frappa à ma porte et à peine avais-je ouvert que, droit comme un poteau, il se présentait: expert en planification, il était un cadre d'une agence touristique internationale. C'était un autre sauveur. Je le fis entrer; il ouvrit son porte-documents et étendit ses papiers sur ce bureau. Après quelques phrases flatteuses à mon sujet, laissant entendre que j'étais devenu une‿personnalité de réputation internationale, il exposa son plan, le seul qui pouvait sauver Erewhon, chose qui, il n'en doutait pas, m'intéresserait. Je l'écoutai. Il avait minutieusement étudié le cas et, avec talent et beaucoup d'allant, brassant chiffres, statistiques et pourcentages, il m'exposa ses idées: il ne restait pas d'autre solution (tout le prouve et vous pourrez vous-mêmes vous en rendre compte) que de mettre sur pied une vaste infrastructure touristique moderne par le biais d'une campagne de publicité à la radio et à la télévision (qui avaient déjà fait leur apparition à cette époque-là). Il fallait mettre en scène à nouveau, mais autrement, les choses et les événements qui avaient fait la réputation d'Erewhon et il fallait entretenir cette réputation avant que le feu ne s'éteigne; il fallait engager un autre MacKenzie, un autre gérant de banque, un autre pasteur, un autre *sheriff*, non pas comme celui d'avant, bedonnant, le revolver tout rouillé, mais un *sheriff* comme tous les vrais *sheriffs*, de haute taille et de belle apparence, costaud, les yeux bleus si possible; il fallait renouveler le «*stock*» de femmes du *saloon* et ce serait une bonne idée que d'avoir parmi elles une

Noire, tant pour l'originalité de la chose que pour se montrer respectueux des nouvelles lois sur la discrimination raciale; il faudrait aussi faire quelques retouches au *saloon* lui-même pour «lui redonner un air antique»; autre chose encore, et c'était là une idée qui lui appartenait en propre: il fallait laisser en liberté dans les environs des loups apprivoisés (ou des chiens ressemblant à des loups) dont les hurlements provoqueraient la peur nécessaire — une «peur» généralement négligée par d'autres entreprises touristiques —, mais une «peur» qui serait dans ce cas contrebalancée par la gaillarde présence du *sheriff* et de son étincelant Colt 44. En fin de compte, la visite à Erewhon devrait s'avérer une «aventure excitante» et une «expérience ineffaçable» de sorte que l'opinion et les commentaires des gens en soient la meilleure publicité. «Ah! oui, j'allais oublier, Votre Honneur: de temps en temps (il pourrait s'agir d'une visite 'spéciale' pour laquelle on devrait demander un prix plus élevé), on pourrait organiser l'incendie d'une maison de carton; après tout, on avait beaucoup parlé des 'incendies d'Erewhon' parce que, dans les cas de réclamations aux compagnies d'assurances, vous tranchiez toujours en faveur des sinistrés. Enfin, si Votre Honneur le veut bien, l'entreprise lui offre la chance de jouer le rôle du juge; et si vous refusez, et bien sûr vous ne serez pas pour autant privé de votre salaire, votre secrétaire, mais n'y voyez pas là une offense, est parfaitement en mesure de remplir aussi ce rôle: l'important, c'est d'offrir au public l'image qu'il cherche et qu'il veut. C'est tout pour le moment. Plus tard, si les choses marchent bien, nous pourrons élargir la légende d'Erewhon jusqu'à l'époque de la conquête, construire un fort historique dont l'intérieur serait transformé en McDonald et où les serveuses seraient vêtues d'un uniforme imitant celui de la R.C.M.P. ou encore celui des soldats de Sa Majesté. Les gens sont ravis par toutes ces choses. Quant à un campement d'Indiens...» Je ne savais s'il fallait en rire ou en pleurer. Un instant, je fus envahi d'une joie lointaine à l'idée de revoir le pasteur, de revoir MacKenzie claudiquant dans la rue, sa pipe éteinte à la bouche, et les enfants arrivant en classe; je me vis moi-même me promenant dans les bois pour me dégourdir les jambes, j'avais la bienheureuse impression que tout était pour le mieux et que je vivais dans le meilleur des mondes jusqu'à ce que j'atteigne le cimetière d'Erewhon. Là se trouvaient et se trouvent toujours les tombes de ceux qui ne sont pas partis: celle de MacKenzie, celle de ma mère à côté de celle de mon père, et celle d'autres personnes que j'avais connues; et je vis une tombe ouverte, vide, qui m'attendait. J'écoutais le monde mais sans l'entendre, et j'eus la certitude que ce monde n'était plus alors qu'un dérisoire paysage touristique, une grossière et ridicule imitation artificielle d'un paradis perdu, une danse forcée de marionnettes, un rêve de sensations châtrées. J'interrompis le bavardage de l'expert et je lui dis que je le remerciais de son intérêt et de son offre mais que, comme il ne restait plus personne à Erewhon, cela ne m'intéressait pas. Il balbutia quelque chose au sujet de mon avenir et de mon salaire et je lui répondis que, dans ce cas, j'applaudissais la bureaucratie et que je mettais ma confiance en elle. Il rassembla ses papiers, les rangea et, avec un sourire figé, me tendit sa carte de visite... au cas où je changerais d'avis. Avant de fermer la porte, il me dit: «N'oubliez pas, Votre Honneur, que vous avez plus que votre part dans la mort d'Erewhon. C'est votre dernière chance.» Il ferma la porte et peu après j'entendis le vrombissement de la décapotable. Le lendemain, le propriétaire du *saloon* chargea dans une charrette le peu de biens qu'il lui restait, mura les portes et, accompagné des deux dernières femmes, il partit pour toujours sans prendre congé.

«Ici finit l'histoire. Messieurs, c'est la raison pour laquelle il n'y a pas de banque à Erewhon. J'espère avoir été clair et avoir répondu à votre question[3].»

---

3. Aimable lecteur, comme le commentaire intitulé «Relecture de *L'histoire de la banque d'Erewhon*» a dépassé en extension le nombre

de pages que j'avais prévues initialement (l'homme propose et Dieu dispose), et comme mon livre n'est pas un film projeté à la télévision et mon commentaire, l'annonce d'un produit nouveau pour nettoyer la cuisine plus facilement et plus agréablement, comme mon commentaire, donc, coupe et interrompt le libre flux des émotions, je me dois en toute rigueur de donner quelques éclaircissements préliminaires.

Que le lecteur sache avant toute chose qu'il doit prendre une décision: lire ou ne pas lire le commentaire qui suit. Les raisons en sont évidentes: d'une part, je ne veux pas le couper des émotions qu'il aurait pu ressentir jusqu'à maintenant; d'autre part, le commentaire qui suit a un léger relent de travail de spécialiste, mais léger, rien de plus. Je le recommande au lecteur du point de vue des relations sociales. Quand il aura lu et assimilé ce commentaire, il pourra discourir avec aisance dans n'importe quelle réunion — cocktail, dîner, «party», ou «groupe de rencontre» — sur n'importe quelle œuvre de la littérature universelle, que ce soit *Guerre et paix*, *Hamlet* ou *Don Quichotte*; ceci, bien sûr, à condition qu'il veuille bien accepter que tout est utopie, y compris sa propre vie.

Mais avant qu'il ne prenne sa décision, je lui fais part ici de certaines opinions sur le juge émises par les universitaires présents au procès. On a dit par la suite: «Légèrement ingénu mais d'une infinie grandeur d'âme.» «Qu'on le veuille ou non, le comportement du juge eut quelque chose d'héroïque.» «Personnellement, j'ai senti qu'il touchait le ciel de ses mains.» «C'est un modèle d'une suprême et authentique individualité et non un produit de cet individualisme de pacotille dont la société de consommation se complaît à nous rabattre les oreilles.» «C'est un incompris, un être hors du commun, inapte à vivre dans son époque.» Et, chose étrange, tous furent d'accord pour dire que le récit de William Wilson avait fait naître en eux plein d'idées, des titres de contes, des projets d'essais, de publications: en somme, il avait ouvert un champ neuf et fertile pour les recherches sérieuses qui faisaient tellement défaut. Et certains entrevirent même la possibilité d'un véritable changement de vie.

Ami lecteur, prends ta décision maintenant, et fais ce que bon te semble. Si tu lis mon commentaire, tu pourras comparer les opinions des universitaires et ma propre façon de traiter le sujet.

Vers une relecture de L'histoire de la banque d'Erewhon

Mes propres doutes (des doutes tout d'abord intérieurs et solitaires et maintenant connus de tous) quant au titre à donner à ce très bref essai sur le discours de William Wilson, prouvent bien que la vie est bien une entreprise remplie d'hésitations. Ayant à choisir entre des titres comme «Histoire d'une démesure», «Le discours est une noire erreur», «Clair langage d'un obscur passé» ou «Obscur langage d'un clair passé», j'ai finalement opté pour celui qui paraît en tête de cette page.

En bonne logique, je reprends ici la réflexion (nécessaire) amorcée dans la seule véritable note en bas de page (dont la relecture s'impose) qui apparaît durant le récit du juge. Il importe donc de savoir si l'histoire racontée par William Wilson a quelque chose à voir avec le reste de ce récit. OUI et NON. Non, parce que — à l'exception de l'inexistence de la banque (dont l'absence constituait en soi une sorte de présence), un phénomène qui n'intéressait que les avocats —, le récit de William Wilson n'avait strictement rien à voir ni avec les personnes présentes au procès, ni avec le verdict final, ni avec le résultat général de ma recherche particulière. Oui, en ce sens que l'histoire de la banque, réelle ou fictive (je reviendrai sur le sujet), illustre directement ou indirectement l'inexistence existante du solitaire village d'Erewhon (encore un titre possible qui m'a échappé); et l'histoire de la banque permet aussi de découvrir un personnage, un caractère d'une incohérence cohérente dans son attitude et dans ses agissements envers le monde et envers nous, et plus particulièrement envers le Pygmée et Masque Aztèque. Évidemment, je parle de William Wilson.

Enfin, nous voilà au cœur du problème: qui est William Wilson? Mais, au fond, y a-t-il réellement intérêt à savoir qui il est? Ou plutôt, l'histoire qu'il a racontée ne fournit-elle pas en elle-même la réponse à la question de savoir qui il est? Et, de ce fait même, à la question: comment est-il? Subtil problème linguistique qui ne se présente peut-être pas dans les autres langues. En un mot: que faudrait-il connaître?

Prenons le taureau par les cornes et tout le reste paraîtra un jeu d'enfant. En premier lieu, nous tenterons de répondre à la question fondamentale: l'histoire de William Wilson est-elle une histoire réelle ou une pure fabulation? Ou encore les deux à la fois? Ou est-ce simplement, comme on dit couramment, «une bonne blague» du juge? L'existence inexistante (ou l'inexistence existante) du solitaire village d'Erewhon pourrait être vue comme une preuve concluante venant confirmer la véracité de l'histoire. Toutefois, le ton épique du récit, truffé de citations littéraires (comme nous le verrons plus loin), et l'introduction de personnages «réels» portant des noms de personnages de l'univers de la littérature (chat pour lièvre ou lièvre pour chat: voyez plus loin) nous font supposer et nous autorisent à croire que William Wilson créa de toutes pièces une fable (ou une parabole, ou une leçon de morale, assez naïve bien sûr, tout comme l'est la phrase suivante: le juge oublie que, pour que la vérité soit intéressante, il faut savoir la maquiller du «mensonge» littéraire), une fable, je le répète, sur la faillite d'une banque et le *dépeuplement consécutif d'un village (métaphoriquement parlant) déjà ravagé de fait par la peste ou par une épidémie de grippe asiatique ou nord-américaine.*

Les remarques antérieures suscitent aussitôt une autre question: si l'on considère le ton épique de son récit, les références littéraires et les concepts qu'il utilise sans jamais les expliquer ou les développer, en fait, William Wilson n'envahissait-il pas un champ d'activité qui ne lui appartenait pas et qui n'était pas de sa compétence? Je me réfère ici spécifiquement au monde littéraire tant académique qu'extra-académique. Je note d'ailleurs que j'ai laissé tomber cette observation à tout hasard, sans plus.

Alors, comment doit-on envisager le problème? Supposons un moment que l'histoire de William Wilson ait été purement fictive. Or voilà, certaines théories littéraires en vogue (comme toujours quand on veut «vendre» quelque chose d'une qualité douteuse, on lui accole le mot «scientifique»; aussi, dans ce cas on devrait parler de théories «scientifiques») prétendent qu'il n'est d'aucun intérêt de savoir si une histoire — ou un conte — est «réelle», ou «vraie», ou «fausse»: seul importe qu'elle se suffise à elle-même. Mais si elle se suffit à elle-même, qu'avons-nous donc à faire dans cette histoire? Et si elle ne se suffit pas, alors à quoi sert-elle? En d'autres mots, qu'est la vérité sans nous?

Pour la finalité de ce travail, j'accepte d'envisager les deux possibilités et je considère donc aussi l'histoire de la banque comme «vraie» (dans le sens mythique du terme; consultez à ce propos Mythe et réalité *de Mircea Éliade): il faut y voir la version d'un certain William Wilson, à la fois narrateur du récit et démiurge de l'action. De la sorte, nous pouvons accepter que la littérature — en lieu et place du Dieu oublié — puisse servir à autre chose que de permettre aux écrivains et aux professeurs de se mettre en vedette et de gagner de l'argent (de la même façon que les recherches des biologistes sur «le mystère de la vie» soutiennent monétairement la vie de ces investigateurs quoi-*

que les résultats de leurs recherches soient jusqu'à mainte-
nant bien pauvres).

Comme le lecteur peut s'en rendre compte, les cornes
du taureau sont beaucoup plus glissantes que ce que nous
aurions pu croire. Aussi, je m'incline devant cette insolu-
ble difficulté et je propose humblement (ai-je un autre
choix) au lecteur mes commentaires sur le discours du
juge. J'espère que ces commentaires pourront l'aider à
mieux comprendre cette histoire à tout le moins étrange,
sinon magnifique, mais sans pour autant dire épique.

Tenons pour acquis que l'histoire du juge puisse être
une histoire réelle. Mais admettons aussi que le mode de
présentation du récit, la façon dont il le construit et le ton
proprement dit correspondent au modèle typique de l'uto-
pie de l'Âge d'or, un leitmotiv *commun à toute la littérature*
espagnole du Siècle d'Or. Le discours de Don Quichotte
aux bergers commence presque de la même manière que
le discours du juge (voyez Don Quichotte, *chapitre II,*
deuxième partie, Éd. Planeta). Selon William Wilson, il
semblerait que la vie à Erewhon avant l'implantation de la
banque se déroulait dans une sorte de monde bucolique,
d'état (de rêve?) paradisiaque primitif. Quelques exemples
suffiront à justifier notre interprétation: «... les chèvres le
fromage... les abeilles notre sucre... tendre la main pour
cueillir les fruits...», etc. Nous trouvons aussi, et cela ren-
force notre thèse, des traces d'animisme primitif: «... forêts
peuplées d'esprits...» (significativement, cette phrase ap-
paraît plus d'une fois); et des touches de panthéisme: «... ils
respectaient la nature... la nature étant pour eux l'incarna-
tion de Dieu...» Quant aux touches poétiques du juge,
d'une candide ingénuité: «... serpentées de ruisseaux cris-
tallins...», elles sont seulement acceptables comme mani-
festation d'une «poésie naïve» car si nous les jugions à la
lumière de la poésie moderne, elles ne résisteraient pas à
l'examen et... tomberaient en bas de la page.

Continuer à justifier mon interprétation en signalant
les utopies du même genre, parler de Thomas Moore, de

Campanella et de ses sources grecques (toujours les Grecs), citer Platon et son Atlantide, Luciano, et remonter jusqu'aux utopies modernes (i.e. la science-fiction), tout cela ne serait qu'un impudent déploiement d'érudition complètement superflu.

Sur la première partie du discours de William Wilson, deux points encore, qui me parurent importants, méritent d'être soulignés. Le premier se rapporte à la phrase «il y a fort longtemps dans un lointain pays» qui attira tout particulièrement mon attention. Peu importe que le narrateur (le juge) l'ait citée accidentellement ou intentionnellement, je ne peux tout de même passer sous silence le fait que ladite phrase est le titre de l'un des plus importants romans de Guillermo Hudson (Far Away and Long Ago): or j'ai longuement parlé de ce Guillermo Hudson et des relations que j'ai entretenues avec lui dans la note 2 du chapitre IX.

Quand au second point, le voici: à première vue, le discours du juge (considérant de plus la personne du juge, son langage mesuré, la sobriété de son habillement et le lieu, le tribunal lui-même) paraît totalement dénué de la plus petite pointe d'érotisme. Plus encore, autant son discours que sa personnalité sembleraient répondre au terme de puritanisme (voyez plus avant). Mais... prenez garde aux signifiés apparents ou aux signifiants sans contenu! Après Freud et la cohorte de psychanalystes qui le suivirent, après la linguistique psychanalytique qui s'est penchée avec une telle profondeur sur les signifiés et les signifiants, sur les relations des uns aux autres (l'apparent et le réel), sur les signifiés intertextuels (devant, derrière, sous et entre les lignes du texte), nous ne pouvons pas avoir l'ingénuité d'accepter ainsi, sans autre forme de procès, le discours du juge. Nous le regrettons.

Nous serons brefs. Derrière chaque légende sur l'Âge d'or, et même au cœur de chacune d'elles (plus encore, c'en est le fondement), se cache la vision bucolique. Mais voilà, quel est au juste le sens de bucolique? L'Académie royale dirait: «poésie de la vie champêtre». Et quoi encore?

Et qu'en dit Cervantes par la bouche de Don Quichotte? Il en dit ceci (ibidem, op. cit.): «... les jeunes et belles bergères se promenaient de vallée en vallée... leurs nattes de cheveux tombant sur les épaules, vêtues simplement du strict nécessaire pour couvrir décemment ce que la décence exigeait...» Ce que la décence exige que l'on couvre, c'est là un problème strictement culturel et, d'ailleurs, un problème qui ne nous intéresse pas pour le moment. Revenons un peu aux jeunes bergères. Qui sont-elles, nous dit-on? Des «jeunes filles célibataires» ou de «jeunes bergères». Et dans quel état se promenaient-elles de «vallée en vallée»?: «leurs nattes de cheveux tombant sur leurs épaules», c'est-à-dire dans le plus simple appareil, toutes nues. Nous y voici. La vision bucolique de ces jeunes bergères célibataires, de ces jeunes bergères nues n'est rien d'autre qu'une version plus moderne des bacchanales peuplées de NYMPHES! Le lecteur reste sceptique? Je suis tout tremblant d'émotion devant ma découverte. Les nymphes, comment se promenaient-elles? La plupart du temps nues, s'ébattant par les prés et par les bois, bondissant, joyeuses et folâtres, par-dessus les ruisseaux cristallins, fuyant, mais... qui? Personne d'autre que Bacchus: or, où se trouve Bacchus, le satyre, il y a des bacchanales. Et on peut ainsi imaginer d'autres satyres, ivres de vin et d'amour, prenant leurs flûtes (flûtes: attention au symbole) et pourchassant les nymphes et les nymphettes. Et de là à s'identifier à ces satyres, il n'y a qu'un tout petit pas à franchir. Aussi, nous pouvons conclure que le juge (sans qu'il le sache et qu'il en soit réellement conscient, tout comme Cervantes parlant par la bouche de Don Quichotte), nous révèle, grâce au «discours de l'inconscient», une attitude hédonique bien évidente (notez bien: nous ne disons pas érotique) devant la vie «primitive et paradisiaque» d'Erewhon. Mais... allons donc! Nous ne sommes pas dupes!

Parmi «les choses inimaginables qui allaient révolutionner le style de vie de toute l'humanité», William Wilson mentionne l'ouvre-boîte électrique. Faut-il voir dans cette curieuse classification — dans laquelle il inclut même l'ouvre-boîte électrique — une attitude authentique et spontanée? En d'autres mots, le juge parle-t-il réellement comme un «primitif de l'âge de pierre d'Erewhon» qui s'étonnerait devant les produits fabuleux de l'ère technologique? Ou ne parle-t-il pas plutôt comme un sage qui, au-delà des problèmes du bien et du mal, considérerait l'ouvre-boîte électrique (j'en possède moi-même un) comme un jouet pour demeurés? Il est de fait impossible de trancher: la classification de William Wilson et tout autant sa façon de l'exprimer demeurent totalement ambiguës.

E. Snopes, le sauveur (propriétaire de la banque). Si on voulait prouver que William Wilson a inventé cette histoire, faudrait-il ajouter d'autres preuves à celle que sa propre existence (celle du juge) et son histoire remettent en question les fondements sur lesquels se construit toute vie? Je m'explique à l'instant. Ma grande culture, qui me permet d'embrasser de vastes panoramas et d'apporter quelque lumière au lecteur, est maintenant mon ennemie. Quand le juge prononça le mot Snopes, je tressaillis et je cherchai un réconfort auprès de mes collègues. Mais personne ne s'était rendu compte de quoi que ce soit: ils étaient tous subjugués par l'histoire qu'on leur racontait. Snopes est le nom de l'un des personnages de la trilogie (Le bled; La ville; La demeure) de l'extraordinaire écrivain William Faulkner (prix Nobel de littérature). Même sans tenir compte de la coïncidence surprenante entre le prénom de l'écrivain et celui du juge (William), phénomène qu'il faut imputer à un pur effet du hasard (quoique, pour les déterministes, il n'existe aucun phénomène fortuit), il est impossible d'esquiver une question aussi sérieuse. Snopes, le personnage central de la trilogie de Faulkner, un être sombre, débrouillard, au sujet duquel beaucoup de choses restent dans l'ombre (peut-être bien un passé de bandit, de voleur ou d'assassin), finit sa carrière (en tant que personnage de fiction) comme riche banquier (voyez La demeure). Or, ce Snopes a-t-il été un personnage réel dont se seraient inspirés Faulkner et aussi William Wilson? Ou ce dernier s'est-il inspiré de la trilogie de Faulkner pour créer le personnage de sa propre histoire? Cela soulève les subtils problèmes de la propriété intellectuelle et des droits d'auteur, une affaire qui n'intéresse que les avocaillons qui ne lisent pas (la preuve en est que ceux qui nous accompagnaient ne se rendirent compte de rien et laissèrent passer une bonne occasion d'attaquer le juge sur un autre flanc ou à tout le moins de lui poser quelques questions embarrassantes). D'autre part, je dois admettre que je n'ai pas moi-même la réponse à la question de savoir qui s'est inspiré de qui et que la tâche de trouver cette réponse serait l'objet d'une autre publication. De toute manière, ceux qui comme moi ont lu la trilogie se seront rendu compte (comme plusieurs commentateurs et critiques l'ont noté) que Faulkner utilise son personnage (Snopes) comme symbole de toute une classe d'aventuriers qui dirigent aujourd'hui le destin des États-Unis et du monde entier. Et, comme le signalait un critique: «Il ne fut rien de plus qu'un symbole.» Laissant de côté ces commentaires «avisés» qui ne mènent nulle part, il faut signaler que William Wilson ajouta une «nouvelle dimension» au rôle de banquier du personnage: celui de sauveur moderne ou de rédempteur moderne. C'est là une découverte heureuse, utile pour la critique qui aurait intérêt à l'étudier avec plus de profondeur.

«Notre époque présente les mêmes caractéristiques» que le Moyen Âge, affirmait le juge. Étrange formation intellectuelle que celle de William Wilson! Bien lestement, il saute d'un sujet à l'autre, ou de siècle en siècle, sans s'inquiéter le moins du monde de méthodologie, sans crainte de la critique, et sans même identifier (de façon à les justifier) ses sources. L'universitaire consciencieux qui voudrait justifier une seule de ses opinions, et qui voudrait l'élaborer (d'habitude il n'y réussit pas), aurait besoin de

toute une vie d'études, de recherches et de sacrifices, et
d'au moins trois mille citations. Conscient de mes propres
limites (et les reconnaissant, condition essentielle pour
être heureux dans la vie), j'ai consulté le Mendocinien
(rappelez-vous sa spécialisation) pour savoir le crédit qu'il
fallait accorder à la proposition du juge. (Enfin... il est
peut-être exagéré de parler de «proposition», «opinion»
suffirait sans doute amplement.) Grand expert, toujours
d'une extrême prudence dans ses réponses, le Mendocinien me demanda quelques précisions supplémentaires:
«Quoi? Si notre époque ressemble au Moyen Âge ou si le
Moyen Âge ressemble à notre époque? Mais nous parlons
de quoi au juste? Du haut ou du bas Moyen Âge? Rends-
toi compte qu'il y a des différences fondamentales.»
Comme je lui répondis que le sujet ne m'intéressait que
dans ses grandes lignes (autrement, nous ne serions plus
jamais sortis du Moyen Âge), il me conseilla trois livres
portant sur le sujet: le premier, de sa plume: Les orgies
durant le haut Moyen Âge; l'origine de la nuit de Walpur-
gis; le second: Le nouveau Moyen Âge, collaboration
d'Umberto Eco et autres auteurs; et le troisième: Antécédents de la libération féminine; la ceinture de chasteté et la
complicité des forgerons. L'œuvre de qui, ce dernier? Je
sais, lecteur, que tu vas en tomber à la renverse: c'était de
la Valkyrie. (Et moi qui n'en savais rien, je comprends
maintenant beaucoup de choses que le lecteur comprendra un peu plus loin.) Je remerciai le Mendocinien de son
aide et, tout confus, je reconnus qu'il s'agissait de livres
dont je n'avais jamais entendu parler. Le Mendocinien me
rassura: «Ne t'en fais pas trop pour ça. C'est une thèse qui
date quelque peu et qui, tout comme la mini-jupe, n'est
plus à la mode. Aujourd'hui, c'est derrière les bonnes
sœurs que nous courons.» Paco, qui se trouvait tout près,
demanda: «Derrière celles du Moyen Âge?» Pour ne pas
poursuivre sur cette pente glissante qui nous conduisait
d'habitude au bar le plus proche, je pris congé et partis.
Lecteur, prends bien note du titre de ces livres.

Raffinant un peu mon instrumentation critique, je ne peux faire autrement que de remarquer que, malgré les éléments païens dans la première partie du discours (avant et jusqu'à la phrase: «Les premiers prêts allaient servir à acheter du fil de fer pour clôturer les propriétés»), l'histoire du juge finit par ressembler de plus en plus à l'idyllique paradis perdu des chrétiens. D'ailleurs, cette légende aussi est d'origine païenne et, comme celle du déluge universel, elle est commune à tous les peuples.

De toute manière, malgré ces éléments païens, il ne fait aucun doute pour moi, tout autant par le tour du récit qu'en raison des agissements ultérieurs de William Wilson (en plus de ceux que le lecteur connaît déjà), que ce dernier est chrétien (je ne suis ni Juif ni Nègre). Si jamais il subsistait encore quelque doute à ce propos, rappelez-vous la remarque de Paco, une remarque lancée à tout hasard mais d'une profonde intuition: «Ce juge doit être un stoïque. Je n'ai jamais eu de toute ma vie un pareil goût de prendre une bière.» Or, la relation entre le christianisme primitif (et celui d'aujourd'hui) et le stoïcisme a été claire-ment établie. (Voyez Le courage de l'être de Paul Tilich.) D'un point de vue global, j'irais jusqu'à définir le juge comme un protestant. Je dis «d'un point de vue global» parce que je ne sais dans laquelle des branches du pro-testantisme le situer: baptiste, méthodiste, témoin de Jéhovah, anglican, etc. Il n'est sûrement pas Mormon puisque dans son discours les Mormons sont identifiés comme des étrangers: «Pourquoi pas au moins deux ou trois (femmes) comme les Mormons par exemple?» Ce dernier point est d'un très grand intérêt pour la sociologie ou pour l'anthropologie et il nous permet de conclure que la société d'Erewhon était monogamique. (William Wilson avait-il été marié, était-il veuf? Ou encore, fidèle à la sagesse évidente qui se dégageait de sa personne, était-il resté célibataire? Les informations à ce sujet nous font défaut.)

J'en viens maintenant là où je voulais en venir. Les

propos qui précèdent nous permettront de mettre en lumière une contradiction fondamentale dans l'histoire (le discours) du juge. Je le fais à regret mais je ne peux m'y soustraire. Malgré ce que dit William Wilson sur «le tien et le mien» (un autre thème presque mythologique), malgré l'édifiante vision (nostalgique et idyllique) qu'il donne de son village, et bien que ses habitants aient pu être bons et généreux (parce qu'ils étaient chrétiens ou protestants?), je ne peux nullement croire qu'ils aient été aussi indifférents «au tien et au mien» (en d'autres mots, à la propriété privée) que ne le laisse entendre le juge. Je ne crois pas qu'aucun protestant, tout simplement comme ça, gratuitement, puisse oublier la propriété d'un arbre (et même d'une toute petite branche!) ou qu'il puisse encore ne pas avoir (toujours) à l'esprit les limites de sa propriété. (Les événements ultérieurs qui se sont produits à Erewhon confirment mes observations.) Plus encore, nous pouvons affirmer (voyez La vie quotidienne dans le monde moderne de Henri Lefebvre) que le protestantisme est le support moral (i.e. idéologique) qui légitime et fonde aujourd'hui l'individualisme exacerbé et la valorisation de l'amour de l'argent. Ceci s'explique facilement (je cite): «Chaque protestant porte en lui-même son propre Dieu et sa propre raison. Chacun devient son propre prêtre» (Ibidem, page 180). De la sorte, en l'absence d'une autorité externe qui régisse les conduites (qui condamne ou absolve), le bien et le mal, l'appropriation et l'expropriation, le péché et la vertu, l'amour et la haine, les enfants et les parents, tout cela devient le «business» particulier (l'affaire de chacun) et, exception faite des lois qui réglementent la vie civile, chacun règle ses comptes avec lui-même et ses décisions finales, il les prend dans l'intimité, là où l'emprise des lois ne s'étend pas. Autrefois, l'individu aurait pris ces mêmes décisions devant le feu qui crépitait, étreignant probablement sa Bible pendant qu'il méditait; aujourd'hui, il prend ces décisions en face de son téléviseur, une bouteille de bière à la main, le Playboy sur le plancher à côté de son fauteuil. Mais, d'une façon ou de l'autre, il reste toujours à l'intérieur des limites de l'inviolable «propriété privée». De la sorte, il devient évident que l'accusation du juge (sans nul doute bien tournée et fort habile) contre le monde et la banque, présumés symboles du mal, est tout simplement injuste. William Wilson n'admettra jamais que le germe du mal existait déjà à Erewhon depuis deux mille ans. De façon beaucoup plus succincte que je ne peux le faire, voici comment un critique du Nord définissait le protestantisme: «La preuve de la capacité du protestantisme à concilier les intérêts monétaires et la vie spirituelle, nous la trouvons dans l'extraordinaire aptitude de Billy Graham à administrer le douleur-dollar du Seigneur.» (Au sujet de Graham, consultez la note 7 du chapitre XV.)

En un mot, ce que je veux mettre en évidence, c'est que le commentaire ironique du juge (ou la manière ironique de présenter l'information) quant à l'utilisation des premiers prêts consentis par la banque (pour l'achat de fil à clôture) n'est rien d'autre que cela: de la pure ironie. Si la vie de ce Erewhon primitif était une vie quasi sauvage, quasi barbare, la nécessité de clôturer (d'établir les limites) apparaît d'elle-même. Le cri d'un grand leader argentin dont les idées furent justement influencées par l'idéologie protestante et progressiste de l'Amérique du Nord est loin d'être un effet du hasard. Je parle ici du cri immortel de Domingo F. Sarmiento devant le honteux spectacle des barbares «gauchos» arpentant la pampa en tous sens, saccageant tout sur leur passage, pillant, kidnappant de jeunes femmes (il y aurait possiblement là une perspective d'analyse du «gaucho» comme satyre national). Devant ce spectacle, je répète, Sarmiento hurla à ses contemporains: «Barbares, érigez des clôtures!» Son hurlement aura été entendu jusqu'à Erewhon. Toutefois, si l'habitude d'ériger des clôtures s'est par la suite internationalisée et s'il n'est désormais plus possible de vagabonder en toute liberté dans la pampa de son propre esprit, ce n'est certes ni la faute ni d'ailleurs le problème de ceux qui posent les clôtures.

Quant à la phrase «Erewhon s'était transformé en enfer», je dirais presque que c'est un cliché ou un lieu commun. Tous connaissent la chanson qui dit: «Petit peuple, enfer énorme»: c'est là une définition beaucoup plus générale qui a l'avantage d'englober tous les peuples du monde. Une fois de plus, le pouvoir de synthèse et d'expressivité de la poésie triomphe.

Quant aux remarques du juge sur la démocratie, nous n'y adhérons ni ne les rejetons. Pour moi, c'est un problème insoluble, l'une des nombreuses contradictions que nous devons accepter pour être capables de vivre. D'ailleurs, j'ai déjà présenté au lecteur quelques définitions et quelques opinions sur ce sujet. (Il suffit de consulter la note 1 du chapitre IX.) Je ne suis pas personnellement, je l'ai déjà dit et je le répète, ce type d'exilé «gauchisant» qui — parce qu'il vient d'un pays sous-développé où la «technocratie» n'a pas encore fait table rase des grands idéaux (à défaut de technologie, les idéaux font bien l'affaire) — passe sa vie à critiquer cette démocratie pendant que d'un même souffle, fasciné et ensorcelé, ils continue à téter le jus verdâtre du dollar jusqu'à devenir un parfait «consommateur anonyme». (Consultez Les additions modernes de Gabriel Fiasché, le grand psychanalyste, psychiatre et psychologue de réputation internationale, qui nous dit dans le prologue de son livre: «Je suis tout cela et aussi un bien mauvais consommateur: un mauvais consommateur non pas tant par avarice mais pour poser un acte exemplaire de protestation.»)

Mais je comprends la consternation de William Wilson devant la corruption, devant la complicité des habitants d'Erewhon qui refusaient de témoigner et entravaient ainsi le cours de la justice; et je comprends tout particulièrement sa perplexité devant l'effrayant problème de devoir trancher entre ce qui était défendu et ce qui était permis. La démocratie engendre des problèmes mais elle les *résout aussi; il s'agit de voir le beau côté des choses et de ne pas se fourrer dans toutes sortes d'histoires.*

Toutefois, William Wilson doit aussi comprendre qu'il vivait en dehors du monde et qu'il n'était pas très au fait des derniers progrès de la démocratie en ce qui touchait le problème de fixer les limites d'application de la loi et en ce qui regardait tout particulièrement (et ceci est un reproche, monsieur le juge) la jurisprudence, son domaine spécifique. Comme c'est là un domaine qui ne relève pas de ma propre compétence, je rapporte textuellement un article paru dans un quotidien anglais au sujet d'un procès tenu en français dans la province française du Canada. J'y vois un procès exemplaire dont on peut tirer une méthodologie servant à fixer le champ d'application de la loi. Le voici:

«(Presse canadienne-Hull, Québec). — Bonjour ('Hi' dans le texte original anglais), je m'appelle David Roney et c'est moi qui vous écris cette note. En voici la raison. C'était le 11 octobre 1977, lors de la visite de la reine. Une belle et chaude journée où le soleil brillait dans le ciel, bien que de noirs nuages menaçaient à l'horizon. Au tribunal de la ville de Hull, le procureur de la Couronne, le docteur Cliford Thomson, 58 ans, avait intenté une poursuite, pour avoir violé la loi sur la pornographie, contre monsieur Daniel Jaudoin, 35 ans, commerçant et propriétaire d'une boutique porno (commerce d'articles pornographiques). En plus des articles à demi légaux ou plus ou moins permis portés en preuve (à ce point, le procureur de la Couronne signala le manque de réglementation dans ce domaine et les abus que cela engendrait dans notre démocratie), des articles tels que des instruments servant à la satisfaction de déviations morbides comme le sadisme et le masochisme, des organes artificiels, tant féminins que masculins, pour la satisfaction de l'instinct sexuel normal, des préservatifs contre nature (le procureur de la Couronne expliqua qu'on y trouvait des rugosités, des couleurs et des formes exagérées), la poursuite du procureur

de la Couronne se fondait aussi sur le fait que le susdit commerçant avait mis en vente des revues et des affiches qui représentaient l'acte sexuel d'une manière éhontée. Or, selon le procureur de la Couronne, cette dernière action tombait assez évidemment sous le coup de la loi sur la pornographie, bien que le champ d'application de cette loi soit encore assez vague.

«L'avocate de la défense, Brigitte Mottet, 28 ans, membre active du Mouvement de libération féminine, fonda sa défense sur le droit au libre commerce, sur la protection du droit du consommateur (autant les femmes que les hommes, spécifia-t-elle) et sur la violation par le procureur de la Couronne du droit à la vie privée et à l'intimité.

«En date d'aujourd'hui [i.e. hier], le jury et le juge en fonction, le docteur René MacDonald, 45 ans, après avoir à nouveau minutieusement examiné les preuves soumises par le procureur de la Couronne (organes féminins et organes masculins articiels, fouets, chaînes et divers autres instruments de torture; brochures illustrées expliquant différentes techniques amoureuses: quel vêtement porter, comment réaliser l'approche, quels appareils utiliser, comment gémir et quoi dire; brochures spéciales pour lesbiennes, homosexuels, fétichistes, sadiques et masochistes; instructions sur les différentes méthodes de torture, etc.), et après avoir jeté un dernier coup d'œil sur les photos les plus osées sur lesquelles le procureur de la Couronne a fondé son accusation — photos qui passaient d'une main à l'autre parmi les membres du jury, provoquant des gestes de nervosité dans l'assistance —, le juge, en accord total avec le jury, a rendu la sentence suivante: 'Ce onze janvier de l'an de grâce mil neuf cent soixante-dix-sept, nous (moi, le juge René MacDonald et les membres du jury), en tant que représentants de la loi, après avoir étudié attentivement le cas qui nous était soumis, sommes prêts à rendre notre verdict. Mais nous dégagerons d'abord les points de droit qu'implique cette affaire. Le tribunal s'est heurté à une difficulté majeure: l'absence *d'une définition claire et précise de la pornographie — ce qui est et ce qui n'est pas pornographique. Nous avons malheureusement été obligés de laisser de côté tous les antécédents historiques sans exception, il s'agit de cas aujourd'hui désuets. Aussi, nous nous retrouvons donc sans la moindre jurisprudence sur laquelle nous appuyer. Quoi faire alors? Nous avons dû nous adapter à la situation, à l'époque, et faire appel aux apports scientifiques modernes et aux statistiques pour élaborer une nouvelle méthodologie.*

«Après un méticuleux inventaire du marché entrepris par une commission formée à cette fin, deux revues en particulier — parmi toutes celles répertoriées —, Playboy *et* Penthouse, *ont particulièrement retenu l'attention: voilà pourquoi nous avons choisi ces deux revues comme critère pour élaborer notre propre définition. On trouve dans ces revues des photos de femmes qui s'exhibent les jambes largement ouvertes et, cela va de soi, qui exhibent aussi leur sexe que l'on peut voir dans toute son amplitude. De temps en temps, une banane accolée à l'organe sexuel féminin suggère symboliquement l'instrument sexuel masculin. Messieurs, s'agit-il bien là de pornographie? Ne pourrait-on pas plutôt — en raison de leur pouvoir de suggestion et de leur contenu symbolique — qualifier ces photos d'expression de la poétique moderne? Tenons-nous-en aux faits. D'autres revues, telles que* Playgirl, *exhibent des hommes de sexe masculin évidemment pourvus de l'organe correspondant audit sexe; l'organe en question n'est toutefois pas montré en état d'érection. Cependant, même quand l'organe masculin est en érection, cette propriété d'érection n'est pas accessible à l'organe féminin; de ce fait, nous pouvons définir ces deux organes comme complémentaires. En raison de cette complémentarité, nous trouvons fréquemment, dans les revues ci-haut mentionnées, des photos qui suggèrent l'acte sexuel entre un homme et une femme. (Pour des raisons méthodologiques — l'impossible complémentarité —, nous laissons de côté les photos où apparaissent deux*

femmes mimant l'acte sexuel.) Si j'ai dit 'qui suggèrent l'acte sexuel', c'est que la commission qui a étudié exhaustivement le problème n'a trouvé aucun *exemple de photo montrant une pénétration franche et profonde.*

«*Aussi, tenant compte de la diffusion massive de ces revues dont les chiffres de vente dépassent ceux de la Bible et de certaines autres revues religieuses (données de Statistique Canada et du Bureau américain des statistiques) et nous basant sur les données statistiques et les recherches des experts et des spécialistes qui ont fait partie de la commission, nous considérons donc que ces revues constituent un instrument valable (d'un point de vue numérique, mathématique, et en conséquence scientifique) pour fonder notre propre définition de la pornographie, définition qui, à son tour, servira de fondement à notre sentence. Voici notre définition: 'Est pornographique toute représentation, que ce soit par des moyens photographiques ou cinématographiques, ou même par imitation directe, dans laquelle l'organe sexuel masculin est montré prêt à accomplir l'acte sexuel lui-même et/ou pointant, de près ou de loin, vers l'organe sexuel féminin. Si la représentation montre un début d'intromission de l'organe sexuel masculin dans l'organe sexuel féminin, la gravité du délit pornographique sera d'autant plus grande; la pénétration totale sera considérée comme le délit suprême.'*

«*La sentence maintenant. En premier lieu, nous rejetons l'accusation du procureur de la Couronne selon laquelle notre tribunal aurait tendance à privilégier 'une approche moderne de la justice', une approche qui, toujours selon le procureur de la Couronne, consiste à regarder d'un œil compatissant n'importe quel délinquant et à le considérer comme un consommateur récupérable pour la société. Nous rejetons aussi l'accusation pour crime de lèse-majesté; cette accusation reposait sur le fait que, lorsqu'on les déroulait et les utilisait, les préservatifs que vendait monsieur Jaudoin laissaient voir des reproductions de photographies de la reine, de Kennedy, de Jac-*

queline, de Trudeau, de Marguerite, de Fidel Castro (qui, avec sa barbe, pouvait être confondu avec Dieu), etc., etc. Or, vouloir juger les associations mentales et les fantasmes que de telles images éveillent dans l'esprit du consommateur, c'est non seulement une prétention physiquement invérifiable mais aussi une atteinte flagrante à la vie privée et à l'intimité, et ce, par ailleurs, même si ces dites personnes acceptent avec plaisir que l'on diffuse publiquement leur image.

«En conséquence, nous condamnons monsieur Daniel Jaudoin à payer une amende de deux mille dollars pour exhibition publique de photos et d'affiches qui, selon les termes de notre définition, entrent dans le champ de la pornographie. Mais, au nom de la liberté de commerce et du droit du consommateur au libre exercice de son pouvoir d'achat, nous autorisons aussi monsieur Daniel Jaudoin à réouvrir son commerce et à poursuivre la vente de produits et accessoires sexuels. Lesdits produits et accessoires, y compris les préservatifs communs qu'on peut illustrer par décalcomanie, devront cependant être de fabrication domestique ('home made' dans le texte original) tout comme le sont les sucreries et les gâteaux. Dans cette optique, nous pouvons considérer que monsieur Jaudoin rend tout simplement un service à la société. Quant à la requête en dommages et intérêts de monsieur Jaudoin pour les pertes encourues par la fermeture temporaire de son commerce, le tribunal la rejette mais en reconnaît le bien-fondé; en conséquence, le tribunal le décharge du paiement de l'amende de deux mille dollars. Voilà bien une justice digne du roi Salomon! Enfin, nous rejetons la demande de la défense d'autoriser la vente des revues pornographiques dans des sacs de cellophane scellés sous vide. Les arguments sur lesquels reposait la requête — que les soupes Campbell et les sardines sont aussi vendues dans des contenants scellés sous vide — ne sont pas valides dans ce cas. Le consommateur a le droit de rapporter la soupe ou les sardines si elles sont d'une *qualité douteuse ou si elles ne correspondent pas aux spécifications annoncées. Dans le cas des revues, on ferait face à de très subtils problèmes qu'il serait pratiquement impossible de résoudre. La décision de garder ou de rendre lesdites revues relèverait en fin de compte du goût personnel de chaque consommateur et il est bien connu qu'il n'y a pas de vérité en matière de goût.»*

Je laisse tomber ici la fin de l'article parce que les commentaires et les conclusions du journaliste sont plutôt banals et stupides. Il reproche au juge, par exemple, de ne pas être au fait des dernières recherches en matière d'érection féminine et des publications féministes sur le sujet. Toutefois, la réaction de l'un de mes collègues du département mérite d'être rapportée ici. Lecteur, qui fut, à ton avis, celui qui apporta la coupure de journal et qui la jeta au nez et à la barbe des collègues en disant: «*Trève de conneries! Il est peut-être certain qu'il n'y a pas de vérité en matière de goût mais il est aussi certain qu'il y a des goûts qui mériteraient une bonne bastonnade. Tu parles d'un monde bête et sans consistance! Quelle différence y a-t-il entre une banane et un homme? Aucune, semblerait-il. Nous n'apprendrons donc jamais rien des Romains, jamais. Pourquoi donc les étudions-nous?*»

Les événements se précipitent avec le vol de la banque. On peut considérer cet épisode (tous seront d'accord sur ce point) comme le nœud de l'histoire (ou du conte?); en soi, c'est d'ailleurs un épisode parfaitement vraisemblable (qu'on l'analyse d'un point de vue littéraire ou d'un point de vue réel): nous savons tous que le manque d'argent peut conduire l'être humain à des états extrêmes de découragement. Dans ce même épisode, la métaphore du juge comparant le cheval de MacKenzie à celui de Don Quichotte semble peut-être donner un tour romanesque au récit mais son emploi paraît légitime: même les personnes illettrées ont aussi l'habitude de parler par métaphores. De plus, la référence à Don Quichotte, un personnage de Cervantes, et à son cheval nous permet de juger de la culture du juge.

À propos de «références» justement, il est bien connu que les techniques d'analyse littéraire sont très avancées et qu'il suffit parfois de quelques mots d'un texte, de la manière dont ils sont agencés (la manière de «référer»), pour éclairer de nombreux aspects de la personnalité de l'écrivain (dans ce cas le conteur), pour mettre en lumière ses idées et ses préjugés sur l'époque dans laquelle il vit. L'impitoyable dureté qui se révèle parfois par le biais de quelques petits mots est tout simplement terrifiante. Je pense concrètement à ces quatre mots utilisés par William Wilson: «relecture» ou «révision» (de la Bible); «cadre» ou «militant» (appliqués à Jésus).

Je suis tout à fait convaincu que le juge, avec ces quatre mots, s'est moqué d'une façon goguenarde et agressive des personnes qui assistaient au procès. Ce sont d'ailleurs des mots d'un emploi moderne, actuel, qui détonnaient dans le discours mesuré du juge. Il n'est pas nécessaire que j'indique que le mot «cadre» s'appliquait aux avocats. «Relecture» ou «révision» aux universitaires. Il est probable que «militant» ait été lancé à tout hasard mais William Wilson avait visé dans le mille: la Valkyrie et la Chilienne militaient dans quelque mouvement de libération féminine; et le Pygmée, dans une sorte de ligue de défense des droits des non-fumeurs. Tu te rends compte, lecteur! Mais nous devons pardonner à William Wilson: à travers ces quatre mots, c'est l'esprit railleur de l'époque qui se manifestait dans toute sa splendeur. Tenons pour acquis que ses erreurs et que les tourments de sa propre conscience sont déjà un châtiment suffisant. Et tenons aussi compte du fait (comme l'ont mis en évidence la psychologie moderne et les recherches éthologiques sur le comportement des animaux) qu'il est impossible de vivre dans ce monde sans une expression minimale d'agressivité.

Après ces éclaircissements, je passe à l'analyse de «l'idée» de William Wilson qui provoqua la chute d'Erewhon. Quelques questions préalables: pourquoi le juge a-t-il fait fi des lois humaines, des lois qui pourtant existaient? Pourquoi se référer à la Bible anachronique (pour ne pas dire complètement caduque dans le contexte historique) au lieu de consulter les dernières publications sur le sujet et les nouvelles lois en préparation? Peut-être se prenait-il pour un Moïse moderne descendant les collines d'Erewhon et apportant les nouvelles tables de la Loi? L'instrumentation théorique qui aurait pu permettre une interprétation correcte des événements et servir de fondement à son action ultérieure aurait-elle fait défaut au juge? La confession publique de William Wilson attire notre attention. Au fond, ne cherchait-il pas la reconnaissance, l'approbation et le pardon? Peut-on interpréter la chute d'Erewhon comme l'échec du protestantisme et de toute religion qui ne s'adapte pas aux réalités de son époque? Mais laissons de côté toutes ces questions sans réponses (qu'il soit ou non chômeur, le lecteur doit avoir eu dans sa propre vie plus que son lot de questions inutiles) qui ne mèneront nulle part et tenons-nous en à l'Idée.

Une idée, une même pensée, une même découverte scientifique peut advenir à deux personnes en même temps (comme cela s'est produit plus d'une fois) bien qu'elles soient séparées dans le temps et dans l'espace. (On pourrait, sur la base de ce «phénomène de simultanéité», proposer une nouvelle interprétation, une relecture du litige entre le Pygmée et Masque Aztèque; le résultat en serait sans doute surprenant.) William Wilson ne fournit aucune indication quant à l'heure, au jour et à l'année où lui vint l'idée; toutefois, nous avons des informations précises sur une autre personne (dont la figure est moins enveloppée de mysticisme que celle du juge) qui eut exactement la même idée. Je me réfère au génial dramaturge allemand, Bertolt Brecht, (voyez les Œuvres complètes, Berlin, 1958; il existe une excellente traduction française) qui, il y a quelque trente ou quarante ans, dans un essai sur le roman policier, exposa la même idée que celle du juge: celle d'emprisonner le propriétaire de la banque. Mais... n'allons pas nous fourvoyer! Brecht y voyait simplement une possibilité de renouveler le jeu de l'intrigue, une variante des sempiternelles et ennuyantes intrigues qui aboutissaient toujours à l'emprisonnement du voleur. Sincèrement, je ne saurais dire si William Wilson avait ou n'avait pas lu cet essai, ou si Brecht, au cours de l'un de ses voyages, avait eu vent des agissements du juge et avait repris l'idée dans son essai sans en identifier la source. Je pense que ma suggestion d'envisager cette question, ce dilemme, à la lumière du «phénomène de simultanéité» est déjà en soi une réponse satisfaisante.

Quant à l'idée, elle est, bien sûr, très brillante; bien développée et fondée sur une argumentation solide, on pourrait la considérer comme une idée philosophique: en ce sens, les agissements du juge constituèrent tout simplement l'application d'une idée philosophique qui a échoué, comme échoue d'ailleurs toute idée de cette nature quand elle est mise en pratique.

Une idée philosophique n'est rien d'autre que cela: une pure idée philosophique toujours coupée de la praxis. Pour alimenter ses idées philosophiques et pouvoir leur donner vie, même un mystique aussi raffiné et exquis que Blaise Pascal mit sur pied, grâce à une licence royale, une entreprise de transport de passagers (la première dans le monde, selon le Guinness Book of World Records, 1975) entre Paris et Saint-Antoine; l'affaire fonctionna à merveille et donna d'abondants bénéfices qui lui permirent de nourrir ses pensées. Mais qui aujourd'hui pense à Pascal quand il monte dans un tramway ou dans un autobus? Personne, absolument personne, excepté les gardiens de la culture, les spécialistes dans les humanités.

À regret, il me faut signaler le flair dont firent preuve les avocats en se méfiant du juge d'un village qui n'avait pas de banque; mais cela n'implique nullement de ma part une adhésion aux opinions des avocaillons. Mon esprit se repaît d'autres nourritures et fréquente de plus hautes sphères.

Quant à l'affirmation du juge: «Auparavant... il fallait un cataclysme ou l'invasion de hordes de barbares pour *détruire une ville, aujourd'hui la fermeture d'une banque y suffit»*, je dirai simplement que je ne sais quoi en dire. *Je ne possède pas de statistiques qui me permettent de confirmer ou d'infirmer cette conclusion du juge; il ne m'est pas non plus apparu nécessaire de consulter mes collègues du Département d'histoire qui n'auraient pas compris le sens métaphorique de cette affirmation que, pour ma part, j'accepte ainsi. Avec le réputé «bon sens» nord-américain, ils m'auraient demandé: «Mais dans ce cas, le village a-t-il, oui ou non, été effectivement détruit?»*

En raison des conséquences sociologiques, psychologiques et anthropologiques qu'elles entraînent, la visite et la proposition du cadre de l'entreprise touristique exigeraient d'être traitées dans un chapitre à part. Je suis parfaitement convaincu que, dans la perspective des avocats, matérialistes mais cohérents avec leur idéologie, le rejet de la proposition de l'entreprise touristique fut le point culminant du récit d'une série de bêtises, et de la dernière grande bêtise de William Wilson. On pourrait en donner comme preuve le Upper Canada Village, une réalité, une réalisation très semblable à celle que le cadre avait proposée au juge. On pourrait encore donner l'exemple de Disneyland ou de toute autre réalisation du même genre.

Nous allons tisser notre propos avec plus de finesse: l'affaire est beaucoup plus complexe qu'elle ne le semble à première vue. La proposition du cadre n'aurait-elle pas pu être la planche de salut pour William Wilson (rappelez-vous que, de son propre aveu, il se prenait pour un sauveur) et, par extension, pour tout Erewhon? Peut-être refusa-t-il pour des questions de «compétence»? En d'autres mots, n'aurait-il pas craint que le futur bailleur de fonds (l'entreprise) ne prenne le contrôle de la situation et que son rôle devienne secondaire (Tom était parfaitement en mesure de remplir son rôle, avait dit le cadre)? Quant à l'argument selon lequel le juge avait déjà auparavant accepté le tourisme (avec un t minuscule), il faut garder à l'esprit qu'il s'agissait de «tourisme spontané» et non de tourisme organisé. William Wilson, se peut-il que dans ta conduite tu aies été fidèle à toi-même jusqu'à la mort? Malheureusement, William Wilson, n'importe quel psychanalyste confirmerait que ton attitude devant la nouvelle morale moderne est un symptôme d'instabilité ou, pis encore, et avec tout ce que cela comporte (voire même le génie), de folie.

Il n'est pas de notre ressort mais de celui de l'histoire de juger William Wilson. Notre tâche, la relecture et le commentaire du discours de William Wilson, est maintenant accomplie. Si j'ai réalisé cette tâche, c'est que je suis convaincu de la valeur universelle de ce discours; peut-être pourra-t-il servir un jour à quelqu'un, ou ne servir à personne, jamais[1].

---

1. En terminant ce travail, au tout dernier moment, l'édition de 1979 du Guinness Book of World Records *(rappelez-vous que j'avais utilisé l'édition de 1975) m'est tombée sous la main. Je tremble de l'ouvrir: Blaise Pascal détiendra-t-il toujours son record ou quelqu'un d'autre l'aura-t-il dépassé?*

CHAPITRE XXVI

Un procès ou... pas de procès?

William Wilson s'était tu. Sa pipe refroidissait sur l'imposant bureau. Le coucou avait vivement sorti la tête et sonné le quart d'heure: il était cinq heures et quart. Dehors, c'était maintenant la nuit noire mais la luminosité de la lune se reflétait sur la neige et donnait un air fantasmatique à toute la scène: le tribunal paraissait flotter à la dérive.

Nous nous sentions comme écrasés ou vidés, doutant tout autant du bon sens du juge que du nôtre. La Valkyrie avait appuyé sa tête sur l'épaule de Paco et les cheveux coupés à la prussienne de ce dernier reposaient sur la crinière léonine de celle-ci. La chairman offrait des caramels à tout le monde à la ronde. William Wilson bourrait une autre pipe et, d'un sourire aimable, il refusa le caramel que lui offrait la chairman; ensuite, il fit un signe au huissier qui s'approcha du poêle pour y remettre du bois.

Écrasés sur leurs chaises, perdus dans de profondes réflexions, les avocats avaient oublié leurs clients qui restaient là, totalement atterrés, leurs bouches édentées grandes ouvertes sous l'effet de la stupéfaction — amplifiant aussi le sentiment de vide qui avait gagné l'assistance. Ils regardaient les avocats comme s'ils imploraient qu'on leur vienne en aide et ils se disaient probablement avec espoir: vous voyez bien, n'est-ce pas, que nous ne sommes pas fous? Vous voyez bien que c'est le juge qui est fou[1].

Nous aurions continué ainsi, peut-être jusqu'à ce que le tribunal dans sa dérive ne vienne heurter un arbre ou ne tombe dans un précipice, n'eut été l'intervention de l'un des avocats: après une consultation éclair avec son collègue, il avait levé la main, comme s'il était en classe, et le juge, en bon maître d'école, lui avait accordé la parole. Il se leva et, les épaules affaissées, il s'approcha de l'estrade et balbutia: «Pardon, Votre Honneur, pardon... je... mon collègue... nous... enfin, si l'on se fie à l'histoire que vous nous avez racontée, sans nul doute merveilleuse, et que les illustres universitaires ici présents auront su apprécier mieux que nous... mais je crois... nous croyons... que vous...»

L'avocat se tut. William Wilson termina de bourrer sa pipe et, tout en la manipulant, il dit en souriant:

«Ce que vous voudriez mais n'osez pas faire, c'est de mettre en doute ma compétence professionnelle en m'accusant de folie. C'est là une accusation à laquelle il est bien difficile de répondre. Quand je réfléchis sur mon passé et sur les actes que j'ai posés, je suis moi-même incapable de trouver une explication susceptible de m'assurer enfin la paix de l'esprit. Aussi, il ne vous reste d'autre recours que celui de vous en tenir rigoureusement à l'esprit

---

1. Toujours par souci de mener cette recherche le plus consciencieusement possible, j'ai consulté un collègue du Département de psychiatrie qui m'a certifié que ce comportement était typique des personnes atteintes de folie et que, de fait, on le considère comme un symptôme de la folie.

de la lettre; si vous et votre collègue aviez pris la peine de faire une enquête sur mon passé, comme c'était votre droit et votre devoir de le faire dans l'intérêt de vos clients, vous auriez appris que, lors du procès qu'on a intenté contre moi sous l'accusation de folie démentielle, à la suite d'une série de rencontres que je dus avoir avec des psychiatres, à la suite des tests d'intelligence auxquels on me soumit, je fus déclaré, d'un point de vue scientifique, en possession de toutes mes facultés mentales et, sur le plan légal, normal et sain d'esprit.»

L'avocat fit demi-tour et revint à sa place. Après avoir rempli le poêle, Tom retourna à côté de l'estrade. Les yeux dilatés du Pygmée et de Masque Aztèque roulaient en tous sens comme des planètes en train de s'éteindre. «Tiens! j'y suis», fit entendre Paco. Je le regardai; il était dans la même position qu'auparavant mais sa main reposait sur l'une des colonnes de la Valkyrie et elle semblait sur le point de gagner du terrain vers le haut.

William Wilson poursuivit:

«Dire ce que je vais dire peut paraître idiot mais moi, si j'avais été à votre place, docteur, je me serais interrogé sur d'autres choses. Par exemple, j'aurais demandé à voir le permis de conduire de William Wilson pour savoir s'il est effectivement le juge d'Erewhon. Et, lorsque je me serais rendu compte qu'il ne possédait pas de permis de conduire, je me serais demandé: est-il possible qu'il soit Tom et que Tom soit William Wilson? Regardez comme Tom s'amuse!»

Effectivement, Tom (Tom?) avait ouvert la bouche et riait mais... sans qu'un seul son ne sorte de sa bouche! Les avocats se prirent la tête et un frisson glacé me courut le long du dos. Les autres se secouèrent comme si un seau d'eau froide leur était tombé sur la tête; comme Tom, ils ouvrirent la bouche et, en extase — ou sidérés? —, ils restaient là à contempler le juge. Le sentiment de solitude qui m'envahissait me poussa à me comporter exactement comme les autres.

Et nous sommes restés ainsi pendant un long moment, attendant la venue de l'Esprit saint, ou de la copulation divine, ou de la science infuse. Le juge poursuivit son discours:

«Toutefois, ne vous tracassez pas; le savoir de William Wilson n'a pas encore atteint les plus hautes sphères. Pour le moment, je ne suis que l'incarnation du double de la magnifique histoire de Poe[2]. Qu'on le veuille ou non, tout juge a en lui quelque chose du bourreau; mais, à ce point du procès, et considérant la nature du délit commis par l'un et par l'autre, je préfère simplement me montrer un juge plein de bonté. Je vais vous offrir une chance; si vous le voulez, nous arrêtons toutes les procédures ici: les belligérants retirent leur plainte et je suspends le procès mais à la condition expresse qu'on n'intente aucune autre poursuite devant aucune autre cour du monde.»

La proposition du juge causa un tel choc dans l'assistance que c'était comme si le tribunal dans sa dérive était entré en collision avec une montagne. Le Pygmée et Masque Aztèque furent les premiers à réagir: ils se mirent debout, les yeux flamboyants comme ceux d'une jeune fiancée, les yeux illuminés par le feu interne d'une joie infinie. Les avocats, qui n'avaient rien d'autre à dire, firent la même chose: la proposition du juge était d'une certaine manière ce qu'ils souhaitaient. Mais... et nous là-dedans!? Je dois admettre que, pour ma part, j'ai craint que mon travail ne demeure incomplet et le seul fait d'envisager cette perspective me causait une frustration infinie. La Valkyrie se déprit de l'étreinte de Paco et ils se regardèrent l'un l'autre comme se disant: «La récréation est finie.» La déception sur leurs visages déconfits me fit comprendre

---

2. *Note de l'éditeur*: Connaissant l'humilité et la modestie de l'auteur de cet excellent travail, l'éditeur se fait un devoir de signaler à sa place qu'il avait anticipé cette information relativement à l'origine probable du nom du juge. (Voyez la note 5 du chapitre intitulé «Un rayon de lumière apparaît».)

que leurs intentions secrètes — en d'autres mots leur désir d'une aventure —, malgré l'attaque audacieuse de la main de Paco, n'avaient abouti à rien. Les bras ballants de la Chilienne et du Viking parlaient éloquemment d'eux-mêmes. Le Mendocinien bafouilla: «M... m... mais après tout, qu'est-ce qui peut nous arriver à nous?»

Tous sans exception, tous, je le répète, nous regardâmes la chairman; même le juge (étonné, me sembla-t-il) imita les autres. «Les loups étaient à l'intérieur du tribunal», ferait remarquer Paco sur le chemin du retour. En effet, la chairman avait emprisonné entre ses dents le caramel qui jusque-là roulait dans sa bouche; on entendit le crac du caramel qui venait d'éclater et, comme si la lueur intérieure qui avait illuminé les yeux des belligérants s'était en même temps brisée, l'éclat de leurs yeux s'éteignit d'un seul coup. Les dents de la chairman grincèrent et nous frémîmes tous en entendant le hurlement qui sortit bientôt de sa bouche: «Je répète ce que j'ai dit lors de la dernière réunion: ou c'est le procès ou c'est la porte»; et elle se remit à grincer des dents.

Le Pygmée et Masque Aztèque s'effondrèrent littéralement sur le banc des accusés et ils auraient probablement roulé sur le plancher si ce n'avait été des appuis-bras. Leurs réflexes conditionnés par les réunions précédentes, les avocats, comme des rats de laboratoire, devinèrent, même sans comprendre l'espagnol, la décision de la chairman et surent ce qui attendait leurs clients. Ils s'assirent à nouveau. Et, pendant que les dents de la chairman, mais de plus en plus doucement, il faut le reconnaître, grinçaient toujours, la Valkyrie, le Viking et la Chilienne battaient des mains. Les légers regimbements de la Valkyrie me firent comprendre que Paco avait échoué dans sa tentative de reprendre sa position antérieure. «Quelle impudence!» fit remarquer le Mendocinien sans que l'on sache s'il parlait de Paco, de la Valkyrie, de la chairman ou du juge. Une fois de plus, je changeai la bande du magnétophone.

«Un sou pour tes pensées» («*A penny for your thoughts*»), dit un vieux diction anglais. Si j'avais possédé une fortune, je l'aurais volontiers donnée pour savoir ce que pensait alors William Wilson. Même s'il comprenait l'espagnol, il était impossible qu'il ait saisi ce qu'avait voulu dire la chairman: la phrase faisait allusion à un contexte que le juge ignorait. Il est certain, toutefois, que William Wilson parut hésiter pour la première fois; il jetait des coups d'œil à la chairman, avait l'air de chercher quelque chose sur le bureau puis, finalement, il se coiffa de sa barrette, mit ses lunettes, prit le marteau et, les coudes appuyés sur le bureau, il fixa son regard sur la chairman. Cette dernière s'agita, surprise, mais William Wilson ne détournait pas son regard; la chairman devint rouge comme le ciel au coucher du soleil et le grincement de ses dents diminua progressivement jusqu'à n'être plus qu'une sorte de ronronnement qui s'éteignit à son tour.

«Merci», dit le juge. Et, après avoir posé les sachets de plastique sur le bureau, il prit une feuille de papier.

Paco, le Mendocinien et moi, nous nous regardâmes; nous souriions comme des enfants heureux. «Pas mal du tout», dit Paco; et le Mendocinien ajouta: «Il est peut-être fou mais il n'est pas stupide pour autant.» Et nous regardions William Wilson avec admiration alors qu'il se préparait à rendre son verdict.

CHAPITRE XXVII

La sentence
(Première partie)

« **A**vant de prononcer la sentence, je tiens à vous préciser que ma proposition d'interrompre le procès ici constituait en même temps ma condamnation. J'ai voulu que vous la souffriez à votre insu», expliqua le juge d'un ton énigmatique. Il entreprit ensuite sa lecture:

«Tout comme la sentence, le jugement proprement dit est divisé en deux parties: la première partie s'occupe des aspects concrets et matériels, les réclamations pour les pertes et préjudices encourus à la suite de l'agression de l'un contre l'autre — agression dont les preuves, les dépouilles, sont les dents contenues dans ces sachets de plastique; l'autre partie s'intéressera aux aspects abstraits et spirituels du litige, aspects abstraits dont l'éventuelle preuve concrète devrait se trouver dans cette enveloppe[1].

---

1. Malgré la présomption de folie qui pesait sur le juge, il faut signaler que sa façon d'aborder le jugement et sa méthodologie étaient parfaitement adéquates et correctes. Si le lecteur a bonne mémoire, il se rappellera que les avocats avaient proposé quelque chose de sembla-

«Relativement à la première partie, celle des aspects matériels, après étude des déclarations des témoins — au dossier — et des réclamations de chacune des parties en cause, j'ai pu constater une étonnante similitude tant en ce qui a trait aux accusations mutuelles qu'aux réclamations pour préjudices. Comme l'avocat du docteur... (Masque Aztèque)... ne fait aucune différence (peut-être bien par oubli ou encore parce qu'il pense que les dents synthétiques, du fait qu'on les achète, qu'on les paye et qu'elles sont garanties, sont supérieures aux dents naturelles) entre les deux types de dents, il réclame pratiquement le même montant pour lésions et préjudices que l'avocat du docteur... (le Pygmée). Si messieurs les témoins et si les avocats et les plaignants n'ont rien à ajouter — à clarifier, à changer ou à rectifier — à leurs déclarations antérieures, je vais commencer à prononcer la sentence.»

Le juge attendit. Tout le monde était impatient d'entendre la sentence de sorte que personne n'eut quoi que ce soit à ajouter, à changer ou à rectifier.

«Ayant consulté la section sur les prothèses dentaires dans le catalogue *Distribution aux consommateurs*, j'y ai trouvé une vaste gamme de prothèses dentaires, toutes plus souriantes les unes que les autres. Une telle diversité, en plus de faire la preuve des bienfaits du libre commerce et du pouvoir de créativité de l'homme, constitue aussi une illustration des innombrables manières dont dispose l'homme pour «être quelqu'un» dans notre société. J'ai pu voir dans ce catalogue non seulement les prothèses les plus communes, fabriquées avec des matériaux de recyclage (et dont l'achat représente une contribution à l'équilibre biologique et un geste de lutte contre la pollution de

___

ble quoique sans la grandeur de vue de William Wilson (Voyez le chapitre X). En terminant, qu'il me suffise simplement de signaler que, lorsque William Wilson dit «cette enveloppe» et qu'il la tapota du doigt à plusieurs reprises, le Pygmée et Masque Aztèque devinrent aussi blancs que la neige qui vient de tomber et nous craignîmes qu'ils s'effondrent.

l'environnement), mais aussi les prothèses les plus sophistiquées (accompagnées d'un manuel d'instructions et
d'une garantie de service), véritables réussites de la technique, entièrement automatiques et munies d'un contrôle à
distance.

«Considérant la dignité professionnelle et la sensibi-
lité des docteurs, et respectant leur liberté de choix et le
droit au respect de leur intimité, je les condamne, l'un et
l'autre, à remplacer les dents ou les prothèses de leur con-
frère par la nouvelle prothèse que ce dernier choisira. La
sentence devra être exécutée dans les trente jours en date
d'aujourd'hui. Voilà, tel est mon verdict.»

Le coup de marteau du juge fit sauter les sachets de
plastique. William Wilson les prit et dit:

«Pour en terminer avec la première partie de la sentence, je dois ajouter que je ne sais pas — le catalogue ne
donne aucune information à ce sujet — si les dents usa-
gées sont acceptées à titre de paiement partiel. De toute
manière, elles vous appartiennent; prenez-les et bonne
chance, elles pourront peut-être vous être utiles.»

Comme si le coup de marteau avait retenti sur leurs
têtes, le Pygmée et Masque Aztèque se levèrent en chancelant et, tâtonnant comme des aveugles, ils prirent leurs
sachets, les mirent dans leurs poches et retournèrent au
banc des accusés[2].

---

2. Quand j'entendis la sentence, je dus me mordre les lèvres pour ne
pas interrompre le juge par un cri; quand j'écoutai par la suite la bande
enregistrée, je dus mettre un frein à l'emportement de ma plume pour
ne pas entrecouper mon texte de notes. À ce moment-là, j'avais le
goût de crier: «Je n'arrive pas à y croire!» Et maintenant j'écris, j'écris
pour que le lecteur puisse partager ma stupéfaction et ma confusion.
Après avoir lu la citation suivante de l'ex-pasteur Angelo Joyce (*Ibid.*,
note 1, chap. XXIII), le lecteur y comprendra peut-être enfin quelque
chose:

«Oh, mon Dieu, t'ai-je tout dit? T'ai-je donné toutes les raisons
pour lesquelles j'ai abandonné mon sacerdoce? Non, non je ne l'ai pas
encore fait. T'ai-je parlé de ces catalogues de vente des grandes entreprises qui ont remplacé ta Bible immaculée? T'ai-je raconté que plu-

sieurs de mes brebis (pardon, les tiennes) venaient à la messe avec leur catalogue de *Consumers distributing*? Et qu'après la célébration, ils s'approchaient pour me consulter en brandissant leur catalogue? Et sais-tu ce qu'ils me demandaient? Avant tout, mon Dieu, sais-tu (oui je sais bien que tu es omniscient, excuse mon irrévérence; oh, mon Dieu, je ne sais plus si c'est le démon qui me dicte ces paroles ou si elles me viennent de Toi) ce qu'est un tel catalogue? Grâce à ces catalogues, tu peux acheter, soit en personne ou en commandant par courrier, que tu en aies d'ailleurs besoin ou non, aussi bien une balle de golf qu'un satellite ou que le matériel nécessaire à la pratique de ton hobby préféré. Ce sont des livres plus volumineux que la Bible, d'un papier de meilleure qualité et d'une plus large diffusion; et bien qu'on distribue ces catalogues gratuitement, il faut un statut de consommateur privilégié pour obtenir celui de certains grands magasins. Ils sont abondamment illustrés d'images en technicolor et chaque image est une orgie de bonheur qu'on peut consommer sur-le-champ; ces images proposent des plaisirs et des satisfactions immédiates qui remplacent celle d'un bonheur éternel dans ton paradis.

«Tout comme il y a différentes versions de ta Bible (la catholique, la protestante, la latino-américaine) mais que chacune d'elles, toutefois, te reconnaît et parle de toi, de même, les différentes entreprises ont chacune leur propre catalogue (Canadian Tire, Shoprite, Simpson) et, comme tes bibles, ces différents catalogues parlent aussi de la même chose mais l'esprit — c'est-à-dire les prix — diffère de l'un à l'autre. On trouve une collection de ces catalogues dans la bibliothèque de n'importe quel foyer. Les êtres solitaires cherchent un réconfort pour leur âme en feuilletant ces catalogues; les femmes, les enfants, les adolescents et les vieillards ont l'habitude de les consulter quand ils se sentent tristes. Parfois, ils se réunissent en famille autour de ces catalogues, comme on se réunissait autrefois autour de la Bible, et ils les commentent, ils comparent les prix, et ils s'attristent de ne pouvoir tout acheter comme les pécheurs en enfer s'attristent de la perte du paradis.

«Et sais-tu ce que me demandaient les fidèles? Pour ne pas se faire rouler, ils me demandaient de l'information sur les produits qu'on annonçait dans ces catalogues; ils voulaient savoir pourquoi tel jean coûtait moins cher que tel autre, si c'était en raison de la qualité de la toile ou parce qu'il avait une couture en plus ou en moins. Tes brebis, mon Dieu, voulaient faire de moi un exégète moderne ou un 'eschatologue' des catalogues de vente.»

Rappelle-toi, lecteur, que William Wilson avait parlé d'un manuel d'instructions qui accompagnait les prothèses dentaires automatiques. Voyons ce que dit Joyce à ce sujet à la fin du chapitre que nous sommes en train de rapporter:

«Souvent, mon Dieu, dans mes rêves ou quand j'étais seul à l'église, j'entendais résonner le son unique de ta voix; entre autres choses, tu me pressais de conseiller et de diriger tes brebis dans les voies du chemin tracé par ton fils Jésus. Je t'ai déjà raconté ce qui se passait au confessionnal avec tes fidèles, comment ils marchandaient leur pénitence comme si c'était donnant donnant. Je veux soumettre à ta réflexion un certain nombre de choses pour que tu puisses y penser avant que je ne me présente devant toi (et ce sera bientôt) pour te rendre des comptes. Avant tout, qui et que suis-je? Un pasteur raté? Un pauvre et mauvais psychanalyste délaissé par ses patients parce qu'il n'accepte pas de se faire le complice de leurs désirs désordonnés et de leurs appétits insatiables (je me refuse à renforcer leur moi-moi)? Un homme vieilli dont l'expérience n'est rien d'autre, comme celle de tous les vieillards du monde, qu'une somme de frustrations? Et quel «être humain» moderne peut s'intéresser aux conseils d'un tel vieillard, peu importe ce qu'il est, pasteur, ex-pasteur, psychanalyste ou professeur? Personne, mon Dieu. C'est dans les manuels d'instructions qu'ils cherchent conseil. Pour faciliter l'accès à la consommation (ou parce que les fabricants s'imaginent — avec raison d'ailleurs — que chaque consommateur ou chaque client est plus ou moins mongolien), l'industrie joint à chacun de ses produits une notice explicative ou un manuel d'instructions visant à préciser le type de produit dont il est question, s'il s'agit, par exemple, d'une balle de golf ou d'un satellite. Sur un papier inséré dans un petit sac de nylon contenant trois balles de golf, nous pouvons lire: 'Merci de votre achat. Le produit que vous tenez dans la main est rond mais veillez à ne pas le confondre avec un satellite; toute tentative de l'employer à cette fin est donc inadéquate en plus de s'avérer dangereuse. Aussi nous n'accepterons aucune réclamation pour quelque dommage que ce soit résultant d'une utilisation autre que celle indiquée. L'utilisation correcte de ces balles...'

«Tu ne me crois pas, mon Dieu? Qu'importe. Je veux seulement te dire que sous cette pratique généralisée, celle d'inclure des instructions, se cache quelque chose d'autre: le refus d'avoir besoin de l'autre, du maître, du père ou du conseiller qui transmet sa connaissance, du pasteur qui guide par ses conseils dans le droit chemin. C'est un renforcement des notions d'indépendance et de droit à la vie privée: les instructions sont un chant à la gloire de celui qui est capable de se réaliser par ses propres moyens. De la sorte, ouvrir une boîte de sardines avec un ouvre-boîtes électrique en suivant les illustrations du guide d'instructions devient une 'expérience' susceptible d'apporter à l'être la preuve de sa propre existence, de lui confirmer sa valeur, son pouvoir et sa capacité d'action.»

Comprends-tu, ami lecteur, pourquoi j'avais envie de crier et pourquoi ma plume voulait s'emporter? Comprends-tu seulement quelque chose? Le juge peut maintenant poursuivre et lire la seconde partie de la sentence.

CHAPITRE XXVIII

La sentence
(Seconde partie)

«Vous ne pouvez vous imaginer la satisfaction que me procure la seconde partie de la sentence. Cette partie posait d'énormes difficultés en raison de son contenu conceptuel, des définitions et des déclarations de principes qu'elle impliquait. Voici les questions fondamentales ou les déclarations de principes sur lesquelles repose la sentence: qu'est-ce que l'intelligence? S'il s'agit de quelque chose, est-il possible de savoir ce que c'est? Comment peut-on la définir? Ces messieurs ici présents — je fais référence aux plaignants — sont-ils intelligents? S'ils sont intelligents, leur intelligence ou leur cerveau a-t-il pu distiller quelque chose qu'on pourrait appeler une idée? Pour répondre à ces questions, je m'appuie sur les faits et sur les informations qui figurent aux dossiers et aussi sur ma propre 'expérience' (c'est le nom qu'on donne aujourd'hui à toutes les erreurs ou à toutes les bêtises que l'on a commises dans sa vie).»

Fidèle à lui-même, William Wilson n'indiqua pas que cette dernière remarque était d'Oscar Wilde; il ordonna quelques papiers sur son bureau et, brandissant quelques feuilles, il poursuivit:

«Malgré ce que l'on pourrait croire, la demande à la R.C.M.P. des dossiers des plaignants ne visait pas à chercher de présumés antécédents criminels ou encore quelque douteuse affaire de moralité. Comme on le sait, les questions de morale n'ont absolument rien à voir avec l'intelligence. J'espérais que ces renseignements puissent m'apporter une certaine indication confirmant la capacité des plaignants à produire des idées. Malheureusement, ce recours n'a donné aucun résultat: les docteurs n'ont ni dossier judiciaire ni dossier politique, ils sont moralement au-dessus de tout soupçon et leur conduite correspond en tout point à la conduite que l'on peut attendre d'un homme moderne civilisé. En un mot, il n'y a là ni chair ni poisson. Ces dossiers me rappellent un célèbre verset de l'Apocalypse[1].»

Le juge avait mis de côté les dossiers de la R.C.M.P. et cherchait d'autres papiers. Son visage moqueur, creusé par les rides, semblait placide et satisfait, une satisfaction que nous partagions tous. Après tout, comme avait dit le Mendocinien, que pouvait-il nous arriver à nous? Le tribunal poursuivait sa dérive et le hurlement qui se fit entendre

---

1. À ce moment-là, le juge s'est tu et il s'est mis à chercher quelques papiers. Je profite de l'occasion pour éclaircir deux points. En premier lieu, William Wilson, bien sûr, n'utilisa pas l'expression «ni chair ni poisson», tout à fait typique d'un pays du Sud; c'est une traduction libre de l'expression anglaise: «*Neither this nor that*» (ni ceci ni cela). En second lieu, il est regrettable que le juge n'ait pas spécifié de quel passage de l'Apocalypse il s'agissait. Je dus relire l'Apocalypse deux fois et c'est avec une certaine crainte que je rapporte le verset auquel le juge faisait probablement référence: «Je connais tes œuvres et je sais que tu n'es ni froid ni chaud. Plaît au ciel que tu sois froid ou chaud; mais comme tu es tiède, que tu n'es ni chaud ni froid, je vais te vomir de ma bouche», Apocalypse, 3; 15-17. Si ma découverte est juste (et je regrette d'être entre les deux, ni certain ni incertain), on pourrait parler d'une «chaude ironie» de la part du juge.

à l'extérieur se perdit dans le lointain sans éveiller en nous la moindre émotion: les hurlements ne produisaient plus aucun effet sur nous, c'était déjà du réchauffé.

«Quand au résultat des tests d'intelligence, j'ai le regret de vous dire que là aussi nous ne sommes devant rien de concluant. Leurs pointages sont aussi élevés que ceux que j'ai obtenus moi-même, ou que ceux que pourrait obtenir n'importe quel président de pays, n'importe quel premier ministre ou n'importe quel membre des Nations unies: en conséquence, rien de très remarquable. Je dois tout de même féliciter les plaignants pour les pointages obtenus; probablement que là-bas, dans votre monde, ces résultats peuvent être de quelque valeur. Mais comme Erewhon est encore gouverné par un certain nombre de principes bibliques, comme celui qui dit par exemple: 'Tu seras jugé sur tes œuvres', ce qui là-bas est bon peut apparaître ici contestable et peut même, de la sorte, se retourner contre les intéressés. Comme tous les autres tests, ces derniers se fondent sur les paramètres d'adaptabilité sociale (synonyme d'intelligence dans ce cas-ci), d'efficacité et d'action; l'efficacité et l'action doivent être entendues ici non pas comme le résultat de la méditation et de la sagesse mais bien dans le sens d'une efficacité et d'une capacité de l'être à s'élancer pour pousser hystériquement ce qui avance tout seul et à se révéler ainsi utile à la société.»

William Wilson lança — avec dégoût? — les papiers portant le sceau de l'université et, avant qu'il ne puisse poursuivre, l'un des avocats, comme s'il se cherchait quelque chose à faire, demanda d'un ton qu'il croyait ironique: «Excusez mon interruption, Votre Honneur, mais qu'attendiez-vous des résultats des tests?»

Le juge le regarda — avec pitié? — et répondit:

«J'y arrivais justement. J'espérais qu'ils démontrent (contrairement à ce que l'on prétend d'habitude) que même une suprême stupidité peut, par accident il va de soi, engendrer ou produire une idée.»

L'assistance redoubla d'attention devant cette étrange réponse du juge; la main de Paco cessa son avance et il s'en fallut de peu que j'oublie de changer la bande du magnétophone.

«À cause d'une remarque de cet homme qui s'appelle Fulbottom (le juge signalait le huissier qui, flatté, souriait d'un air béat — 'comme celui du Pygmée et de Masque Aztèque pendant leurs cours' —, dirait plus tard Masque Aztèque), à cause d'une phrase qu'il a prononcée il y a à peu près vingt ans, je ne sais plus exactement, je crus que c'était l'être le plus intelligent de la Terre, un génie méconnu, l'un de ceux qui n'ont pas eu la chance de se réaliser. Les années m'ont permis de me rendre compte qu'il n'en était rien, et c'est peut-être simplement parce que je ne peux pas reconnaître mon erreur, que je ne suis pas encore tout à fait convaincu qu'il est de loin l'être le plus sot que j'aie connu. Je vais brièvement, très brièvement (vous devez être pressés et avoir bien d'autres choses à faire), vous raconter non pas l'histoire de Tom Fulbottom mais l'épisode au cours duquel j'ai commis cette erreur[2].»

---

2. J'ai déjà signalé dans l'une des notes antérieures ma parfaite maîtrise de l'anglais. Malgré cela, en raison des difficultés posées par le registre écrit de cette langue, le nom du huissier me posa un sérieux problème. Comme je ne savais pas comment écrire ce nom, avant de tirer des conclusions hâtives et erronées (comme celle de dire, par exemple, que William Wilson ne connaissait pas l'anglais, une accusation toujours plausible et que l'on pouvait justifier par le comportement des Anglais eux-mêmes qui passent leur vie à s'accuser de la même chose), j'ai consulté une collègue du Département d'anglais, anglaise de naissance. Quand elle écouta l'enregistrement et qu'elle entendit le nom du huissier (jamais je ne me serais attendu à une telle chose, jamais; personnellement, je ne mêle jamais la réalité à mes recherches), la femme devint rouge comme un soleil incendié (rouge de fureur ou de gêne, je ne saurais le dire) et je dus recourir à d'interminables explications, à des prières et à des excuses pour qu'elle consente enfin à m'expliquer en bégayant de quoi il en retournait. Il se trouve que le nom correctement écrit (Fulbottom) veut dire plein-fond. Mais grâce à la merveilleuse ductilité de la langue anglaise et à de très

William Wilson paraissait avoir besoin de sa pipe pour trouver l'inspiration. Il la prit et il se mit à la manipuler sans l'allumer.

«À l'époque où ce tribunal était actif, en ces jours peut-être bien les plus tristes de l'histoire d'Erewhon, Tom travaillait au tribunal comme simple préposé au nettoyage et homme à tout faire: rentrer le bois de poêle, pomper l'eau, etc. Un jour, je ne sais plus exactement quand mais je me rappelle, par contre, que je me promenais préoccupé, désespéré par les événements, j'entrai au hasard de mes pas dans le hangar qui se trouve derrière le tribunal et j'y trouvai Tom en train de corder du bois. Devant un travail d'une telle prévoyance, accompli en juillet, en plein été, des mois avant que ne vienne l'hiver, mes pensées commencèrent à vagabonder sur les saisons, les cycles de la nature, sur l'univers, la condition humaine, le respect de Dieu, sur la vie et la mort; ma réflexion se porta ensuite sur la violation de ces cycles, sur les maisons modernes chauffées au gaz ou à l'huile, sur le chauffage central des bureaux et des manufactures, sur le progrès: il n'y avait plus là ni la sueur de l'homme ni l'amour du travail. Enfin, j'en étais à ces pensées folles et rétrogrades — ou modernes, qu'importe —, très à la mode chez les prophètes et les nostalgiques du passé, quand le bourdonnement irritant et perçant d'un taon qui s'était glissé par la porte que

---

légères variations dans la prononciation (et, bien entendu, dans l'intention de l'auditeur), on peut transformer Fulbottom en fou-cul, ou cul fou pour en donner une traduction qui corresponde davantage à la structure de la langue française. Je suis au moins certain d'une chose: Guillermo E. Hudson n'a jamais employé cette expression; voilà pourquoi je ne la connais pas. C'est là un détail qui mérite d'être retenu (je l'ai déjà noté dans mon fichier) en vue de publications futures sur cet écrivain; ce point pourrait faire partie d'une analyse stylistique et d'une analyse des «niveaux de langue» dans l'œuvre de cet écrivain.

Et maintenant, poursuivons avec l'histoire de Tom: une histoire assurément savoureuse et délicieuse, avec son climat et ses légères touches de conte oriental.

j'avais laissée ouverte vint me distraire. Ne pouvant retrouver le fil de mes idées et ne sachant quoi faire, comme un idiot, je m'amusai à suivre les évolutions du taon. Je ne sais pendant combien de temps je restai ainsi à observer son manège avant que la voix de Tom ne me ramène à la réalité: 'Monsieur, je ne sais si vous vous en êtes rendu compte, mais ce taon est étourdi.' Je le regardai surpris et, souriant doucement et avec indulgence, je lui demandai: 'Comment le sais-tu?' 'C'est que les taons volent toujours en zig-zag et que celui-ci vole en ligne droite.' Stupéfait par l'observation de Tom, j'étudiai d'un tout autre œil les évolutions du taon et je pus constater qu'il volait effectivement d'un mur à l'autre en traçant des lignes presque parfaites. Tom fit une chose dont je n'avais jamais entendu parler et que je n'ai plus jamais revue par la suite: alors que le taon revenait vers lui, il plaça sa main à demi fermée dans la trajectoire de son vol et, comme un train qui entre dans un tunnel, le taon fonça directement dans la paume ouverte de Tom. Celui-ci referma aussitôt sa main pour l'emprisonner.

«Il ne faisait aucun doute que l'observation de Tom, confirmée par cette expérience, était géniale. Je la vis comme un heureux mariage de l'idée et de l'action, comme une approche, une connaissance poético-scientifique intuitive et spontanée de la nature. J'ai longuement réfléchi sur cet épisode et j'en suis venu à la conclusion que je devrais donner une chance à Tom pour que, sous ma direction et ma supervision, il puisse produire d'autres idées dont pourrait bénéficier toute l'humanité. Finalement, Tom avait collé son poing à son oreille et il écoutait en souriant le bourdonnement agonique du taon pendant qu'il l'écrasait lentement. Mais, si au lieu de tomber dans le piège des mots et d'attribuer ce geste, comme je l'ai fait, à l'innocente curiosité infantile d'une âme pure teintée d'une dose naturelle de sadisme, si donc j'avais interprété ce geste comme une manifestation ou comme un symptôme de stupidité — comme l'aurait fait n'importe qui d'autre —, les choses auraient été bien différentes. À la surprise générale, je nommai Tom secrétaire de la Cour, un geste qui contribua à accréditer l'idée de ma folie. Jamais, au grand jamais, Tom n'eut une autre idée. Je pense maintenant que seulement un idiot, puisque c'est ainsi que cela s'est passé, pouvait trouver cette idée.»

Quand le juge eut terminé l'histoire de Tom, ce dernier resta planté là à regarder le plafond avec un air de satisfaction sur le visage. Par contre, le visage de William Wilson, qui souriait plein d'humour quand il avait raconté cet épisode, se voilà d'un profond et sombre reflet. Il méditait. Mais sur quoi? Sur la folie généralisée? Sur les jeux de faux-fuyant de l'humanité? Sur le nouveau Moyen Âge qui se rapprochait? Je n'en sais rien. Je sais seulement que pendant un long moment nous restâmes comme figés devant l'inconnu. Et que nous serions restés ainsi jusqu'à nous pétrifier dans ce tribunal en dérive si nous n'avions pas entendu tout près de nous, recouvrant le tic-tac de l'horloge et quelque lointain hurlement, une série de «aïe», de gémissements et de plaintes qui attirèrent notre attention. Prêtant l'oreille, nous cherchâmes à savoir d'où venait cette agitation et nous nous rappelâmes soudain de l'existence du Pygmée et de Masque Aztèque et du motif de notre présence au tribunal.

Sans doute jaloux de Tom qui avait accaparé notre attention, le Pygmée et Masque Aztèque gémissaient et se tordaient sur leurs chaises. Ils avaient atteint leur but. Nous les regardâmes et nous regardâmes le juge qui posa sur eux un regard compatissant et paternel. Soit en raison de l'attitude de William Wilson ou soit qu'ils craignaient de mourir là sur-le-champ, le fait est qu'il se produisit quelque chose qui paraissait un miracle. D'une voix braillarde qui trahissait leur état de tension intérieure, l'un d'eux dit: «Continuez, s'il vous plaît», et l'autre surenchérit: «Finissez-en une fois pour toutes.»

William Wilson hocha gravement la tête en signe d'assentiment et, prenant quelques feuilles de papier sur lesquelles nous pouvions distinguer le sceau de la Cour, il commença à lire la sentence.

CHAPITRE XXIX

La sentence
(fin)

« Ce vingt et un décembre de l'An de grâce mil neuf cent soixante-dix-huit, moi, William Wilson, juge du tribunal de la localité d'Erewhon, je vais maintenant rendre ma sentence. Mais voici d'abord les points de droit sur lesquels se fonde mon verdict. Étant donné l'absence de témoins qui puissent fournir un témoignage et apporter des preuves quant à la naissance et à la propriété d'une prétendue idée originale; étant donné l'inexistence de tout dossier tant au registre des droits d'auteur qu'au bureau des brevets; étant donné l'absence d'antécédents judiciaires (selon les renseignements fournis par la R.C.M.P.) et d'antécédents psychologiques (tel que démontré par les tests d'intelligence) qui puissent prouver (en raison de quelque 'anomalie' morale ou intellectuelle qui les placerait dans une catégorie à part) que les intéressés sont capables d'engendrer une idée; étant donné l'impossibilité absolue d'établir des paramètres permettant de définir ce qu'est l'intelligence; étant donné — situation encore plus grave — la possibilité pour n'importe quel idiot, comme j'en ai fait la preuve dans mon exposé oral, de produire une idée, serait-ce la seule idée de toute sa vie, j'en viens à la conclusion suivante: la sentence doit se fonder sur la capacité de la civilisation actuelle à valoriser les idées et à engendrer des hommes qui puissent en retour en produire, si tant est, évidemment, que les idées apparaissent nécessaires. Aussi, il faut se demander: est-ce que l'Idée existe? Tenant compte de la civilisation dans laquelle ils vivent et par laquelle ils ont été formés, ces savants professeurs sont-ils capables de produire une idée, ne serait-ce qu'une toute petite idée?

«Le problème se pose en ces termes en raison du refus des intéressés de révéler l'Idée (refus fondé sur l'exigence préalable d'établir qui en est le créateur, c'est-à-dire le propriétaire). Cette exigence est d'ailleurs tout à fait conforme au bon sens. Selon ce que j'ai entendu ou lu quelque part dans le dossier, ils invoquent encore une autre raison pour justifier leur refus: révéler l'Idée équivaudrait plus ou moins à 'jeter des perles aux pourceaux'. Cette attitude nous donne une idée de l'esprit raffiné des docteurs et de l'opinion qu'ils ont du reste du monde.

«Je rejette les deux arguments. 'Le secret est capable de se garder par lui-même', disaient les anciens. Les idées de génie abondent partout depuis des siècles mais, grâce aux raffinements de la technique, elles sont aujourd'hui stockées dans les bibliothèques, à la portée de tout le monde. Personne, cependant, ne les découvre, personne ne les comprend, personne ne les utilise, personne n'y prête attention: elles se gardent toutes seules. Établir l'auteur original d'une idée est chose très facile; compte tenu de ce fait et du second argument invoqué par les docteurs, j'en arrive à croire qu'ils ont conscience de l'inutilité de l'Idée et qu'ils savent que la révéler ne viendrait que confirmer cette inutilité et, par le fait même, leur propre inutilité. Il ne nous reste à parler que d'une obscure complicité.

«Et je dis ceci pour la raison suivante: j'ai parlé auparavant de notre civilisation qui est entraînée par un progrès derrière lequel elle court. Notre civilisation progresse-t-elle réellement ou plutôt ne fait-elle pas qu'enfler comme un monstre boursouflé de graisse? Notre civilisation croît en ne se nourrissant que d'une seule idée, celle du progrès, un progrès métamorphosé en illusion, l'illusion de croire que le monde va de l'avant. Une telle civilisation a-t-elle besoin d'idées et est-elle capable de les faire naître? Toute idée ne se dresserait-elle pas contre l'idéal et contre l'illusion? En ce sens, votre prétention d'avoir eu une idée brillante ne pourrait-elle pas être considérée comme un crime? Si vous voulez persister à soutenir que vous avez eu une idée...»

Durant le silence qui suivit, personne ne pensait à quoi que ce soit. Quand le juge se tut, le tic-tac de l'horloge, le crépitement du feu (et William Wilson, songeur — surpris? —, continuait à regarder les feuilles de papier), le temps, le début et la fin de toutes choses, tout cela, comme provenant d'une autre dimension, s'insinua dans nos esprits. Que s'était-il passé?

William Wilson posa les papiers sur le bureau, enleva ses lunettes, se frotta les yeux et quand il les remit, il avait vieilli de vingt ans. Songeur, il continua de se taire; on entendait seulement le tic-tac et le crépitement du feu. Que se passait-il? Obtiendrions-nous quelque explication ou le juge allait-il nous abandonner ainsi?

Il sourit avec une infinie tristesse:

«Je vous prie de me pardonner. Avec quelques idées et la meilleure volonté du monde, j'ai tenté d'expliquer les fondements de ma sentence. J'ai encore quelques idées à exposer quoique je pense qu'elles sont sans importance; et je suis en cela cohérent avec mon argumentation antérieure. Vous n'avez pas besoin d'idées mais d'action.»

Il reprit les papiers, mit de côté quelques feuilles, plaça le marteau à portée de sa main et il commença à lire:

«Messieurs, voici le propriétaire de l'Idée: vous prenant comme témoins, je vais maintenant procéder à l'ouverture de l'enveloppe scellée, en tirer les deux enveloppes contenant les deux versions de l'Idée, les ouvrir à tour de rôle, et, avec une pièce de monnaie que Tom fera tourbillonner, je vais tirer à pile ou face le propriétaire légitime de l'Idée.»

Nouveau silence. Nous attendions. Le juge ne bougeait pas. L'un des avocats fut le premier à réagir. Il se leva d'un bond et, désignant le Pygmée et Masque Aztèque (qui, les yeux dans le vide et les bras pendants de chaque côté de leur chaise respiraient rauquement), il dit:

— Votre Honneur! Regardez nos clients! Vous ne pouvez faire une telle chose. Je proteste!

— Pourquoi? Y a-t-il quelque loi qui l'interdise? Peut-être avez-vous une meilleure solution à proposer?

Un murmure (Un murmure d'admiration ou de protestation? Qui s'adressait au juge ou à l'avocat?) surgit de l'assistance. La chairman laissa tomber un petit éclat de rire. Ne sachant quoi faire d'autre, l'avocat regagna sa place. William Wilson posa les yeux sur la chairman qui se cloua le bec; puis il nous regarda et sourit comme aurait souri Satan de ses œuvres. À tout le moins, c'est ainsi que les choses me sont apparues. Par trois petits coups de marteau, le juge rappela à l'ordre l'assistance et il poursuivit:

«Messieurs les belligérants, c'est à vous que je m'adresse. Voici votre dernière chance: je vous propose de brûler dans ce poêle, sans l'ouvrir, cette enveloppe scellée. Pour mettre en œuvre ma première proposition, celle d'ouvrir l'enveloppe et d'établir qui est le propriétaire de l'Idée, je me contenterai du oui de l'un de vous d'eux; pour brûler l'enveloppe, il me faudra l'accord des deux.»

Personne ne sut d'où le Pygmée tira la force nécessaire pour signaler le poêle et d'où Masque Aztèque tira celle d'approuver d'un signe de tête le geste du Pygmée. (Ou peut-être que le hochement de tête de Masque signifiait qu'il voulait qu'on ouvre l'enveloppe. Nous ne le saurons jamais pas plus que nous saurons ce qu'il y avait dans l'enveloppe ni s'il y avait bien quelque chose.) Et pendant que la chairman se mordait les lèvres avec rage, le juge finit de lire la sentence:

«Quant à votre prétention d'avoir eu une idée et, si vous avez bien eu cette idée, d'avoir voulu la faire connaître ou d'avoir voulu en revendiquer la propriété, le tribunal se montre clément. Je considère que c'est là une prétention légitime, commune à tous les hommes et nécessaire à leur survie. Devant l'impossibilité de vous condamner puisque vous l'êtes déjà, le tribunal vous suggère de retourner à vos activités quotidiennes, de continuer à pousser avec hystérie ce qui avance tout seul, et de mettre tout votre talent, toute votre initiative et toute votre intelligence au service de la société. Retournez à vos occupations pour que vous puissiez conserver l'illusion de votre propre progrès et de celui de toute la société. Retournez à vos occupations pour que chaque jour vous puissiez vous demander: pourquoi ceci, quel sens cela a-t-il? Retournez à vos occupations pour que vous cherchiez désespérément à établir un record et, si vous y réussissez, pour que vous viviez sans arrêt dans la peur de le perdre. Pour que vous passiez le reste de votre vie à poursuivre une 'expérience' illuminante. Pour que vous ayez un hobby créateur, quelque chose à faire de vos propres mains, pour que vous rêviez d'une maison de campagne, pour que vous sachiez toujours ce que vous devez faire et que vous n'osez ni ne pouvez faire. Retournez à vos occupations pour que, si par hasard vous réussissez quelque chose, vous continuiez à vous demander: pourquoi ceci, quel sens cela a-t-il? Voilà, c'est tout.»

Comme s'il avait épuisé toutes ses forces, le coup de marteau de William Wilson fit un «pac» feutré à peine audible. Tout de suite après, il remit à Tom, dont le visage s'illumina de joie, l'enveloppe contenant l'Idée; pendant qu'il se dirigeait vers le poêle, Tom agitait l'enveloppe près de son oreille comme si c'était un hochet. En face du poêle, la bouche grande ouverte, il tint l'enveloppe immobile et il continuait à écouter mais les idées ne parlent pas ni ne bourdonnent comme les taons. Avec une moue de dégoût, il ferma sa bouche, ouvrit celle du poêle et y jeta l'enveloppe que les flammes dévorèrent. Puis Tom resta là à contempler le feu.

Le besoin de se dégourdir commençait à se faire sentir dans l'assistance. Paco avait à peine fini de dire: «Magister dixit» et le Mendocinien, pour ne pas être en reste, d'ajouter aussitôt: «Dura lex sed lex», que le juge William Wilson se leva avec majesté; nous l'imitâmes tous automatiquement. William Wilson prit congé de nous par ces mots: «Messieurs, bonne fin d'après-midi et faites bon voyage». Il descendit de l'estrade, ses épaules fatiguées et voûtées donnant presque l'impression de le précéder, et il se dirigea vers la porte et l'ouvrit.

Avant qu'il ne disparaisse, nous applaudîmes (qui a bien pu commencer?), sans grande conviction sans doute mais nous applaudîmes. William Wilson tourna la tête vers nous et il nous regarda; le sourire ironique (ou n'était-ce pas plutôt une grimace? de douleur? de dégoût?) que nous vîmes sur son visage mit un frein à nos applaudissements.

Il disparut.

Pourquoi applaudissions-nous? Par reconnaissance? Parce que William Wilson nous avait vraiment offert un merveilleux spectacle? Parce qu'il (lui) avait réussi ce que le Pygmée et Masque Aztèque, qui étaient encore là à demi évanouis sur leurs bancs, n'avaient jamais réussi ni ne réussiraient jamais: disposer d'une scène, quoique petite, qui permette de se faire entendre, d'avoir une audience et d'être écouté. Ne pouvaient-ils pas se contenter de l'estrade de leur salle de classe?

Je ne sais pas, je ne sais pas. Grâce au magnétophone — que j'ai arrêté au moment où le juge fermait la porte —, je me suis contenté, en toute modestie, comme un simple chroniqueur, d'enregistrer fidèlement les faits. Mais, comme le lecteur le sait malheureusement, un chroniqueur peut aussi mentir.

CHAPITRE XXX

Le retour et la fin

On brodera tant qu'on voudra sur la chairman, on aura beau médire d'elle, n'empêche que le Pygmée et Masque Aztèque, toujours assis au banc des accusés, se seraient momifiés sur place si ce n'avait été d'elle. Elle fut la seule à se souvenir d'eux. Elle fit un signe à la Chilienne et au Viking et ces derniers, sous ses directives, aidèrent le Pygmée et Masque Aztèque — qui, comme deux vieillards un peu gagas, restaient cloués à leur siège et répétaient sans arrêt: «Pourquoi? Pour quoi faire?» — à se mettre debout. En chancelant, ils se rapprochèrent des autres qui étaient en train de mettre leurs bottes et leurs manteaux en silence. Mais, comme en faisaient foi les larges sourires qui brillaient sur nos lèvres, c'était un silence beaucoup plus épanoui et joyeux qu'à l'arrivée. En voyant les ex-belligérants, désormais les ex-plaignants, Paco leur donna quelques tapes affectueuses dans le dos et il leur répéta la phrase du Mendocinien, quoique légèrement modifiée: «Merde! Dura lex mais sed lex.» William Wilson avait à peine disparu que l'huissier cessa de contempler le feu (un signe de sagesse) et qu'il commença à éteindre les lampes.

Quelqu'un ouvrit la porte du tribunal et le profond et joyeux hennissement d'un cheval envahit la salle d'audience.

Deux lampes seulement étaient encore allumées: celle du bureau de William Wilson et celle qui se trouvait près de la porte d'entrée; la douce pénombre rendait plus accueillant l'intérieur de la salle d'audience; tenant pressés contre moi le magnétophone et les précieuses bandes, avec un soupir de tristesse, comme le capitaine d'un bateau, je fus le dernier à quitter le navire qui, après avoir vogué à la dérive, avait finalement jeté l'ancre à bon port. Le huissier Tom me salua d'une légère inclination du corps, éteignit la lampe et ferma la porte derrière moi. Je pourrais jurer qu'il me sembla entendre le clic de la serrure. Quelle importance cela peut-il avoir? Je n'en sais rien. Tout ce que je sais, c'est que cela produisit une forte impression sur mon esprit et que seul le présent qu'il fallait vivre — la perspective du travail à accomplir — fit taire mes inquiétudes et me rendit mon optimisme.

À l'extérieur, il neigeait; des flocons aussi gros que des balles de tennis tombaient sur nous — des flocons que l'on ne voit que par une nuit comme celle-là et lorsque la température est à zéro. Sans vouloir débattre la question de l'existence de tels flocons, il suffit peut-être de croire que Dieu avait pensé à nous et qu'il voulait que tout soit comme sur les cartes de Noël, que nous ayons au moins une fois une image de la félicité: le scintillement de la neige immaculée, qui faisait oublier, qui adoucissait l'obscurité de la nuit, donnait au crépuscule un air fantomatique.

Nous montâmes dans les autos en nous répartissant comme à l'arrivée. Paco ouvrit la marche. Quand il tourna pour emprunter le chemin, je jetai un dernier coup d'œil sur la silhouette obscure du tribunal. La lampe sur le bureau du juge était toujours allumée et j'entrevis par la fenêtre une silhouette assise dans le fauteuil: sans doute n'était-ce pas le huissier Tom jouant au sage mais bien

William Wilson qui, ayant retiré sa toge, fumait sa dernière pipe de l'après-midi en l'accompagnant d'un verre
d'authentique whisky écossais.

Malgré la neige déjà accumulée et celle qui continuait
à tomber, Paco avançait avec assurance et détermination
dans les traces que nous avions ouvertes à notre arrivée.
Nous nous rapprochions des autos des avocats. Paco
commença à réduire la vitesse et il stoppa à côté de la première auto. Soudain, il fut secoué d'un infernal éclat de
rire. «Quoi, qu'est-ce qu'il y a? Qu'est-ce qui se passe? Es-
tu devenu fou?» «Regardez, regardez», criait Paco et il
continuait à rire. «Où, où?» «Là devant nous, putain, là
devant». Il passa aux phares à haute intensité et nous
vîmes un cheval campé au beau milieu du chemin qui
nous regardait de ses yeux brillants; il branlait la queue et
la tête d'un air affirmatif; il esquissa une cabriole de côté
pour éviter l'auto de Paco et il passa au galop à côté de
nous en hennissant: il tenait entre ses dents le panneau
disant «Tribunal d'Erewhon». Tout joyeux, Paco martelait
le volant pendant qu'il disait, criant presque: «Merde, le
mystère est enfin résolu: huissier plus juge égale deux,
plus le cheval 0,5, total 2,5: le nombre d'habitants
d'Erewhon.»

Bien que modeste et sans grande transcendance,
l'idée de Paco était juste; ainsi doivent être d'ailleurs toutes les idées géniales dont a besoin cette époque. Elle ne
trouverait sa place dans aucune bibliothèque mais c'était
le genre d'idée qui aide à vivre. Et, comme si cette idée
avait été la clef de tous les mystères, la réponse à toutes
les questions, ou simplement parce que nous avions
besoin de nous détendre les nerfs, ou encore parce que les
avocats désiraient que quelque chose sorte de l'auto avant
que nous en descendions, fous d'exaltation, nous descendîmes en lançant un retentissant «Yipiiii!»

Et là, sous la neige, dans ce décor, dans ce paysage
de dessins animés, ravis de la découverte de Paco que
nous nous empressions de révéler aux autres pour leur

faire partager notre joie, ravis qu'il n'y ait pas d'autres idées qui vinssent perturber notre allégresse, ravis de nos propres idées auxquelles nous pouvions toujours croire, nous nous mîmes à fêter l'événement. Comme une bonne poule couveuse toujours aux petits soins avec ses poussins (il faut lui donner ce qui lui revient), la chairman nous surprit agréablement avec une boîte de bonbons. Paco et le Mendocinien avaient aussi prévu le dénouement heureux: amants tous les deux du clairet, l'un et l'autre apparurent avec leur bouteille de vin — le premier, un vin rouge espagnol et l'autre, un vin rouge mendocinien. Après avoir fouillé dans leurs autos et refermé les portières, les avocats s'approchèrent, l'un et l'autre un flacon de whisky à la main, et ils en offrirent gentiment à leurs clients qui, sans doute dans leur désir de s'humaniser et de participer à la «*Community Life*» (vie communautaire), engloutirent chacun d'un trait la moitié de la bouteille.

Cinq minutes plus tard, c'était l'allégresse générale: le feu roulant des farces, des remarques et des commentaires jaillissait dru comme les flocons de neige. Au milieu du brouhaha, quelqu'un se rappela soudain de William Wilson, d'Erewhon et de son tribunal. Respectueusement, en silence, nous regardâmes en direction d'Erewhon; nous attendîmes mais ne vîmes aucun incendie. Paco cria: «Vive Erewhon! Vive le juge William Wilson!» Tous en chœur, nous reprîmes par un long «Bravooo!» et, comme des mousquetaires pointant leurs sabres vers le ciel, nous levâmes nos bouteilles, saluâmes et portâmes un toast: que perdurent à jamais la solidité de cette cour de justice, le bureau sculpté, le fauteuil du juge et la chaleur naturelle du beau poêle de fonte, que la sécurité et l'éternité, l'Âge d'or, l'intelligence et la sagesse perdurent à jamais, sinon dans les faits, à tout le moins à titre de légende.

Se montrant très compréhensive, la chairman «ferma l'œil» quand d'aucuns disparurent derrière les autos pour faire leurs besoins, de pressants et violents besoins dans certains cas, après toutes ces heures de rétention forcée.

Sous prétexte que le juge pendant le procès, «ne lui avait pas posé une seule question et ne l'avait même pas laissé parler», Paco, semblait-il, n'avait eu d'autre choix que de s'intéresser davantage à ses manœuvres auprès de la Valkyrie qu'aux propos de William Wilson (propos auxquels l'auteur, lui, avait prêté grande attention). Au milieu de l'allégresse générale, Paco, après avoir fait une courbette galante à la manière des courtisans de Louis XIV, invita la Valkyrie à l'accompagner (parce qu'il se sentait devant elle, dit-il, comme un jeune enfant, un débutant) pour l'aider à «faire pipi» derrière les autos. Riant à pleine gorge et jetant des coups d'œil à droite et à gauche, la Valkyrie refusa mais promit de l'attendre. Il convient de noter (son passé de militante féministe l'avait sans doute aguerrie) que le visage de cette femme ne laissa voir la plus petite trace de gêne, ni même de la grosseur d'un petit pois.

Collée (plutôt plus que moins) contre le Viking, la Chilienne lui chuchotait des choses; les avocats, faisant bande à part, se parlaient dans leur propre langage; l'auteur écoutait les conclusions du Mendocinien sur l'affaire: «Cet individu, c'est vraiment quelqu'un, c'est tout un type: un être unique, comme il n'en existe pas deux»; l'un à côté de l'autre, le Pygmée et Masque Aztèque, toujours seuls, restaient plantés là, comme des statues de pierre. Pour quelque raison mystérieuse, peut-être bien parce que la situation lui filait entre les doigts, la chairman courait en tous sens comme une poule inquiète.

Paco revint, un sourire de soulagement sur le visage; il sortit un énorme cigare, l'alluma et, le machouillant dans le style des gangsters, il se colla près de la Valkyrie qui fit de même; quand ils ne purent plus se serrer davantage l'un contre l'autre, la chairman cessa de courir en tous sens et ordonna qu'on reprenne la route. Comme elle se rendait compte qu'on ne faisait pas grand cas de son intervention, elle monta dans son auto, se glissa derrière le volant et mit le moteur en marche; et, comme si c'était la réalité qu'elle avait mise en marche, une sombre réalité, redoutable, insupportable, le Pygmée, lançant un cri — de douleur? de désespoir? —, s'écroula de tout son long dans la neige; il tenta de se relever mais les haut-le-cœur l'en empêchèrent et il se mit à régurgiter à plat ventre dans la neige. Nous nous approchâmes. «La catharsis finale», dit le Mendocinien; et la Valkyrie: «Ça va lui faire du bien»; et la Chilienne: «Ce n'est rien, un peu trop d'alcool.» Les mains dans les poches, les avocats contemplaient la scène; d'un geste protecteur, Paco étreignait la Valkyrie; le Mendocinien se grattait la nuque; l'auteur se disait que s'il se penchait, les bandes risquaient de tomber de ses poches.

Le temps vient à bout de tous les maux. Le Pygmée, toujours à quatre pattes, avait cessé de vomir. Il se passa alors une chose que personne n'aurait pu prévoir: Masque Aztèque s'approcha du Pygmée et l'aida à se relever; puis, prenant une poignée de neige, il lui nettoya et lui rafraîchit le visage. Ensuite, Masque sembla ne plus savoir ce qu'il fallait faire avec le Pygmée et il nous regarda comme s'il attendait quelque indication. Puis, quand les coups de klaxon de la chairman devinrent insupportables, Paco indiqua, d'un geste ostentatoire de la main qui tenait le cigare, la banquette arrière de son auto. Nous nous dirigeâmes vers les autos. Pendant que Masque Aztèque traînait le Pygmée, quelqu'un fit remarquer: «Il semblerait que le juge a visé juste quand il parlait d'une obscure complicité.»

Nous poursuivîmes enfin le voyage mais cette fois regroupés autrement dans les autos. Paco laissa le volant au Mendocinien et il s'assit à l'arrière avec la Valkyrie. Le Pygmée, plus minime que jamais, se réfugia dans un coin. Voulant peut-être nous rappeler qu'il était toujours bien vivant, au nom de la Ligue des non-fumeurs dont il faisait partie, invoquant ses nombreux membres, le Pygmée accusa Paco de pollution de l'environnement et il lui ordonna d'éteindre son cigare. Paco, assis au milieu et tassant la Valkyrie dans un coin, le regarda décontenancé et lui dit: «Comme disait le juge, celui qui cherche trouve. Il semble que c'est une chose que tu n'apprendras jamais»; et tirant une profonde bouffée sur son cigare (le symbole de son «pénis», comme il avait l'habitude de dire), il lui souffla la fumée au visage et lui lança un latinisme: «In vino veritas». Le Pygmée, peut-être à cause de la fumée, ou pour bien faire sentir l'impolitesse de Paco, ou simplement parce qu'il était à court d'arguments, le Pygmée, donc, après quelques petits toussotements forcés en guise de protestation, se tut et dormit pendant tout le reste du voyage.

Le Mendocinien mit en marche (c'était là une garantie: il voulait toujours atteindre quelque chose et il l'atteignait), prit la route et se dirigea vers la ville. La dernière bouteille passait d'une main à l'autre; chacun était perdu dans ses propres pensées et personne ne parlait. On entendait seulement les éclats de rire de Paco qui jouait à faire le «sourd-muet» et les petits rires de la Valkyrie qui s'amusait de ses bouffonneries; j'allumai la radio de l'auto et les roulements du tambour marquaient les premières mesures du Boléro de Ravel, annonçant déjà le crescendo, un crescendo qui accompagnait celui que le Génie de la bouteille faisait monter dans nos têtes.

Le lecteur peut interrompre sa lecture ici. Même le plus novice des universitaires vous dirait que le roman comme tel, ou l'histoire, finit quelques lignes plus haut. Ce qui suit n'est rien d'autre que le récit d'une vision délirante et d'un souvenir personnel.

Une vision qui me permit de retrouver mes racines. Je n'ai pas voulu remonter jusqu'aux origines de l'homme, de cet homme qui, en face de sa caverne, sans comprendre la raison de sa propre existence, hurlait et gémissait comme un possédé devant son incapacité à formuler la simple question «pourquoi?» Cela m'aurait amené à remonter trop loin dans le temps et, d'ailleurs, les premiers jours de l'humanité sont inaccessibles. Pour avoir une vision plus claire, plus instantanée, pour mieux comprendre notre monde et le phénomène de notre présence dans celui-ci, je me suis restreint à évoquer les trois caravelles de Colomb au moment où il était sur le point de découvrir l'Amérique. Une mer infinie sous un ciel lui aussi infini, un ciel bleu, trop bleu, et les trois caravelles lumineuses, étincelantes, trop étincelantes; les voiles gonflées par le vent — Hollywood — sur une mer parfaitement calme. Il m'a semblé comprendre quand je me suis vu moi-même aux côtés des autres membres du département, portant tous la toge et la barrette, agitant des banderoles, la chairman à la tête du groupe qui attendait Colomb pour lui remettre le diplôme de navigateur. Mais ce n'était pas cela; non, c'était autre chose. Du rivage, je voyais sur les voiles non pas la croix mais bien l'icône classique, le C du Coca-Cola. Je tentai de chasser cette vision et je me vis moi-même assis au département en face de l'écran couleur de la télévision. Là, sous mes yeux, vêtu de son habit de gala, Colomb descendait la passerelle et tout le département cherchait à se rapprocher de lui pour lui remettre le diplôme; mais les journalistes, les caméras de télévision, les étals de crème glacée, de hamburgers, de patates frites, de saucissons, les gens qui couraient en tous sens, les femmes qui voulaient un autographe, qui se pressaient autour de Colomb pour le toucher, toute cette agitation nous empêcha de le faire. Dans un effort désespéré pour me libérer de cette pollution, j'invoquai les héros du passé et je pensai à la mort. Je vis les guerres de libération, j'entendis les discours des pères de la patrie qui sonnaient à mes oreilles avec un air de déjà entendu et paraissaient soudain vides de sens, je vis les guerres civiles, je vis des morts et des résurrections, je vis la résurrection finale: le globe terrestre grouillant d'êtres humains collés les uns aux autres, entassés les uns sur les autres en quatre couches superposées; il n'y avait pas de place pour nous, seulement une énorme montagne de lambeaux de chair.

Et je vis tout à coup cette autre montagne de chair, la Valkyrie, toute haletante et secouée de petits rires; et je

vis Paco monté sur elle et rugissant comme un lion. Et je
compris que c'était seulement sous l'effet de l'alcool et de
son symbolique cigare que Paco avait pu laisser éclore le
désir et mener à terme l'assaut final. Et je compris l'obses-
sion du Mendocinien d'accumuler un nombre record de
publications; et je compris le Pygmée et Masque Aztèque,
je compris la chairman, nous tous, moi-même, chacun de
nous cherchant sa propre bannière pour la brandir au-
dessus de cette masse gélatineuse et dégoulinante le jour
de la résurrection. Et je compris l'infinie sagesse du juge
devant l'échec total de sa vie, son mépris pour toutes les
bannières, sa capacité de s'enivrer sans alcool. Je compris
que Dieu était infiniment seul et que c'était peut-être vrai,
qu'il était peut-être réellement mort.

Toutefois, ai-je vraiment compris? Ai-je vraiment
compris ce qu'est la vie? La mémoire se réveillait; elle se
réveillait à mesure que nous nous rapprochions de la ville,
au rythme des mesures rapides du Boléro, des battements
et des cadences de plus en plus précipitées. Détendus,
mon esprit et mon corps me portèrent de plus en plus loin,
vers un pays latino-américain, vers ma jeunesse, vers un
autre voyage; le battement du tambour devint le tiquetoc
d'un train. C'était les années où je préparais mon doctorat
sur Hudson. Pour réaliser un meilleur travail, pour insuf-
fler plus de vie à ma thèse, pour acquérir une expérience
directe et vivre les mêmes émotions qu'Hudson avait res-
senties, je m'étais proposé de visiter les lieux dont il s'était
inspiré pour écrire ses œuvres immortelles. Je n'avais pas
réussi à obtenir de billets en première classe; aussi, je rou-
lais vers mon destin en seconde classe, sur de rustiques
banquettes de bois, à côté de deux sujets plutôt rustiques
aussi qui, comme nous maintenant, avaient déjà ingurgité
un peu plus que leur dose d'alcool et continuaient à boire à
même une bouteille qu'ils se passaient à tour de rôle. Je
voyageais heureux, jouissant du beau paysage, et me
réjouissant à l'avance de mes futures découvertes.
Recherchant ma compagnie, mes compagnons de voyage

m'adressaient de temps en temps la parole mais, comme ma tenue vestimentaire était impeccable, ils le faisaient avec beaucoup de courtoisie. Ils m'appelaient «maître» et j'écoutais avec assez d'attention pour pouvoir en tirer une connaissance directe sur les coutumes et les comportements de deux êtres humains très différents de moi, de sorte à pouvoir par la suite parler en toute connaissance de cause d'une expérience concrète. C'est ainsi que j'ai appris que quelqu'un, le père ou la mère de l'un des deux voyageurs, était mort et qu'ils se rendaient à l'enterrement. Soudain, peut-être à cause du vin ou du va-et-vient du train, ou peut-être bien à cause de l'air vicié du wagon qui empestait la cigarette et les vapeurs d'alcool, l'un d'eux — je pense que c'était celui dont l'un des parents était mort — fut pris de violentes nausées et, sans même avoir le temps d'ouvrir la fenêtre, il régurgita un mélange de vin et de débris de nourriture encore mal digérée. Je vis — et sentis? — que sa vomissure avait sali le revers de mon pantalon; je sautai sur mes pieds, extrêmement offusqué, en proie à un dégoût et à une répugnance terribles: un dégoût et une répugnance justifiés par les espoirs et la perspective d'une humanité meilleure pour laquelle je me battais avec acharnement sans même formuler l'ombre d'un «pourquoi?»

Je cherchai un autre siège mais ils étaient tous occupés. Nerveux, je fis quelques pas de long en large. L'autre soûlard soutenait son ami par les épaules; calme et souriant, il me regarda, signala son ami d'un geste de tête, et il me dit: «Du calme, patron. Faut pas s'énerver pour rien. Ça fait partie de la vie.»

Épilogue ou conclusions

Pour le bénéfice du lecteur, je joins au «corpus» principal de ma recherche quelques éclaircissements et quelques remarques supplémentaires. Pendant la correction des épreuves de mon manuscrit à laquelle j'ai comme toujours accordé un soin minutieux, presque maniaque (un soin maladif, diraient certains que nous n'avons même pas besoin de nommer), je me suis rendu compte d'un certain nombre d'oublis fondamentaux qui m'ont échappé en cours de rédaction et qui, pour des raisons techniques, sont, selon l'éditeur, impossibles à corriger dans le texte déjà imprimé. C'est pourquoi il m'a semblé nécessaire de rédiger ce très bref épilogue ou, si vous préférez, ce chapitre de conclusions.

Mais voilà, qu'entend-on au juste par conclusions? Ce sont des vérités conquises au prix d'un labeur acharné (toujours) par les chercheurs et les penseurs consciencieux, des vérités qui sont valides le jour où on les écrit mais qui ne le sont plus le lendemain, le jour où on les publie. Toujours se profile quelque sangsue qui cherche à frayer sa route et qui, pour mieux se gorger et grossir, pour mieux se faire valoir et attirer l'attention, se colle à la vérité et en suce le sang jusqu'à la dégonfler. Et cela se comprend: nous sommes trop nombreux. La population, qui atteint des sommets record, s'est transformée en surpopulation; c'est une vérité au sujet de laquelle on nous rebat les oreilles mais qu'on n'admet toujours pas: nous sommes trop nombreux. Aussi, puis-je avec raison parler d'épilogue? Non, je continue, je n'aurai au contraire jamais fini.

Malgré les remerciements déjà adressés à certaines personnes, en particulier dans l'introduction et tout au long des notes, je me sens dans l'obligation, après les nombreuses collaborations que j'ai reçues, d'exprimer à nouveau ma gratitude envers toutes les personnes qui m'ont accordé leur aide. Mais un doute germe dans mon esprit: j'ai une dette de gratitude envers tant de gens, ils sont tellement nombreux ceux que j'ai consultés et dont j'ai reçu l'aide que j'en viens presque à croire que ce livre est une œuvre collective. Je ne vais toutefois pas entrer dans cette discussion; l'important est que l'idée originale soit de moi.

En relisant le présent travail, j'ai découvert que j'avais omis, involontairement il va de soi, de signaler mon alias. Pour que le lecteur ou que les collègues, qui ne me connaissent pas personnellement, n'aillent pas croire que je veux suggérer par là que je n'ai pas de surnom, ou que j'en ai honte, ou qu'il me dérange, et pour qu'ils sachent que je ne suis jamais à court d'idées ou de suggestions, voici mon alias: on m'appelle «Note en bas de page», l'auteur et créateur de ce surnom est le Mendocinien. Paco, l'ineffable Paco, trouvait que ce surnom était trop long et qu'il me conférait des airs de duc qui ne me convenaient pas du tout puisque pas la moindre petite goutte de sang bleu ne court dans mes veines. Même si je lui disais que j'appartenais, qu'on le veuille ou non, à l'aristocratie intellectuelle, Paco mit tout de même les ciseaux dans mon alias et maintenant on m'appelle tout simplement «Note». Oui, il faut probablement convenir que cet alias me va comme un gant. Le lecteur aura peut-être été étonné de l'imposante quantité de citations; il doit cependant admettre que je ne

me suis pas tout simplement contenté d'accumuler bête-
ment les citations mais que, au contraire, pour la constitu-
tion de mon «corpus», j'ai consulté directement plusieurs
autres collègues et je pense, d'ailleurs, avoir donné des
preuves évidentes de mon érudition. Il y a plus encore:
comme d'autres universitaires — professeurs, scientifiques et écrivains — je n'ai pas hésité à avoir recours à
l'ordinateur, cette boîte de sardines du savoir électronique.
La technologie est bonne en soi et tout dépend de l'usage
qu'on en fait. L'utilisation de cette petite merveille de la
technique m'a procuré d'immenses satisfactions intellectuelles, d'authentiques orgasmes spirituels, quoique j'ai
bien peur de ne jamais pouvoir récupérer les dollars que j'y
ai investis.

À propos, lecteur, t'ai-je parlé de mes sentiments?
D'une façon générale, je crois que oui. Mais... t'ai-je parlé
de mon automobile et de mon ouvre-boîte automatique?
Je crois que non. Pour que tu n'ailles pas t'imaginer, lecteur, que je suis un minable et pour que tu ne viennes pas
m'accuser de parler par ressentiment, eh bien oui, je tiens
à te dire que je possède effectivement ces deux instruments. J'ai bien un ouvre-boîte automatique et une automobile même si je ne m'en sers pas: je déteste la nourriture
en boîte et je ne sais pas très bien conduire. D'ailleurs, ils
m'appartiennent même beaucoup plus qu'ils n'appartiennent à la plupart des gens: je les ai payés comptant. La
possession — personnelle et privée — de ces biens me
confère un trait distinctif qui me permet de ressembler
parfaitement à monsieur tout le monde et de me distinguer ainsi sans que cela n'attire l'attention, sans même
qu'on le perçoive. Je considère le fait de ne pas m'en servir
comme un signe de sagesse quoique, par moments, je
n'en sois plus très certain.

Je me rends compte que mon enthousiasme m'a fait
dévier de ma route et c'est une chose à éviter à tout prix
que de parler de ses sentiments personnels dans une
recherche objective. Cela peut créer une ambiguïté

ouvrant la porte aux accusations de vanité. Pour en finir avec le sujet de la présente discussion, le lecteur peut lire au bas de la page ce qui sera probablement ma dernière citation[1].

---

1. Elle est tirée du dictionnaire de The Lord et elle se lit ainsi:

Citation: «En l'absence d'une vision du monde authentique et réelle, parler et écrire sur les vérités éternelles, sur les choses importantes de la vie, voilà le triste destin des universitaires, des professeurs d'humanités, des écrivains, des 'scientifiques', des politiciens, des religieux et des nouveaux prophètes. Et comme il leur manque un corpus organique — qui n'existe d'ailleurs pas —, ils étayent leurs vérités et leur insufflent vie par le recours aux citations. Comme des mendiants, leur besace pleine de citations à l'épaule, ils parcourent le monde à la recherche de pouvoir et de gloire. Désespérés devant leur inévitable ignorance, devant leur manque d'idées personnelles, désespérés devant la réalité d'un monde fragmenté en un nombre infini de spécialités contrôlées par des experts et des spécialistes, leur foi païenne leur permet de conserver l'illusion qu'ils sont des encyclopédistes. Les citations sont faciles à trouver; on peut avoir recours à l'ordinateur (c'est un peu plus coûteux mais que peut-on y faire), ou à un assistant, à une secrétaire, à un livre de citations ou à un expert en citations (tant mieux si c'est un ami ou un collègue) qui lui aussi, comme l'ordinateur, fait payer ses services. Et, comme des magiciens faisant sortir des lapins de leur chapeau, de même, ils tirent les citations de leur besace. Ils citent pour étayer quelque prétendue idée personnelle ou pour détruire les idées de quelqu'un d'autre; ils citent Freud, Jung, Einstein, le bouddhisme zen, le taoïsme, le Playboy; ils citent Kant, Hegel, Marx, la Bible, Hitler, Staline (ces deux derniers, tant qu'ils ne seront pas de nouveau à la mode, on ne les cite plus très ouvertement mais plutôt de manière voilée et indirecte), Sartre, Kennedy; ils citent des scientifiques pour disqualifier les lettres et les lettres (d'habitude la poésie) pour disqualifier les scientifiques, etc.; et ils discourent de n'importe quoi, du silence, du mot, du cri, de l'angoisse contemporaine, de la société de consommation, du viol de mineurs, de la pornographie, des maladies, du voyage à la Lune, des profondeurs de la mer et de l'inconscient individuel ou collectif, de la nécessité de la conquête de l'espace, du sourire d'un enfant, de l'amour, de Dieu, de la vie et de la mort, de la philosophie, du socialisme, des rêves; et quand la besace se retrouve vide et qu'ils ne savent plus quoi dire, ils utilisent les citations passe-partout, l'ultime recours de toutes les méthodologies: 'Ceci se situe à un autre plan ou à un autre niveau' ou 'Ceci a déjà

On dit que nous sommes tous égaux devant la mort et que nous allons tous nous rencontrer dans le feu de l'au-delà. Je ne pense pas que nous ayons besoin d'aller aussi loin pour perdre notre identité, notre dignité et tout ce qui nous permettait de nous croire différent. Il suffit d'entrer dans une toilette de l'université et de se retrouver à côté d'un timide professeur à lunettes occupé à soulager sa vessie pour se rendre compte que toute dignité, aussi bien celle de l'un que de l'autre, s'effondre avec fracas. De telles rencontres ne donneront jamais lieu à un dialogue sérieux et constructif; au contraire, ils se parleront, ou nous nous parlerons, en lançant quelques farces tirées par les cheveux. Le lecteur dira que je choisis une situation caricaturale et que je trace une image stéréotypée du professeur alors que, de nos jours, beaucoup de professeurs peuvent passer pour de jeunes cadres élégants et parfumés. Le lecteur se trompe. Je n'ai parlé jusqu'ici que des fonctions naturelles mineures et non des fonctions majeures du corps. Avant d'en venir aux besoins majeurs, je rappelle au lecteur le dialogue qui eut lieu, précisément dans la toilette, entre Masque Aztèque et moi. Le résultat (et l'histoire aussi) aurait été tout autre si nous avions tenu cette conversation en privé, un verre à la main, dans une chambre agréable où nous n'aurions pas eu à craindre à tout moment l'entrée importune de quelqu'un: Masque, une fois soulagé, aurait pu tranquillement se laisser aller à gémir: «Je t'aime, maman».

La situation caricaturale serait, cher lecteur, de s'asseoir sur le trône, position dangereuse où la couronne risque à tout moment de rouler sur le sol. Comment s'y asseoir avec dignité, comment empêcher que l'on recon-

été dit et discuté par les Grecs'; et, à coups de citations, ils continuent à parler de l'esprit de l'homme et des choses les plus importantes de la vie. Et je cite Musil: 'Qui parle de la chose la plus importante du monde ne croit pas qu'elle existe réellement.'»

La dernière citation, c'est celle de notre rencontre avec la mort.

naisse vos souliers par-dessous la cloison et que l'on puisse vous identifier en plein processus de libération? Un économiste parlerait du viol de l'intimité pour des raisons d'économie de matériaux de construction et d'une plus grande facilité de nettoyage. Pour faire face à cette situation, certains professeurs, j'en suis sûr, s'accroupissent directement sur le trône. Dans cette position, ils évitent d'être reconnus et ils se protègent contre un autre désagrément, le frottement et le contact métaphysique avec d'autres chairs qui ont laissé leur trace sur le siège de toilette; mais quand ils sont sur le point d'amorcer délicieusement le processus, ils se rendent compte que, dans cette position, ils ont augmenté le volume de quelque chose qui les tracasse aussi: le bruit. Les fantasmes intérieurs nous assaillent et, pris entre le drame et le désir de se faire reconnaître et la peur d'être reconnu, la terreur de la parole écrite et le doute permanent nous obligent à une lente libération, timide et craintive, et nous en perdons le plaisir du jaillissement libérateur. Mais supposons que, peu importe la position, nous osions passer à l'acte libérateur: aussitôt l'esprit du temps se pointe pour nous jouer ses mauvais tours. Les gens ont l'habitude de dire que, quand tous les horizons sont bouchés, c'est le dernier plaisir et la dernière certitude qu'il nous reste; toutefois, après nous être gavés du monde et de sa nourriture graisseuse, sans substances solides, quand nous osons enfin (après quelques années de psychanalyse, ou par audace et détermination personnelles) nous laisser aller à la grande libération, tout ce que nous pouvons évacuer est une chose molle, fade et flasque, une sorte d'amorphe reptile de notre intériorité.

Même l'érotisme anal dont parlait Freud à échoué. Que nous reste-t-il? Étudier avec acharnement la littérature avant-gardiste des homosexuels de l'école du réalisme magique américain. Bah! cela ne serait que pure envie.

Pardonne-moi, cher lecteur, je me suis encore une

fois égaré en cours de route. Peut-être bien que je m'en
fais trop et que je devrais tout simplement accepter la réalité telle qu'elle est. De fait, même s'il arrive parfois que l'on
rêve d'Hitler ou de Staline pour remettre un peu d'ordre
dans notre chaos, la crise de l'énergie est au fond le seul
problème qu'il nous resterait à régler pour que nous puis-
sions réellement vivre dans un paradis terrestre.

Je me rends compte maintenant (alors que je suis en
train de faire la révision des épreuves) que j'ai toujours
interpellé le lecteur au masculin, jamais la lectrice. Cette
omission peut déclencher une attaque ou une déclaration
de principes de la part de quelque Mouvement de libération féminine. Ou une contrepublication de quelque collègue militante m'accusant de «machisme» latent. Je tiens à
préciser qu'il s'agit d'une omission involontaire et, en tout
état de cause, que je m'en suis tenu aux règles de l'Académie royale. À titre de conseil personnel, je suggère à
toute femme qui pourrait se sentir offensée la relecture de
n'importe quel texte publicitaire faisant la promotion d'un
produit s'adressant spécifiquement aux femmes. Sur une
petite boîte de Tampax, par exemple, elle pourra lire:
«Moderne. Simple. Liberté nouvelle.» C'est de la poésie
pure et directe. Aucun traité de philosophie ne pourrait lui
apporter un pareil réconfort.

De la même façon qu'on pourrait m'accuser d'antifé-
minisme, on pourrait aussi me traiter de raciste pour mes
propos sur les McDonald nord-américains toujours «rem-
plis de Nègres». Je ne crois aucunement que les Noirs
soient plus sales que les Blancs mais, si par hasard ils le
sont, ils ont cet avantage sur nous que la couleur de leur
peau dissimule mieux la saleté. Et quant à l'histoire de
l'odeur, qu'ils sentent mauvais, cela n'est que flagrant
mensonge. Véritable conquête de notre civilisation, trois
mille produits contre la mauvaise odeur (selon Statistique
Canada et le Bureau américain des statistiques), la plupart, à la portée de la bourse du plus pauvre, sont en
vente dans n'importe quelle pharmacie. D'usage et d'application faciles, les parfums, les désodorisants en pâte, en

bâton, en aérosol, permettent une égalité qu'aucune autre culture, aucune autre civilisation n'a jamais pu réaliser jusqu'à maintenant. De sorte que l'on peut dire, en ce qui a trait à l'odeur, que les Noirs sont égaux aux Blancs ou vice versa.

S'il était nécessaire d'apporter des preuves supplémentaires, je pourrais encore ajouter que notre département peut s'enorgueillir de compter parmi ses rangs plusieurs étudiants de race noire. D'autre part, à Washington, le Congrès des États-Unis vient de voter une nouvelle loi par laquelle, pour la énième fois, on reconnaît aux Noirs le statut d'êtres humains. Devant l'invasion de cette nouvelle marée humaine, les congressistes et les cadres supérieurs de la capitale américaine doivent maintenant, pour pouvoir s'acquitter de leurs tâches, voyager dans de petits avions nolisés spécialement pour eux.

Un éclaircissement: dans le chapitre XXIX, «La sentence (fin)», je mets dans la bouche du juge le dicton «jeter des perles aux pourceaux» qui peut sembler au lecteur un peu trop familier et peut de la sorte l'amener à douter de la véracité du récit. Je tiens à préciser au lecteur que ce dicton est une variante du dicton anglais: «*To cast pearls before swine.*»

Et puisqu'il est question du juge William Wilson, je profite de l'occasion pour dire que je n'ai plus jamais eu de ses nouvelles depuis le procès. Pendant un certain temps, nous avons continué de parler entre nous de l'expérience d'Erewhon et je cherchais subtilement à entretenir la conversation de façon à connaître le point de vue de tous et chacun. Maintenant, plus personne ne parle de lui. Toutefois, pour que le lecteur puisse voir à quel point on peut déformer les faits historiques, il vaut la peine que je lui raconte un épisode fort instructif.

Tout comme il est au fait de l'identité et des activités secrètes de Superman ou de Zorro, de même, le lecteur privilégié sait que j'ai enregistré tout le procès. Je n'ai d'ailleurs jamais fait un secret de cette affaire mais, comme personne ne m'a jamais demandé quoi que ce soit à ce sujet, je n'en ai pas non plus parlé. Il y a quelques jours, la chairman me convoqua à son bureau; elle m'invita à m'asseoir et, avec une amabilité, une douceur et une coquetterie dignes d'une vampire, elle me dit: «Mon cher Note en bas de page, hi, hi, hi, je voudrais revivre les inoubliables moments que nous avons vécus ensemble à Erewhon. Je t'avoue, et d'ailleurs tu le sais, que je ne maîtrise pas très bien l'anglais, et encore moins cet anglais étrange, archaïque — n'est-ce pas ton avis? — que parlait le juge. Aussi, le discours du juge m'a laissée sur ma faim. De plus, je suis une femme et tu sais bien que nous, les femmes, nous sommes romantiques et sentimentales. Aussi, comme j'aimerais revivre ces moments d'une si rare intensité, ces moments uniques et inoubliables, cette présence de la sagesse dans les clameurs de la vie moderne, ce message de paix et d'amour qui se dégageait des propos du juge et qui pourrait servir d'exemple aux générations futures, tu pourrais me prêter les cassettes que tu as enregistrées. Il y en avait plusieurs, n'est-ce pas?»

Que pouvais-je faire? Le discours de la chairman ressemblait à l'introduction d'une publication qui devait lui trotter par la tête. J'ai convenu de lui apporter les cassettes mais, par la suite, d'une fois à l'autre, d'un prétexte à l'autre, je n'ai cessé de m'esquiver et je me demande même maintenant si je dois les lui prêter. Je n'aurais jamais cru qu'un fantôme, celui de l'oisiveté dans ce cas, puisse faire autant de bruit en rôdant dans ma chambre.

Et maintenant — avant que mon livre ne sorte en librairie —, voici quelques renseignements supplémentaires et les toutes dernières nouvelles sur les protagonistes de cette histoire.

Les avocats présentèrent leur facture, se firent payer, et ils disparurent comme de la fumée dans le brouillard.

La Chilienne et le Viking retournèrent à leurs tâches. Nous ne sûmes jamais si cet épisode avait eu un quelconque impact dans leur vie. Ces deux-là, disait Paco, même la suprême expérience d'un tremblement de terre ne réussirait pas à les secouer. De toute évidence, Paco exagérait comme toujours. Au moins dans son apparence extérieure, la Chilienne changea profondément: elle grandit. Elle commença à porter des souliers aux talons de plus en plus hauts, elle troqua sa coiffure habituelle pour une coupe «afro» et, comme une agnelle égorgée, bêlant de tendresse, se faisant excessivement compréhensive, elle arpentait les corridors du département à la recherche d'une oreille compatissante pour déverser le trop-plein de ses canaux vides, ceux de l'affection, et elle en profitait pour déballer le venin de son sac à malice contre la libération féminine.

Dès que nous fûmes de retour, le Mendocinien — qui répétait toujours «C'est une chose sérieuse» chaque fois que je revenais sur le sujet d'Erewhon — s'enfouit dans la bibliothèque pour terminer une recherche sur le Moyen Âge, une recherche dont il avait été momentanément détourné par les événements racontés antérieurement. Il fut le seul à qui je révélai mon intention de réaliser une recherche sur l'histoire de l'Idée. Il me promit qu'il m'en ferait part s'il trouvait quelque antécédent comparable, que ce soit dans le haut ou dans le bas Moyen-Âge. J'attends toujours: ou bien le Mendocinien n'a trouvé aucun exemple semblable, ou bien mon idée est tout simplement unique.

Paco partit enseigner dans une autre université. Son départ fit beaucoup jaser; comme d'habitude dans ces milieux-là, on inventa n'importe quoi, on parla d'une brouille amoureuse entre lui et la chairman (mais lequel des deux s'était brouillé avec l'autre?); on insinua encore que, de tant cavaler sur la Valkyrie, Paco était à bout de forces et aussi qu'il avait dû faire un choix entre l'alcoolisme et la santé.

Je peux certifier qu'il ne s'est rien passé entre Paco et la chairman. Le soir qui précéda son départ, je l'invitai à boire un verre dans l'un des rares pubs qui existent encore à Ottawa, une véritable relique de la vieille Angleterre;

l'intérieur agréable de ce pub me rappelait le tribunal d'Erewhon et j'y venais souvent quand je cherchais l'inspiration. De façon générale, et c'était ici le cas, l'accès à ce genre d'établissements, du moins dans les faits sinon légalement, était interdit aux femmes.

Nous nous assîmes et Paco s'exclama: «Merde, voilà un endroit où un homme peut enfin se sentir un homme!» Et je répondis: «En effet, on dirait une écurie pleine d'étalons.» Paco salua ma remarque d'un éclat de rire et il commanda deux pots de bière que nous accompagnâmes de viandes fumées. Après deux ou trois pots supplémentaires, je lui offris le havane que j'avais acheté pour l'occasion et je le questionnai discrètement sur les différentes versions qui circulaient au sujet de son départ. En ce qui concernait la chairman, il m'avoua que ni elle ni lui n'avaient tenté quoi que ce soit. Après avoir allumé son havane, l'avoir savouré, avoir commandé un autre pot de bière, il ferma les yeux à demi, prit une longue respiration et, ouvrant les bras comme s'il voulait embrasser tout l'univers, il dit, narquois et rêveur: «Putain, quelle aventure! Ce fut comme si j'avais fait l'amour à Brunilda ou à Fregunda au rythme frénétique de la chevauchée des valkyries»; puis il expira l'air qu'il avait dans les poumons et il laissa échapper un soupir.

Si nous avions continué sur la même veine, nous aurions remonté, sans le moindre doute, jusqu'aux tout premiers jours de l'humanité, en ces jours où la violence de l'accouplement des dinosaures géants pouvait provoquer le déplacement des continents; et, de là, il n'y aurait eu qu'un pas à franchir pour expliquer la naissance des quatre continents à partir d'un fondement psycho-analytico-sexuel. Aussi, je commandai un autre pot de bière et je lui dis: «Paco, pour l'amour de Dieu, reste les deux pieds sur terre! Des détails, je t'en prie, des détails!»

Sous l'effet du souvenir peut-être ou encore de la bière, je ne saurais le dire, Paco devint rouge comme un homard (et moi aussi). Il me dit, mi-fâché mi-moqueur:

«Ah! vieux coquin, être pervers et libidineux, éternel enfant, adolescent immature! N'aurais-tu pas encore vu la face de Dieu? Faute de pain, on mange de la galette. Ce que tu désires, toi, c'est une sorte de description linguistique d'un phénomène charnel; tu voudrais savoir si, quand l'imagination est épuisée et que la réalité est morte, le pouvoir de la langue peut faire revivre le paradis perdu. À défaut d'une tour de marbre, on se contente d'une tour de plastique.»

Il tira quelques bouffées sur son cigare et avala quelques gorgées de bière. Si ce n'avait été de son hédonisme, j'aurais dit qu'il ressemblait à William Wilson dont il avait copié les manières. À cet instant, il se préparait à rendre le jugement final. Soudain, il se secoua le corps et rota.

«Tout comme Dieu est mort, de même l'innocence est morte. Ce que tu viens d'entendre, ce ne fut pas tant le 'hoquet de l'amour' suivant le silence mais plutôt un 'rot sonore' précédant le silence. Bon... Debout, c'était une montagne, une déesse, une œuvre digne des anciens. Je l'ai tenue, là devant moi, toute nue, magnifique comme un sphinx qui dévoile son énigme. J'ai été pris de la tentation de m'agenouiller et de prier; et je le fis. Merde, pourquoi pas? Ce n'est pas tous les jours qu'on a devant soi (et pour soi) sa propre déesse privée. Son corps était l'incarnation vivante de tout l'essentiel. Ses seins: les cloches bringuebalantes d'une cathédrale qui sonnaient pour ta gloire éternelle. Le triangle, sa touffe de poils entre les jambes: le feuillage d'une forêt chaude et humide, une obscurité intérieure qui proposait une mort et une résurrection indolores sous la protection d'une chaleur tiède et durable. C'était, faites chair, la réalité et l'illusion conjuguées. Je comprends maintenant ce que veut dire être fait à l'image et à la ressemblance de Dieu; tu as l'impression d'être une partie de Lui quand elle t'adresse sa prière, elle fait revivre en toi la sensation de l'unité perdue. Mais à mesure que croît le plaisir de te sentir Dieu-Homme, en même temps croît aussi la crainte que ton œuvre soit supérieure à celle du

Dieu qui est un. Comment pourrais-je t'expliquer? Tu la vois là, agenouillée sous toi, piquant du nez et miaulant comme une chatte, et tu as peur que les coups de boutoir et les miaulements, s'ils se déchaînent, ne se transforment soudain en rugissements et en coups de griffes et que la petite chatte métamorphosée en panthère ne te dévore. Est-ce elle ou est-ce toi? Je n'en sais rien. Tout ce que je sais, c'est que — à cause de ta peur ou parce tu en as déjà assez de ce chapitre du rituel — tu es impatient de passer au chapitre suivant, celui qui s'intitule «l'amener au lit»; c'est une façon brutale mais adéquate de le dire parce que ce chapitre, c'est celui qui te permet de te sentir bien en vie, un homme à part entière. Mais l'expression s'avère une pure métaphore; pour l'amener dans le lit, il te faudrait une grue; et pour ne pas perdre ta dignité, pour ne pas être obligé de lui dire: «mademoiselle, voulez-vous avoir la bonté de vous allonger», d'un coup d'œil tu repères le lit, tu changes imperceptiblement de position et tu tentes par de délicates poussées de lui indiquer le chemin; mais elle peut confondre tes poussées délicates avec l'approche amou-reuse des dinosaures et — mettant en pratique les princi-pes d'initiative, de participation et d'égalité que conseillent certains manuels — te rendre alors tes avances par des coups qui t'expédient sous le lit ou... dessus si tu as de la chance. Mais ça ne s'est pas passé ainsi; ce n'est pas pour rien qu'elle est une femme, c'est-à-dire fondamentalement intuitive. Devinant tes difficultés, elle voudra probable-ment t'aider sans que tu t'en rendes compte. Pendant la lutte amoureuse, il se produisit, à un certain moment, un «clinch»[2] et, faisant trois pas vers l'arrière, elle me traîna vers le lit et s'y laissa tomber m'entraînant sur elle; la cathédrale s'était effondrée. Enfin en position horizontale, la cathédrale enfin conquise, j'aurais dû, puisqu'il est prouvé que l'acte lui-même est mort et résurrection quoti-

---

2. N.D.T.: en anglais dans le texte.

diennes, j'aurais dû, donc, remodeler les cloches tombées de chaque côté, j'aurais dû parcourir les courbes et les sinuosités, j'aurais dû raser cette épaisse forêt alors transformée en triangle des Bermudes, mais la tâche t'apparaît soudain dangereuse et longue, elle t'apparaît presque infinie, interminable, parce que l'heure de la fermeture de la bibliothèque approche et que tu dois rentrer à la maison.

«Putain (Paco fit résonner son verre sur la table), je ne savais pas par laquelle des deux têtes commencer — par celle qui pouvait te donner une immortalité illusoire ou par celle qui te faisait remonter jusqu'au chaud rêve éternel, jusqu'à la semence.

«Aussi, au lieu de m'attarder aux détails, au lieu de m'occuper de la cathédrale brique par brique, de la parcourir de long en large, de la posséder jusque dans ses pores, d'y rechercher les pas perdus, au lieu de ce long parcours, j'abordai la situation en des termes plus généraux, je fis appel aux images de la mémoire, je me projetai en esprit une série de diapositives, de photos semi-pornographiques et pornographiques — certaines d'entre elles acceptables aux yeux de la loi, d'autres visionnées clandestinement au fond d'arrière-salles obscures; j'ai sollicité ma mémoire jusqu'à ce que mes souvenirs se confondent avec mon désir puis j'ai rugi comme un lion. J'ai fait ce que je devais faire, ce pour quoi tu es créé; et après il faut que tu t'en ailles parce qu'on ferme la bibliothèque. Dehors, sur le chemin du retour, j'ai hurlé comme un loup solitaire. Et maintenant c'est le silence. Et demain je m'en vais.»

Et Paco nous quitta sans plus.

Bien que la lourde tâche d'être utiles à la société retombe d'habitude sur les épaules des mongoliens, des faibles d'esprit, des fous et des paralytiques (parce que ceux qui restent là à ne rien faire constituent un mauvais exemple), le Pygmée et Masque Aztèque respectèrent la sentence de William Wilson et reprirent leur tâche; et, fidèles à la devise du pasteur Joyce: «Quand sont perdues la foi et l'espérance, quand l'amour et l'amitié n'existent plus, l'homme doit, pour survivre dans la société de consommation, s'entourer de confort», ils commandèrent par télégramme, l'un pour l'autre, les prothèses dentaires les plus luxueuses, techniquement très sophistiquées, munies d'un coussin en caoutchouc mousse, entièrement automatiques et munies d'un contrôle à distance.

En raison du coût très élevé de ces prothèses et aussi pour que les étudiants puissent comprendre un peu mieux ce qu'ils disaient dans leurs cours, l'université leur consentit un prêt spécial à même le fonds d'urgence. Quand ils furent en possession de leurs prothèses, après un cours d'immersion intensif pour apprendre à les utiliser correctement, ils firent tous deux leur apparition au département, la bouche fendue jusqu'aux oreilles. Nous les avons entourés et félicités pour leur acquisition puis ils nous ont fait voir avec quelle facilité, avec quelle simplicité fonctionnaient ces prothèses; nous nous sommes émerveillés des conquêtes de la technique, nous leur avons ensuite souhaité bonne chance et bien vite nous les avons complètement oubliés.

Ce fut peut-être justement en raison de notre indifférence, ou encore parce que même la plus parfaite des machines finit par se détraquer, ou à cause de la crainte, de la peur ou du froid, ou de l'électricité statique dans l'air, peu importe, mais les prothèses se déréglaient et elles se mettaient à mastiquer d'elles-mêmes (phénomène mécanique qui correspond au «claquement des dents») à toute vitesse (à toute machine, aurait dit Paco), les laissant tous deux complètement désarçonnés, incapables de faire quoi que ce soit. On entendait le bruit que faisaient les prothèses dans les corridors et jusque dans les bureaux. La première fois que cela s'était produit, nous accourûmes tous comme des dératés pour leur venir en aide. Mais, après la répétition de la même scène de nombreuses fois, l'«attaque technique» apparut suspecte et plus personne n'y faisait attention. Tout au plus, si quelqu'un passait par hasard à côté d'eux durant l'attaque, il leur donnait quelques petites tapes dans le dos et le claquement s'arrêtait miraculeusement.

Et je vais m'arrêter moi aussi. J'écris ces dernières lignes dans le pub où je viens presque tous les soirs me souvenir des jours révolus. Depuis que Paco est parti, la Valkyrie me fait de l'œil. Éventuellement, je l'inviterai peut-être au département. Ma bibliothèque, privée et particulière, n'est pas soumise aux limitations d'horaire. Enfin, nous verrons bien.

Je me sens un creux à l'estomac. Je commande encore de la viande fumée et une autre bière. En attendant qu'on apporte ma commande, je note mes projets pour les jours qui viennent. Mon programme pourrait être le suivant:

La relecture de la relecture de L'histoire de la banque.

La relecture de toute l'histoire (en vue de préparer la seconde édition et de me préparer aux attaques éventuelles).

Une étude de l'usage des

...

...

Bah! Je n'ai pas tellement le goût de faire des plans pour le moment. J'attends seulement ma bière et ma viande fumée. Et j'espère aussi que le monde sera en mesure d'accueillir et surtout de comprendre mon œuvre. Il est bien possible qu'on me taxe de vaniteux à cause de cette déclaration. J'avoue, et le lecteur devra l'admettre, que je ne suis pas plus vaniteux que ce poète de génie, humble et modeste dans sa grandeur, qui ne va pas jusqu'à oser s'appeler lui-même Dieu mais ne fait rien pour qu'on ne le confonde pas avec Lui. Peut-être s'agit-il d'une prétention idiote; le monde est maintenant prêt, les esprits sont ouverts à n'importe quelle stupidité et on sait bien

que les extrêmes se touchent. J'espère qu'il y aura quelqu'un qui, ne sachant quoi penser de mon œuvre, dira au
moins qu'elle est profondément humaine. Pour le dire plus
scientifiquement, l'un ou l'autre des niveaux de lecture
possibles (psychologique, académique, sociologique, littéraire) devrait pouvoir sauver mon livre. Enfin, j'espère que
mon œuvre n'aura pas sur le lecteur cet effet de rebondis-
sement que produit sur quiconque le célèbre conte arabe
intitulé «Littérature[3]».

---

3. *Note de l'éditeur*: Il est franchement étonnant qu'un universitaire
aussi consciencieux que l'auteur de cet ouvrage, que nous avons
l'honneur de publier, ait oublié de rapporter la source exacte du conte
intitulé «Littérature». Nous osons croire qu'il nous comprendra et
nous saura gré de venir combler cette lacune.

On peut trouver le conte que cite l'auteur — ainsi que certains
autres contes merveilleux arabes qui apparaissent comme des exemples achevés de la profonde sagesse de ce peuple — dans *Anthologie
de contes arabes* de la maison d'édition qui publie le présent ouvrage.
Nous nous permettons de rapporter ici le conte en question pour illustrer cette sagesse dont nous parlions à l'instant:

LITTÉRATURE

Ibn Yusuf raconta un jour ce qui suit:

— Ils étaient si nombreux ceux qui venaient me voir, m'apportant
des livres qu'ils avaient lus et qu'ils voulaient que je leur explique, ou
des livres qu'ils avaient écrits et au sujet desquels ils désiraient connaître mon opinion, ou encore d'autres types de livres, ils étaient si nombreux, donc, que je ne pouvais tout simplement plus suffire à la tâche.
J'allai voir un médecin, qui était de plus un sage, et je lui dis: «Donne-
moi quelque remède à ce problème». Le médecin me donna un autre
livre que je devais remettre aux lecteurs ou aux auteurs qui viendraient
me consulter. Il n'y avait dans ce livre qu'une seule phrase, celle-ci: Le
temps perdu à lire cette phrase pourrait être employé plus profitable-
ment de presque n'importe quelle autre manière*.

* *Note du correcteur d'épreuves*: Le correcteur est un universitaire
à la retraite, titulaire d'un doctorat, et qui se croit donc autorisé à
ajouter cette note à la note de l'éditeur. Je ne vois franchement pas la
nécessité de faire appel à la profondeur de la sagesse arabe ou à la
sagesse orientale de toute espèce (excepté si le but visé est de faire la
promotion de livres) pour exprimer adéquatement ce que nos philoso-

À nouveau les saisons; à nouveau le printemps et ensuite l'été, puis l'automne, puis l'hiver. À l'extérieur, il bruine; j'attendrai que sorte le soleil, que les oiseaux recommencent à chanter, que l'air se réchauffe, que revienne la liberté du corps. Mais tout cela a-t-il du sens? Je n'en sais rien. Un léger sommeil me gagne, je bâille et c'est la bouche du doute qui s'ouvre et ma foi soudain chancelle.

Mais, oh mon Dieu! ai-je déjà seulement eu une toute petite once de foi?

Mon unique foi chancelle. Un doute obscur et sinistre m'assaille comme une certitude: l'esprit du temps, le mythe d'un chaos enfin ordonné (jusqu'à quand en serons-nous à l'ordonner?), le poète mis au rang de Dieu, la littérature, la philosophie, la religion, le monde, l'univers, et au-delà, juste un pas plus loin, le Cosmos, et moi-même,

phes ont exprimé beaucoup plus brièvement, dans un langage plus direct et plus dynamique, et d'ailleurs mieux adapté à notre temps. Je cite Friedrich Nietzsche qui, dans *Ainsi parlait Zarathoustra*, dans le chapitre intitulé «Au sujet de la lecture et de l'écriture», dit ce qui suit:

«De toutes les choses écrites, je n'apprécie que ce que l'un a écrit avec son propre sang. Écris avec ton sang et tu verras que le sang est esprit.»

«Il est extrêmement difficile de comprendre le sang d'autrui; je déteste ceux qui tuent le temps en lisant.»

«Celui qui connaît le lecteur ne fait déjà plus rien pour lui. Quand aura passé un siècle de plus de lecteurs, l'esprit lui-même commencera à empester.»

Ces citations sont plus que suffisantes: un seul bouffon suffit parfaitement comme échantillon. Je dois préciser que la signification profonde de ces citations n'en est pas le sens apparent mais que... Pour un traitement plus exhaustif de ce sujet, le lecteur peut consulter mon article publié** ...

** *Note d'un lecteur*: Il est certain qu'un seul bouffon peut suffire comme échantillon... Toutefois, quand Mulá Nasrudin voulut vendre sa maison et qu'il n'en montra qu'une seule planche, personne ne voulut la lui acheter.

tout cela ne serait que sujets de conversation; des commentaires que personne ne lit et qui n'intéressent personne.

La bière et la viande fumée sont sur la table.

Note finale ou *Post data*

Il est bien difficile le métier d'émigré mais parfois, après tout, peut-être pas tant que ça. On dit qu'on apprend de nouvelles choses en visitant des mondes nouveaux. Par exemple, quelqu'un peut découvrir qu'au Canada une bourse accordée par un organisme d'État honore l'artiste qui la reçoit (contrairement à ce qui se passe en Argentine où une bourse de cette nature peut parfois signifier la mort de l'artiste).

Aussi, je tiens à remercier le Conseil des Arts du Canada et le Secrétariat d'État, Département des Affaires multiculturelles, pour les bourses qu'ils m'ont accordées et qui m'ont permis, sans tracas ni angoisse, exception faite des servitudes du travail lui-même, de terminer ce roman. Je ne tiens pas à ajouter d'autres noms; je veux seulement remercier tous ceux, Argentins, Canadiens ou Québécois (une lettre expédiée en temps voulu, un livre, une visite opportune à ma mère), qui m'ont aidé à survivre. Je sais que tout cela est ambigu et trop général, et qu'une telle formulation peut même inclure ceux qui passent leur vie à piétiner les autres. Qu'importe! Avec un peu de charité chrétienne, on doit aussi les remercier: les êtres insignifiants font ressortir la valeur des autres.

PABLO URBANYI

CET OUVRAGE
COMPOSÉ EN SOUVENIR RÉGULIER CORPS 12 SUR 14
A ÉTÉ ACHEVÉ D'IMPRIMER
LE TROIS MAI MIL NEUF CENT QUATRE-VINGT-HUIT
PAR LES TRAVAILLEUSES ET TRAVAILLEURS DES PRESSES
DE L'IMPRIMERIE MARQUIS
À MONTMAGNY
POUR LE COMPTE DE
VLB ÉDITEUR.

IMPRIMÉ AU QUÉBEC (CANADA)